# Superstars

Ann Scott

# Superstars

Roman

VERTAALD DOOR
IRENE GROOTHEDDE EN LAURA BROODSPOT

UITGEVERIJ DE ARBEIDERSPERS
AMSTERDAM · ANTWERPEN

Oorspronkelijke titel: *Superstars*
Uitgave: Flammarion, Parijs

Omslagontwerp: Ron van Roon
Foto omslag: Kato Tan
Model: Doutje Lettinga
Foto auteur: Vincent Valas

ISBN 90 295 3782 5/NUGI 301
www.boekboek.nl

*Voor Willy*

# INHOUD

They used to call me Tricky Kid
I live the life they wish they did
and now they call me superstar.
Everybody wants to be naked,
naked and famous.

TRICKY

Lots of pretty, pretty ones,
they wanna get you high,
but all the pretty, pretty ones,
they leave you low, and blow your mind.
We're all stars now in the Dope Show.

MARILYN MANSON

# PROLOOG

# Schaduwen op de muren

Een jaar geleden, op een gure nacht in januari, kreeg ik een klap voor mijn kop van de uitsmijter van de Rex. Even later stond ik buiten in mijn dunne jurk, zonder jas, mijn handen onder het bloed. Een eindje verder op de boulevard lag de Entracte, een lesbotent, en de laatste plek op aarde waar ik heen zou willen. Maar ik was stoned genoeg om dat buiten beschouwing te laten; elke trut die het zou wagen in mijn buurt te komen zou ik wel weten af te poeieren.

Kort daarvoor was ik de toiletten van de Rex uitgelopen, waar ik voor het eerst sinds lange tijd een shot heroïne had genomen en dus dobberde ik al op aangename wijze van de gang naar de zaal. Ik tuurde naar de grond, met een elastiekje tussen mijn tanden om mijn haren vast te binden, en stond plotseling vlak voor Alex. Ze stond met d'r armen over elkaar te praten met het grietje dat de reden was waarom ik haar die ochtend had verlaten. Het grietje droeg een van mijn T-shirts onder haar spijkerjack, een oud blauw T-shirt met in rode letters JAWS erop. Jaws was ook de deejaynaam van Alex. Met haar één meter negenenvijftig staarde Alex me geamuseerd aan. Ze was nog niet helemaal zeker van onze breuk, omdat ze eraan gewend was geraakt dat ik haar haar vrijpartijen buitenshuis altijd weer vergaf. Alleen was haar smoes dit keer niet geweest: 'Ik wilde gewoon zien of je jaloers zou zijn' of 'Ik werd knettergek van je, dus ik had dit even nodig', maar: 'Ik heb gewoon zin in een avontuurtje, we zien elkaar weer over twee weken.' Daar stond ik dus, met Alex, en halverwege mijn poging eens goed de bitch uit te hangen. Ik herinner me nog dat ik zei dat het er niet best uitzag als zij me geen enkele plek meer gunde waar ik heen kon gaan zonder hen tegen het lijf te lopen. Daarna ging alles heel snel, ondanks de mist van de dope. Ik zag een glas voorbijkomen, greep het en sloeg het stuk op Alex' schedel. In die tijd droeg zij haar haar nog omhoog, met van die kleine blonde dreadlocks waarvan de pieken nooit lang hielden. Dankzij het bloed dat zich met haar haar vermengde, hielden de locks het nu tenminste beter dan welke gel ook die ze er altijd in smeerde. Het was het enige wat me aan haar opviel. Terwijl ik haar hielp haar evenwicht weer enigszins terug te vinden, begon het andere grietje luid te janken. Zij was trouwens de enige die er ophef over maakte. Het was zo druk dat niemand ook maar iets van het voorval had gemerkt. Alex betastte voorzichtig haar hoofd op zoek naar stukjes glas, keek me vervolgens met een krankzinnige blik glimlachend aan en greep toen mijn handen om deze op haar haren te planten die kleverig waren van het bloed. Toen werd ik pissig. Niet omdat ik eruit gegooid dreigde te worden door een uitsmijter, ik moest eerder lachen om die kleerhanger waar ik op mijn hakken een kop boven uit stak en die niet goed wist waar hij me vast moest houden, uit angst dat hij mijn botten zou breken. Nee, ik werd woedend om wat hij in mijn oor siste: 'Daar krijg ik nou een stijve van, meisjes die knokken.' Dus greep ik hem bij zijn ballen en kneep ze tot ze honderdtachtig graden gedraaid waren. Vandaar die klap.

Ik had me er van tevoren juist zo op verheugd weg te zakken in de dikke mist van de rookontwikkelaars in de kelder van de Rex, op zoek naar een rustig hoekje om van de muziek te genieten. Het was verdomme mijn favoriete tent. In plaats daarvan kwam ik in de Entracte terecht, zo'n tent die op doordeweekse dagen door een gebrek aan publiek nooit goed werd opgewarmd. Toen mijn ogen aan de duisternis gewend waren, zag ik dat de tafeltjes met glazen en pakjes sigaretten allemaal rond dat van mij stonden opgesteld. De weinige lelijke eendjes die op de dansvloer stonden te heupwiegen kwamen vroeg of laat om mij heen staan als ze hun tafeltjes weer opzochten. Maar ik was te stoned om op te staan.

Ik dacht niet echt aan Alex, dat verbluffend valse monster dat ik gedurende drie lange jaren van machtsstrijd niet had weten te verlaten. Ik dacht ook niet aan al mijn in de gauwigheid ingepakte spullen die ik in haar garage had gedumpt, noch aan de plek waar ik vannacht zou moeten pitten of de tochtvlagen die dwars door me heen bliezen, neergeploft aan dat tafeltje in mijn dunne jurk met schouderbandjes. Ik was zelfs vergeten dat het de allereerste keer was sinds mijn ontmoeting met Alex dat ik weer een jurk droeg, en dat ik hem die dag was gaan kopen, en de schoenen ook, vastbesloten een kerel op te pikken. Ik interesseerde me die nacht maar voor één ding: me bedwelmen. Ultieme momenten, wanneer het gewicht van je hoofd zich naar voren verplaatst en je oogleden onverwachts in een spiraal van dromen vallen – korte, hevige flitsen van schoonheid, zoals alleen de dope ze weet te verschaffen.

Die dromen worden nog mooier als je ze voor het eerst na een lange periode van onthouding beleeft; de dromen van die avond behoorden tot de allerverrukkelijkste. Ik herinner me dat ik over een immense vlakte van droge en gebarsten aarde vloog waar een oneindige stroom mieren zich voortbewoog, totdat in het westen een indrukwekkende, zwartmetalen monoliet verrees, die op die van 2001 leek, maar van dichtbij een gigantische staaf Coca-Cola-ijs bleek te zijn, waarvandaan tientallen buizen vertrokken die de flesjes vulden. In een andere droom zat ik op een groene, open plek in het bos die naar meloen rook, minuscuul aan de voet van reusachtige bomen. Dikke, volle dauwdruppels parelden eivormig van de bloemblaadjes. Ze veranderden van vorm tijdens hun langzame glijpartij, bleven in de meest abstracte vormen aan de bladeren hangen voordat ze zachtjes op het mostapijt uiteenspatten, waar ze eerst nog even glinsterden om vervolgens opgeslorpt te worden. Aan de oever van een ven zat een libelle geknield haar haren te kammen. Haar lichaam was geweven uit de mooiste kleuren van de regenboog, haar transparante vleugels weerspiegelden zich in het kalme, heldere water van het meertje. Toen ze mij hoorde naderen, keek ze me verbaasd aan en vroeg me waarom ik niet met de anderen haar verjaardagsfeest aan het voorbereiden was. Op dat moment voelde ik dat iemand naast mij kwam zitten.

Ik ging zo goed en zo kwaad als het ging rechtop zitten, klaar om de persoon in kwestie iets vreselijks naar het hoofd te slingeren, maar hield me in, omdat haar gezicht me ineens bekend voorkwam. Toch kende ik weinig meisjes van amper twintig en al helemaal niet een die er zo uitzag. Ze was zo mager dat de botten van haar schouders, die door haar trui heen priemden, de steken van de wol uit elkaar schoven, zodat de kleur van haar T-shirt eronder zichtbaar werd. Tussen de dikke plukken zwart haar die voor haar gezicht vielen, kon je zien hoe alle botten van haar gezicht door haar lijkbleke huid heen staken. Pas toen ze een oude Zippo te voorschijn haalde, kon ik haar weer plaatsen; het was Alice, het zusje van Nikki, de jongen met wie ik vóór Alex een verhouding had gehad en aan wie ik die aansteker had gegeven. Ik vroeg me af of zij een terminaal geval was of zo, en vervolgens viel mijn oog op een Spaansachtig typetje dat vlak voor ons was gaan staan. Ondanks de dunne haarstoppels op haar kaalgeschoren schedel leek ze in niets op een vaste bezoeker. Ze was bijna even groot als ik – een echte zeldzaamheid in dit milieu, waarin iedereen de maat van een krukje heeft – en vooral heel erg vrouwelijk, met haar mooi opgemaakte matte huid en haar perfecte, in een zwarte jurk gegoten figuur. Dat ze zich verwaardigde zich in mijn nabijheid op te houden, kwam ongetwijfeld alleen omdat ik ook een jurk droeg. Haar minachting voor deze plek was van haar trotse, hooghartige gezicht af te lezen. Alice presenteerde haar als haar huisgenote, Pallas, maar de blik van de Pallas in kwestie was zo koud dat ik mijn hand niet uitstak. Ik zei dat ik geen huis meer had, Alice antwoordde iets over een ophanden zijnde verhuizing, waarop ze naar de bar liepen en ik weer in mijn dromen wegzakte.

Dit keer was ik in een aquarium, waar vette Japanse vissen mij verwonderd aanstaarden terwijl ik probeerde op eentje ervan te gaan zitten, alsof het een rijdier was. Verderop schoten rotsen die flonkerden van duizenden edelstenen omhoog als injectienaalden. Er stroomden watervallen van stofgoud van af. Die watervallen stortten zich in lagunes en slingerden al naargelang de begroeiing naar een vlak, glad meer, dat in de verte versmolt met de horizon. Met een hart bonzend van opwinding omdat ik meende de noodvoorraad dope van de hele planeet te hebben ontdekt, wilde ik net als eerste mijn hoofd erin plonzen, toen iemand mijn knie aanraakte. Het was Pallas die probeerde me bij bewustzijn te brengen. Door de harde muziek hoorde ik niet wat ze zei, maar ik deed mijn best te doen alsof ik haar begreep. Terwijl ze tegen me sprak, bleef haar blik gericht op mijn vingers, die nog steeds onder het opgedroogde bloed van Alex zaten. Al was ze strikt genomen geen perfecte schoonheid, ze was beslist erg indrukwekkend. Een paar meter verderop zat een meisje op een bankje tussen haar voeten te kotsen. Er is niets deprimerender dan een lelijke griet alles eruit zien gooien wat ze in zich heeft.

Vervolgens waren er de kou, de koplampen van een paar laatste auto's en de damp die uit de fluisterende mond van Pallas kwam: 'Niet elke avond uit eten, geen vriendjes uit het buitenland die voor een maand komen aanwaaien.' De broze schouder van Alice leidde me naar de standplaats. In de taxi ging Pallas verder: 'Geen feestjes, niet doorzakken.' Alice gebaarde me niet te veel op haar te letten. 'Geen drugs,' ging Pallas onverstoorbaar verder, terwijl ik mijn neus buiten het raampje stak om een opkomende misselijkheid tegen te gaan. Ik zag mijn jas voor me, die aan het eind van de nacht helemaal alleen aan een haakje in de garderobe van de Rex zou hangen en vroeg me af of het me zou lukken hem de volgende dag al op te halen, en vooral of de rest van de dope er nog in zou zitten. Ik dacht ook aan het nieuwe vriendinnetje van Alex, dat mijn T-shirts droeg.

We gingen het appartement binnen en ik vond het maar bizar dat ik daar terecht was gekomen, met een meisje van twintig dat nota bene het zusje was van het enige vriendje van wie ik ooit werkelijk gehouden had, en met Pallas, die toen al een hekel aan me had. Pallas maakte de deur open van een gigantische woonkamer, leeg op een enkele zwartleren bank en een enorm televisietoestel na. Alice pakte iets grijzigs uit de kast, een dekbed met een grote zwarte verfvlek erop, hetzelfde waaronder ik zeven jaar met haar broer had geslapen. Ik deed mijn schoenen met hoge hakken uit, die te veel herrie maakten op het parket, en hield me vast aan de leuning van de bank, om niet te laten zien hoe ver heen ik was. Alice drukte me even tegen zich aan om me goedenacht te zeggen en Pallas voegde eraan toe: 'En ook geen achtergrondmuziek.' Ik ging zitten en vroeg me af of Alice nog wist dat ik daarmee bezig was: met muziek.

Door de jaloezieën van de luiken viel een gelig licht, zwak maar koppig, dat op de kale, witte muren vage maar regelmatige, horizontale lijnen projecteerde. Het licht kwam van een van die grote gietijzeren lantarens die je nog overal in Parijs vindt, bevestigd aan de gevels van de oude huizen, waarvan het vale licht stiekem door de versleten houten luiken binnensloop. Een van de luiken werd door een touwtje vastgehouden en door een flauw briesje flakkerden sommige schaduwen op de muur. Ik hoorde geen enkel geluid uit de andere kamers. De verwarming stond niet aan en de kamer bood net zo'n verstarde aanblik als wanneer er vormeloze meubels, afgedekt met lakens, hadden gestaan. Ik kon mijn ogen niet van de trillende schaduwen op de muren afhouden. Ik dacht dat het goed was ze te zien bewegen, zonder te weten waarom. Ik verwachtte dat ze een zin zouden vormen, zoiets als: 'Maak dat je hier wegkomt zolang het nog kan.' Er waren een hoop andere plekken waar ik had kunnen slapen, maar het vooruitzicht weer door die kou te moeten gaan, op zoek naar een taxi in een buurt die ik niet kende, sprak me absoluut niet aan. Ik tuurde nog een tijdje naar de schaduwen, maar omdat ze niet van plan leken zich in een zin te veranderen, liet ik me onderuitzakken op de diepe bank.

# I

# De bank van de huiskamer

## 1

Ruim een jaar later lag ik nog altijd uitgeteld op die bank, die op de televisie en de videorecorder na het enige meubelstuk in de huiskamer bleef.

Deze ruimte was twee maanden lang mijn slaapkamer geweest, totdat Alice verhuisde en ik besloot mijn intrek te nemen in haar kamer. Nu was het weer een huiskamer geworden die bijna alleen dienst deed als ruimte voor de door Alice georganiseerde exposities, waarmee ze een deel van de huur betaalde. We konden ons niet met de inrichting van de huiskamer bezighouden: we zaten zo op zwart zaad dat we, zodra we maar een beetje geld hadden, ons onmiddellijk het hoofd braken over de vraag wie wat mocht houden en wie wie terug zou betalen, zodat we van de weeromstuit helemaal niets kochten. Het resultaat was dat deze huiskamer niet leefde. We kwamen er wel tien keer op een dag binnen, omdat hier de kasten waren – een muur vol uitpuilende planken aan weerszijden van een kledingkast die haast bezweek onder de last van Pallas' spullen, waardoor ik een gevecht moest leveren om er iets in op te kunnen hangen, maar dat was zo'n beetje alles. De tafel op schragen en de zes klapstoelen die onder in de kast waren opgeslagen kwamen er alleen af en toe voor een etentje uit, en wat de tv en video betrof, daar gedumpt door een vriendin van Pallas, die gebruikten we niet, want we hadden alles wat we nodig hadden in onze eigen kamer. Deze ruimte kwam alleen tot leven tijdens de opening van tentoonstellingen van Alice. Elke twee maanden organiseerde ze een expositie voor iemand die nog niet, zoals zijzelf, het geluk had in een galerie te hangen, en dan zagen we een stuk of veertig min of meer bekende gezichten binnenstromen. Het was vervelend die mensen te moeten verbieden de andere kamers binnen te gaan, maar over het algemeen leidden die exposities tot interessante ontmoetingen.

De woning was groot maar verkeerd gebouwd. Er had een echte gang moeten zijn, en ruimere slaapkamers. De kamer van Pallas lag rechts van de hal en de twee deuren ertegenover kwamen op de huiskamer en mijn kamer uit. Links waren de badkamer, de wc en de keuken. De kamer van Pallas was licht en had prachtig parket, maar was verder piepklein. Mijn kamer was immens, nog groter dan de salon, maar je zou bijna denken dat je in het kantoor van een of ander computerbedrijf was vanwege het plafond met witte polyester platen en het lichtgrijze tapijt, dat schuurde onder je voeten. Verder was er een 'fantastisch' uitzicht op de kantoren van het arbeidsbureau. Dat verklaarde waarom Pallas deze kamer niet gekozen had, maar ik nam het voor lief. Ik was niet verslaafd aan parket en ik bracht mijn tijd niet door met staren naar het plafond – die platen isoleerden me aardig goed van de bovenburen –, en ik leefde hoe dan ook graag met gesloten luiken.

De gemeenschappelijke ruimten hadden ook allerlei eigenaardigheden. De badkamer was ruim, witbetegeld en voorzien van veel metalen accessoires (allemaal in één keer gekocht door Pallas tijdens een van haar koopaanvallen), maar de badkuip was belachelijk klein en de plankjes van de kast zaten te dicht op elkaar om er ook maar het kleinste flesje op te kunnen zetten. De wc op het toilet, diep en niettemin gastvrij, met muren die schuilgingen onder flyers van Alice, had een stortbak die de hele tijd doorliep. Van de keuken, een smalle pijpenla, werden we vaak behoorlijk chagrijnig. Alle stopcontacten zaten op onhandige plekken, de gootsteen lekte het hele jaar door en de afzuigkap zoog niets af. In de toch al kleine ruimte stond vooral een indrukwekkende bank in de weg, die daar al voor onze aankomst was neergezet en onverplaatsbaar bleek, omdat hij de draai naar de gang niet kon maken, ook al was hij er op een of andere manier toch binnengekomen. Het was een in rood vinyl beklede imitatie van de bank van Dali in de vorm van een mond die onze bezoekers regelmatig in verrukking bracht, maar wij, die er elke keer onze tenen aan stootten, kregen er een hekel aan.

Ook tochtte het vreselijk in de woning, maar erger nog was de herrie. Pallas' kamer lag tegen het trappenhuis aan en ze hoorde dag en nacht mensen op en neer lopen. Ik hoorde op ieder uur van de dag het verkeer in de rue du Chemin-Vert richting Voltaire, Bastille of République. Het enige waarover we min of meer tevreden waren, was de inrichting van onze kamers. Die van Pallas was geheel in ecru, van de muren tot de sprei, en er stonden alleen een groot smeedijzeren bed in en een stoel die dienst deed als nachtkastje. De rest van haar spullen, van de stereotoren tot de videorecorder, stond opgestapeld in een nis en werd aan het oog onttrokken door een gordijn, ook ecru. Dat gordijn verborg daarnaast alle tekenspullen van Pallas, die ze sinds haar vertrek bij Esmod niet meer had aangeraakt en haar recente aankopen (digitale fotocamera, printer) die ook niet gebruikt werden. Het enige wat het vertrek een beetje verlevendigde, was een grote poster van David Bowie uit de *Heroes*-periode, hoewel die meestal aan het oog onttrokken werd door de openstaande deur; er zaten briefjes van Pallas' werk op en ontelbare polaroids van ons allemaal, al met al een indrukwekkende collage, die door bezoekers altijd uitvoerig bekeken werd.

Mijn kamer was precies zoals ik hem gedroomd had tijdens al die jaren dat ik geen plek voor mezelf had gehad. Als je binnenkwam waren links het matras met de tv en de video – het dons van het dekbed was met de tijd geplet en de blauwe hoes was helemaal vaal geworden omdat het de enige was die ik bezat en ik hem steeds maar weer waste – en voor de ramen stond mijn home-studio in de vorm van een omgekeerde L opgesteld. Tegenover de linkermuur stonden het computertafeltje en daarnaast een tafel op schragen waarop alle machines stonden – grote mixtafel, compressor, sampler, DAT-recorder, SPX, Groove Box, een bandrecorder en een cd-speler. Mijn Juno-synthesizer stond binnen handbereik en op de tweede tafel, die tot aan het raam kwam, stonden de twee draaitafels, de stereo-installatie en de boxen. Onder de twee tafels lag een berg jacks, floppy's, DAT-bandjes, gewone cassettebandjes en stapels computertijdschriften en handleidingen, plus de verpakkingen van machines, zorgvuldig opgevouwen en erachter gestoken. Met de honderden kabels en stekkerdozen leek het geheel precies op het hol van de verwarmingsketel die De Niro moest repareren in de film *Brazil.* In het verlengde van de tweede tafel lagen mijn vijfhonderd platen op het tapijt, met net zoveel cd's in verticale stapels ernaast. Ten slotte stonden er in de rechterhoek van mijn kamer acht dozen, open, maar niet uitgepakt. Er zaten videofilms in, een verzameling *Keyboards Magazines*, boeken en diverse spullen die ik regelmatig uitzocht in een poging het aantal dozen te beperken. Al woonde ik hier nu al een jaar, het lukte me nog altijd niet ze uit te pakken. Omdat ik zo vaak verhuisde, was ik geobsedeerd door de behoefte alles wat ik bezat in no time te kunnen verslepen. De enige 'snuisterijen' in mijn kamer waren een groene, glazen asbak die op een van de boxen stond en waarin ik mijn kleingeld deponeerde, en een zilverkleurige, opblaasbare alien, met een grote kop en een oog, die ik van een reisje naar New York met Alex had meegebracht. Hij zat dubbelgevouwen op de platenverzameling, alsof hij erover waakte. Het was een kamer die gericht was op de twee houdingen die ik in die tijd innam: zittend (om te werken) of liggend (om films te kijken, te dagdromen of te slapen).

## 2

Toen ik arriveerde, woonden Alice en Pallas daar sinds een maand samen. Pallas had de driekamerwoning oorspronkelijk gehuurd samen met haar vriendinnetje, maar helaas, die had haar de dag voor de verhuizing verlaten. Toen ontmoette Pallas Alice bij de opening van een expositie en aangezien Alice nog altijd wachtte op een woning in de Cité des Arts, was ze voorlopig bij Pallas ingetrokken. Ze kenden elkaar dus nauwelijks, maar konden meteen goed met elkaar opschieten. Hun verstandhouding was gebaseerd op hun wederzijdse obsessies voor mode, roem en geld. Om daar een partje van te bemachtigen, joegen ze hun hele uitkering er bij Colette door, en kwamen ze regelmatig gillend van enthousiasme of ongeloof het toilet uitstormen, omdat ze iets mafs in een roddelblad hadden gelezen. Alice, uitgeteerd door haar anorexia, leek in niets meer op het innemende meisje dat ik vroeger zo vaak bij haar broer had gezien. Op haar tweeëntwintigste was ze alleen nog arrogant, nukkig, woedend en huilerig, maar veel erger nog was het prinsessengedrag van Pallas. Ze had net een relatie van vier jaar achter de rug met een dame die werkelijk alles voor haar had gedaan. Als ze ooit al in staat was geweest voor zichzelf te zorgen, had haar ex haar toen ze zesentwintig was al elk greintje handigheid ontnomen dat er in haar had kunnen schuilen.

Hoewel ze leed onder haar huishoudfobie, was er geen sprake van dat zij ooit de tafel zou afruimen na een etentje dat ze zelf had georganiseerd of zelfs maar de tafel uit de kast te voorschijn zou halen. Iedereen, zowel Alice en ik als de gasten, kreeg te horen dat zij alleen kookte, meer niet. Iedereen vond het billijk in ruil de afwas te doen, maar iedereen had ook haar egoïsme door. De goedzak die een blik op haar kapotte televisie kwam werpen, hoefde er echt niet op te rekenen dat zij hem daarbij gezelschap zou houden. Als we kip aten, konden we het borststuk krijgen of anders niets. Als we met de auto weggingen, stapte ze alleen in als ze voorin mocht zitten, en als ze weer naar huis wilde, moest je haar onmiddellijk terugbrengen, of dat degene die reed nu uitkwam of niet. Een vervelend bezoekje (aan de huurcommissie, de deelraad, het energiebedrijf) putte haar volkomen uit en ze had altijd wel ergens pijn. Ze dwaalde dan van het ene vertrek naar het andere, haar twee handen op de pijnlijke plek, slepend met haar voeten in haar Versace-muilen als een oud, vermoeid mannetje. Tot haar verontschuldiging moet worden gezegd dat ze regelmatig last had van migraine, chronisch aan spit leed en vooral slachtoffer was van allergie voor bijna alles waarvoor je maar allergisch kunt zijn (stof, mijten, stuifmeel, kattenharen, dons). Als je haar, zoals ik in het begin, nauwelijks kende, was dat aspect van haar persoonlijkheid verreweg het charmantste.

In het begin werd ik dus een beetje afzijdig van alles gehouden. Na zeven jaar samenwonen met Nikki, een jaar links en rechts slapen en vervolgens drie jaar met Alex en haar vier huisgenoten, verlangde ik naar niets anders dan een goed afgesloten plek voor mezelf. Dat was pas aan het einde van de dag mogelijk, als de meiden niets meer nodig hadden uit de kast in de huiskamer, maar het was in ieder geval al iets. Voor Alice was ik aardig, en bij Pallas bleef ik uit de buurt. Zij dachten zonder enige twijfel dat ik de kamer van Alice zou overnemen zodra haar atelierwoning vrij zou komen, maar voor mij was er geen sprake van dat ik alleen met Pallas zou blijven wonen. Zij had geëist dat ik een derde van de huur voor de gemeenschappelijke huiskamer betaalde en daarmee had ze zich bij mij volslagen onmogelijk gemaakt. Inwendig kookte ik van woede dat ze me niet toestond mijn spullen bij Alex op te halen. Afzien van de huiskamer waar ze haar etentjes organiseerde zou haar geestelijke evenwicht te veel schade berokkenen! Dat ik desondanks bleef, hoewel een eigen studio me nauwelijks meer geld gekost zou hebben, kwam alleen omdat ik geen salarisstrookje kon laten zien en de borg voor een huurhuis nog niet kon betalen. Ik maakte me geen zorgen over het toekomstige vertrek van Alice, binnenkort zou ik zelf weg zijn.

Het vertrek van Alice kwam echter al in de tweede maand, lang voordat ik iets opzij had kunnen leggen. Ik stond naast Pallas op het balkon naar Alice te zwaaien, die in een verhuiswagen wegreed, me afvragend in welke puinhoop ik nu weer verzeild was geraakt. Maar merkwaardig genoeg veranderde Pallas van het ene moment op het andere. Eén telefoontje was voldoende om een van haar fans in een busje te laten opdraven om mijn spullen te vervoeren. Terwijl ik de dozen het lege vertrek binnensleepte, maakte zij een warm bad voor me klaar en riep dat ze nog een matras bij een vriendin had dat ik mocht hebben en dat ze me geld zou lenen om te kopen wat ik nodig had. Het leek net alsof ze altijd al op dit moment had gewacht, alsof ze wist dat onze toenadering alleen mogelijk zou zijn na het vertrek van Alice. Zonder de oorzaak ervan te zijn, was Alice wel steeds de aanleiding geweest tot haar vreselijke buien, maar Pallas begreep nu dat ze met dat gedoe moest stoppen als ze mij wilde bereiken. Haar enthousiasme werd nog groter toen bleek dat we dezelfde smaak hadden (Marilyn Manson, Kevin Spacey in *The Usual Suspects*, gebakken aardappelen). Ik had dat al eerder opgemerkt, maar had tot dusverre geweigerd mijn voorkeuren met haar te delen, omdat ik geen zin had in de persoon die erbij hoorde. Ik liet me die hele avond geamuseerd bedienen en rekende erop de volgende ochtend de oude Pallas weer te zullen aantreffen. Maar nee, ze bleef charmant, bracht me ontbijt op bed en zorgde voor het middageten terwijl ik mijn apparatuur installeerde. Ik weet niet of het door haar plotselinge interesse voor mijn werk kwam, maar toen zij 's avonds begon te gapen, hield ik haar nog even tegen om nog wat te kletsen, en dat deden we, tot in de kleine uurtjes. Vanaf dat moment waren we onafscheidelijk.

Door deze nieuwe vriendschap kreeg ik de behoefte om Pallas te helpen. Eerst probeerde ik haar te laten inzien dat hoe langer zij zou weigeren haar huishoudfobie te lijf te gaan, hoe erger deze zou worden, maar haar wanhoop was dermate groot dat het er elke keer op uitdraaide dat ik drie keer zoveel deed. Sindsdien deed ik alles voor haar in huis, van de afwas tot de was, en tussendoor ruimde ik de kamers op. Gehecht zijn aan Pallas betekende ook dat ik me betrokken voelde bij een nog pijnlijker probleem; ze had absoluut geen enkel idee van wat ze wilde doen. Haar tekentalent lag in een hoekje te verkommeren, terwijl ze allerlei andere dingen uitprobeerde zonder ooit ergens in te volharden. Een tentoonstelling van polaroid-zelfportretten in een galerie voor conceptuele kunst, een performance in een disco of een zangoptreden bij een stukje trip-hop dat veel deejays hadden grijsgedraaid – elke poging was altijd een succes maar kreeg nooit een vervolg. Soms kan een veelheid aan talenten een handicap zijn... Om haar te veranderen, had je haar in een land moeten laten neerploffen waarvan ze de taal niet kende, waar ze geen vrienden of creditcard bezat – waar ze puur zou moeten zien te overleven. Van tijd tot tijd bracht ik haar in herinnering dat de mensen die zij zo bewonderde, zoals Puff Daddy of Lauryn Hill, die op haar leeftijd al multimiljonair waren, veel hadden moeten slikken voordat ze de top bereikten. Ze antwoordde dat ze niet de top voor ogen had, maar alleen een rijke man die er geen bezwaar tegen had dat ze zichzelf af en toe op een meisje trakteerde. Zij wilde het leven van een ster leiden, en in sommige opzichten was dit al min of meer het geval. Van de muffins van Marks & Spencer tot de flesjes verse jus d'orange van Bon Marché, en tussendoor de laatste modeshow van Chanel of een taxi voor een hele dag, ze liet het zich aan niets ontbreken. Als de bank aangetekende brieven begon te sturen, belde ze papa en mama (gepensioneerde mensen in Nîmes die geen cent hadden om haar te kunnen helpen, maar uiteindelijk altijd toch, bedroefd en ontsteld vanwege de tegenspoed van hun enige dochter, haar schulden betaalden) en liet ze enige goede wil zien door links en rechts wat bijverdiensten te vinden. Consumentenonderzoek, tests voor het ziekenhuis – waanzin, want voordat ze maar een aspirientje slikte nam ze eerst langdurig de lijst van 'ongewenste bijwerkingen' door – maar zo was Pallas. Ze begon enthousiast een medicijn te testen, maar klaagde dan een hele maand over misselijkheid en verviel algauw in haar onhebbelijke prinsessengedrag; ondanks alles was ik dan toch trots op haar omdat ze het in ieder geval geprobeerd had.

Mensen die haar niet goed kenden oordeelden op twee verschillende maar even rampzalige manieren over haar. Meiden die gek werden van haar hautaine gedrag vonden haar een 'pretentieuze trut' en de meiden die door haar ongenaakbaarheid gefascineerd waren, waagden het niet haar te versieren uit angst dat ze het blauwtje van hun leven zouden lopen. Hetzelfde gold voor de mannen met wie ze af en toe een avontuurtje had. Haar seksualiteit was overigens nogal ingewikkeld: als ze verliefd was, kon ze zich niet overgeven aan intiem lichamelijk contact, en als het met seks begon, kon ze niet meer verliefd worden. En zo kwamen we bij elkaar in bed terecht.

Het gebeurde toevallig, op een avond toen we het hadden over wat we lekker vonden in bed. En omdat het ook echt prettig werd, gingen we het steeds vaker doen. Wat leuk had moeten blijven, werd echter een nachtmerrie toen we de stommiteit begingen elkaar in de disco voor de snufferd van Alex te zoenen. Mijn avontuurtjes konden haar niet schelen, maar ze raakte buiten zichzelf van woede omdat ze onze omhelzing als het begin van een echte relatie zag. Ze kwam om de haverklap bij ons binnenvallen om me voor Pallas' neus te betasten, om te laten zien wie er echt de baas was. Het was grappig te ontdekken dat ze jaloers was. Het was weer eens iets anders dan ziek van gemis achterblijven, nadat ze me na onze breuk weer eens had verleid, zonder duidelijk te maken of we weer wel of niet bij elkaar waren. Voor Pallas was het echter zo'n grote vernedering dat ze van de weeromstuit een echte verhouding met mij wilde, zodat ik hun ten slotte allebei duidelijk moest maken dat ze moesten oprotten. Alex vertrok opgetogen, maar Pallas was ervan overtuigd dat wij, als Alex zich er niet mee had bemoeid, een goed stel hadden kunnen worden. Voor haar was dat misschien mogelijk, maar voor mij, ook al was ik letterlijk dol op haar als vriendin, bood deze relatie te weinig houvast. Mensen die niets of nauwelijks iets deden met hun leven, dat was niets voor mij. We zetten er dus een punt achter en Pallas ging nog een tijdje door een gezellige afwijzingsfase heen, compleet met onuitstaanbaar en sarcastisch gedrag, maar uiteindelijk kreeg ik het met veel geduld en tederheid voor elkaar dat ze weer handelbaar werd. En omdat we nooit echt gezegd hadden dat we nooit meer zouden vrijen, bleef de verleiding bestaan en verstevigde onze band.

## 3

Ruim een jaar later dus, op een regenachtige avond in mei, lag ik uitgeblust op de bank van de huiskamer waar ik meestal terechtkwam als ik te hard had gewerkt. Als de bassen urenlang hadden gedreund en de analoge grafieken voor mijn uitpuilende ogen op het scherm dansten en alleen nog wat hortende en vlokkige strepen vormden zoals op een op hol geslagen leugendetector, dan installeerde ik mij op de bank. Weggezakt in het diepe leer, leek het alsof ik was aangesloten op een soort machine die mijn herseninhoud kon ledigen: ik voelde me heerlijk kalm worden, zodat ik daarna de resultaten van die werkdag de revue kon laten passeren en vervolgens alweer enthousiast, zelfs ongeduldig werd bij de gedachte dat ik dat alles de volgende ochtend als de wekker ging weer kon oppakken.

Die keer lag ik er echter om mijn hartkloppingen, veroorzaakt door iets te veel coke, wat te temperen. Ik lag op mijn rug en keek met één oog naar de televisie die oplichtte in de schemering, en moest lachen bij het idee dat iemand van de huurcommissie langs zou komen en zou zien hoe twee bijstandstrekkers leefden. Hij zou erin gebleven zijn. Televisies, videorecorders, stereotorens in alle kamers, massa's kleren, platen, tijdschriften – eigenlijk was het allemaal een kwestie van handigheid. Gestolen waar, vriendinnetjes bij de pers die ons voor een uitverkoop uitnodigden, bevriende verkopers die ons hoge kortingen gaven. Zelfs de kabel hadden we geritseld, door aan Nikki te vragen onze tv op die van de onderbuurman aan te sluiten. Ondanks onze uitkeringen zaten Pallas en ik erg krap. De huursubsidie zorgde voor een deel van de huur, de bijstand was goed voor de eerste tien dagen van de maand, en verder goochelden we met geld zoveel we konden. Pallas nam geld op via haar creditcard en ik leende van haar. We leefden voortdurend in afwachting van een betaling of voorschot, die vervolgens zonder uitzondering opgingen aan het terugbetalen van onze schulden.

In amper een jaar tijd waren er een heleboel dingen veranderd. De meest positieve verandering was de hernieuwde vriendschap met Nikki, die ik dankzij Alice weer was tegengekomen. In tegenstelling tot wat ik altijd geneigd was geweest te denken, de reden ook waarom ik hem al die jaren niet had teruggebeld, was dat mijn overgang naar techno, terwijl hij rockgitarist bleef, niets veranderde aan het respect dat we elkaar toedroegen. De slechtste verandering was de anorexia van Alice, die nu werd afgewisseld door vreselijke aanvallen van boulimie. Alice was conceptueel fotograaf – ze maakte foto's van voeten – en had daar onmiddellijk succes mee gehad. Dat ze zich van jonge student aan de kunstacademie zo snel had ontwikkeld tot grote belofte van de hedendaagse kunst, had geruststellend moeten zijn, maar merkwaardig genoeg had het haar vraatzucht alleen maar aangewakkerd. Reclamefoto's voor Swatch, foto's van rollerskaters in actie, van Kangolpetjes op de hoofden van gabbers die in de wc's van een disco stonden te pissen – ze nam tegenwoordig de krankzinnigste opdrachten aan. Een deel van haar gaf zich vrolijk over aan deze branche, waarin vrouwen die zich met journalistiek bezighielden op meer dan onbeschofte wijze tegemoetgetreden werden, maar een ander deel werd er ziek van. Dat andere deel stopte zich vol, ging kotsen en begon opnieuw, te eten en te kotsen en nog eens, en nog eens, tot de uitputting toesloeg. Tot aan de volgende keer. Hoewel ze niets in haar maag hield, kwam ze toch aan, en dat maakte haar helemaal krankzinnig.

Ik stond op om in de keuken een colaatje in te schenken. Toen ik terugliep, viel mijn oog op het tafeltje in de hal waarop we de post en onze sleutels legden. Er lag een mapje foto's op, met een Post-It-papiertje, waarop Alice had geschreven dat we die foto's moesten aankruisen die we wilden nabestellen. Het waren foto's van ons drieën op een feestje van een paar weken geleden. Meestal merk je bij het terugzien van oude foto's veranderingen op, zoals die foto's waarop de kleren en kapsels je doen gieren van de lach. Maar deze keer was het juist doordat ik ons zag zoals we er nog steeds uitzagen, dat ik me ergens van bewust werd.

Alice droeg haar haar op dat moment tot op haar schouders, net als Björk, met een pony tot aan haar wenkbrauwen, maar geen enkel kapsel was in staat de opgeblazen indruk, die te wijten was aan haar boulimie, volledig weg te vagen. In betere tijden leek ze met haar roze wangen en haar enigszins uitpuilende, lichtblauwe ogen een opgewekte meid, maar in haar slechte perioden, zoals op het moment van de foto, onderging haar gezicht een wrede metamorfose. Haar ogen zagen eruit als twee onbeweeglijke, blinde knikkers. Elke uitdrukking was eruit verdwenen. Haar mond, die normaal zo vrolijk stond, was in een soort misvormd gat veranderd, half open, alsof de onderlip naar beneden was gezakt na een langdurige narcose. Pallas zag er ook niet echt op haar voordeligst uit. Het haar op haar voorheen geschoren schedel was uitgegroeid tot een overal gelijk hangend zwart kapsel met een dikke pony, zodat ze eruitzag als een soort strenge versie van Betty Page. Toen haar voorhoofd nog onbedekt was, ze zich nauwelijks opmaakte en niet al te classy kleedde, zag ze er jong en fris uit. Maar nu ze een veel te rode lippenstift gebruikte en haar pony zo had laten groeien accentueerde dit haar grove Spaanse trekken en zag ze er tien jaar ouder uit. Wat mezelf betrof, mijn korte en verwilderde haren hadden mijn blik veranderd. Alsof ik door mijn haar te knippen, ook mijn blik had weggeknipt. Ik was elders. Zolang ik werkte, voelde ik me aanwezig, betrokken, maar de rest van de tijd leek het, zodra ik mijn neus maar naar buiten stak, alsof ik mezelf beschermde, uit angst dat alles naar de kloten zou gaan...

Ik ging weer op de bank in de huiskamer liggen. Ja, veel dingen waren het afgelopen jaar veranderd. Alice smeet met steeds meer geld voor kleren, maar Pallas probeerde op mijn aandringen het rood staan werkelijk te beperken. Op een enkele geklede jurk na waarmee ze haar avondgarderobe uitbreidde, stelde ze zich tevreden met koopjes van H&M (sinds hun reclamecampagne met Johnny Depp en Helena Christensen ging iedereen naar H&M, terwijl daarvóór niemand in zulke goedkope spullen gezien wilde worden). Ik was ook veranderd. De zoetjesaan door Alex in gang gezette omwenteling voltrok zich nu razendsnel. De jaren van de seventies kleren uit de tijd met Nikki waren voorgoed voorbij. Tegenwoordig droeg ik altijd een spijkerbroek, een T-shirt en gympies. In het begin had ik nog enig tegenwicht geboden door vooral rock-T-shirts te dragen, maar nu droeg ik alleen nog de T-shirts die Alex voor me had gekocht. Met logo's van labels erop (Ninja Tune, F-Com, Giant Step, Warp, Output...) of verdraaide reclameslogans – dat was een soort wedstrijdje met Alex. Degene die het eerst een nieuw fotomodel ontdekte of het meest classy T-shirt maakte, had gewonnen. We maakten de afbeelding eerst op de computer en drukten deze dan af op de in grote hoeveelheden ingekochte T-shirts: zij kwam met de kop van Cindy Crawford aanzetten waarop ze de tekst SUPERMODELS SUCK had aangebracht, terwijl ik op mijn beurt SUCK ME over het gezicht van Evangelista liet lopen. Dat Alex mijn jeans te 'rock' vond, interesseerde me niet. Ik dacht er niet over ze te verruilen voor de baggy trousers die iedereen in onze omgeving nu droeg. Die drie maten te grote broeken stonden misschien sexy als je een goed figuur had, maar als je lang en mager bent zoals ik, lijkt het nergens op. En dat gold ook voor die lompe skatersloffen à la Northwave. Gympen oké, maar niet de eerste de beste, altijd de leren Adidas van voor 1980.

Ik wist niet of die verandering echt kwam omdat ik er genoeg van had of omdat ik probeerde te ontsnappen aan het gevoel buitengesloten te zijn van de wereld van Alex, maar van één ding was ik zeker: mijn muzikale overgang van rock naar techno was niet door frustratie maar door enthousiasme ingegeven. Tot ik Alex ontmoette speelde ik basgitaar. Ik speelde alleen met Nikki, op tournee en in de studio, maar toen we uit elkaar gingen vond ik geen nieuwe groep. Ik zat op een dood spoor, me bewust van het feit dat wat ik wilde spelen geen toekomst had omdat het te veel in het verleden verankerd lag. Toen deed ik een eerste mix samen met Alex in een bar, toen een eerste rave, en daarmee is het begonnen.

## 4

Ik keek op de videorecorder om te zien hoe laat het was. Bijna één uur 's nachts. Het was me gelukt de hele avond niet na te denken.

Maar nu was het al bijna de volgende dag en moest ik de feiten echt onder ogen zien. Dus stond ik op en liep naar mijn kamer, waar ik de envelop van het tapijt opraapte. Ik had de envelop 's middags al gezien, met de naam Virgin boven in de linkerhoek. Ik had hem zo ongeduldig opengerist dat ik het eerste velletje had gescheurd. Op dat papier met briefhoofd stond: 'Hierbij ingesloten treft u uw contract in tweevoud aan.' Het klotecontract waarop ik na zes maanden wachten niet eens meer gehoopt had! Drie bladzijden met kleine lettertjes, clausules, en midden op het tweede blaadje het voorschot voluit geschreven... Op het eerste velletje vroegen ze om mijn bankgegevens zodat ze het bedrag konden overmaken.

Daarna weet ik niet meer wat er gebeurde, ik heb geloof ik gehuild. Toen belde ik Nikki, maar zodra hij opnam, hing ik weer op. Zelfs als hij vreselijk blij voor me zou zijn, dan nog bleef dit contract honderd keer beter dan het contract dat hij onlangs getekend had. Ik moest eerst nadenken hoe ik het hem zou vertellen. Daarna probeerde ik Pallas te bellen, die met Alice aan het winkelen was, maar ik kreeg elke keer haar voicemail. Vervolgens stond ik buiten voor de brievenbus een postzegel te plakken op de envelop met mijn bankgegevens en het door mij getekende contract. Daarna ging ik in mijn kamer languit op de grond liggen, mijn wang tegen het tapijt, mijn armen over elkaar. Ik had het telefoon- en antwoordapparaat uitgeschakeld, uit angst dat ze me zouden bellen en meedelen dat ze zich in de hoogte van het voorschot hadden vergist. Zo bleef ik de hele middag liggen, zonder te bewegen, luisterend naar mijn hartslag, en zodra ik mijn ogen sloot, zag ik stoffige achterafwinkels waar kostbare TB303's en TR909's, oude Prophet-5-synthezisers en Mini Moogs op me stonden te wachten... Daarna ging ik naar Alex, die in het negentiende arrondissement woonde, ijsbeerde door haar kamer, zwaaide met het contract voor haar neus en smeekte haar me vijfhonderd franc te lenen om bij haar dealer twee straten verderop wat coke te kopen. Ten slotte ging ik in de richting van de Notre-Dame.

Daar, aan de voet van die immense massa stenen waarvan ik altijd zo onder de indruk was, daar zat ik en zei tegen mezelf dat mijn tijd eindelijk gekomen was, dat het ook mij eindelijk vergund was een steentje bij te dragen. Ik zou eindelijk iets anders worden dan een Franse ex-basgitaarspeelster die een paar elektronische nootjes had mogen spelen op een paar kloteplaten. Daar, tussen al die toeristen die naar me lachten maar ook een beetje terugdeinsden bij het zien van mijn wijd gespreide armen en mijn ogen vol gelukstranen... honderdduizend franc. HONDERDDUIZEND, GROTE GENADE. STELT U ZICH EENS VOOR!

Daarna keerde ik hollend terug naar huis, van de Notre-Dame tot de Rue du Chemin-Vert aan één stuk door rennend, als Denis Lavant in ik weet niet meer welke film van Carax, ik vloog letterlijk, de lauwe meilucht doorklievend. In de hal vond ik een briefje van Pallas die me vroeg waarom ik haar zo vaak had gebeld zonder een bericht achter te laten. Ze noemde het adres van een tentoonstelling waar ze met Alice heen was, en de naam van een restaurant waar ze daarna naartoe zouden gaan, voordat ze naar de Pulp gingen, waar Alex zou mixen. Ik probeerde nog talloze keren haar te bellen, maar elke keer kreeg ik de voicemail en daar wilde ik het grote nieuws niet op inspreken. Ik had haar natuurlijk ergens die avond kunnen treffen, maar ondanks mijn grote behoefte haar het nieuws te vertellen, had ik geen zin massa's mensen te zien. Dus ging ik weer op het tapijt van mijn kamer liggen, dit keer op mijn rug, en luisterde opnieuw hoe mijn hart tekeerging. Alleen dacht ik deze keer dat mijn hart het misschien zou begeven, het ironisch genoeg zou begeven nu ik zo dicht bij mijn doel was gekomen. En misschien hoopte ik zelfs dat dat zou gebeuren. Om in de overwinning te blijven. De verwachtingen niet te hoeven waarmaken. Want ik kreeg ineens vreselijk de bibbers. Maar toen dacht ik aan Nikki en aan Alex en al die anderen die er alles voor over zouden hebben gehad om zo'n contract te krijgen en zei bij mezelf dat ik niet het recht had bang te zijn. Ja, hoe belachelijk het ook klinkt, zoiets zei ik tegen mezelf. Vervolgens borg ik de rest van de coke op en ging op de bank in de huiskamer liggen, die verdomde bank met zijn weldadige kussens.

Nu was het één uur 's nachts en stond ik buiten zinnen van vreugde in de kamer, de envelop in mijn hand. Honderdduizend franc... het was ongelofelijk. De telefoon ging. Op dit tijdstip kon dat alleen Pallas zijn die haar mobieltje weer had aangezet. Toch wachtte ik nog even voordat ik opnam. Mijn gedachten buitelden zo snel over elkaar heen, dat ik alles heel langzaam moest doen om de controle niet te verliezen...

'Wat is er aan de hand?' siste ze door de telefoon.

Ik kon de geluiden van het verkeer op de achtergrond horen. Ze was zeker naar buiten gegaan om me op te bellen.

'Raad eens.'

'Nee, het is niet waar... je contract?'

'Ja...'

'O, shit! Dat is geweldig! Hoeveel? Hoeveel?'

Ik had graag tegenover haar gestaan om met mijn handen het gebaar van tien maal tien te kunnen maken.

'Tien keer meer dan jij nog van mij krijgt,' antwoordde ik zachtjes.

Ik stelde me voor hoe haar ogen kogelrond werden en hoe ze met haar hand een schreeuw moest onderdrukken.

'Shit!' hield ze niet op te herhalen. 'Shit! Het is niet waar! Dat kan niet!'

Maar het kon wel, dacht ik, terwijl ik hoorde hoe ze de Pulp weer binnenging waar de muziek voortstuwde, en tegen iedereen die het maar horen wilde riep: 'Louise heeft een voorschot van honderdduizend gekregen! Louise heeft een voorschot van honderdduizend gekregen!'

# II

# x-Tazy Roomalator ™ Rave On Experience

## I

Toen de taxi eindelijk de avenue de la Grande-Armée opreed, kon ik niet langer stil blijven zitten. Ik richtte me zo hoog mogelijk op, stak mijn hele bovenlijf door het autoraampje naar buiten en probeerde een glimp van de Porte Maillot in de verte op te vangen. Naast mij op de bank zaten Alice en Pallas te mokken.

'ONGELOFELIJKE SUPERPARTY!' herhaalde ik de hele tijd in een poging ze op te vrolijken.

Alice was boos vanwege de files, en Pallas was geïrriteerd omdat ik een ecstasypil in mijn zak had zitten. Ze had er een hekel aan als ik pillen gebruikte, omdat ze ervan overtuigd was dat ik dan te geblokkeerd zou raken om nog langer... ja, wat eigenlijk, haar vriendin te zijn? Ze was waarschijnlijk ook geërgerd door de tekst op mijn nieuwe T-shirt en door het feit dat het geld dat zij mij die ochtend had geleend om boodschapppen te doen daaraan was opgegaan. Mijn T-shirt was fel oranje, net strak genoeg, en er stond in witte letters SUBSTANCE op geschreven. Goed, vijfhonderd franc voor een stukje katoen was misschien wat overdreven, maar gezien de bijzondere gelegenheid was het dat waanzinnige bedrag wel waard. Voor de zoveelste keer die dag haalde ik de flyer uit de zak van mijn spijkerbroek en las de veelbelovende aankondiging:

VRIJDAG 2 JUNI
DETROIT – LONDEN – BERLIJN – BRUSSEL – PARIJS
HET BESTE VAN DE UNDERGROUND

Sinds twee maanden geleden die flyer in omloop was gebracht, sprak niemand meer ergens anders over. Er stond natuurlijk geen adres bij, anders zou de politie daar al twee maanden hebben gebivakkeerd, maar ook de naam van de organisatie werd niet vermeld. Er werd ook geen enkele aanwijzing over de geluidssterkte gegeven, wat wel vreemd was. Maar nog mysterieuzer was dat er geen lijstje namen van de deejays op stond. Zelfs als je telkens bekenden tegenkwam die voor die avond geboekt waren, dan nog kon je geen volledige lijst van de line-up opstellen. Niemand had bijvoorbeeld een flauw idee wie er uit het buitenland zou komen. Het was zo geheimzinnig dat het ofwel een goede, wilde rave zoals in de beginjaren zou worden, ofwel een commerciële klotestunt met Smiley-T-shirts-kraampjes en meer van die ellende. Maar iedereen was vastbesloten toch een kijkje te gaan nemen. Je wist maar nooit.

Op het moment dat we de Porte Maillot naderden, zagen we al dat het een grote bende was, overal auto's die zomaar ergens geparkeerd stonden en voetgangers die er tussendoor wandelden. We waren nog enkele honderden meters verwijderd en stonden al bumper aan bumper. Ik stelde voor om verder te lopen, maar de dames wilden er niet van weten. Zij zaten vooral te mokken omdat ze geen idee hadden waarin we verzeild zouden raken, terwijl juist het feit dat we het niet van tevoren wisten, de happening nog opwindender maakte. Ik herinnerde me de eerste rave met Alex... Een echte speurtocht was dat geweest. Andere auto's volgen waarin mensen zaten die eruitzagen of ze er ook heen gingen en op elk kruispunt stoppen om de minuscule op verkeersborden gekrabbelde aanwijzingen te ontcijferen. Eenmaal in de buurt, moesten we in het pikkedonker heel stil zijn om eventuele bassen te kunnen horen en tuurden we de zwarte hemel af op zoek naar laserstralen. Uiteindelijk stapten we bij een enorm pakhuis uit, dat veel op een concentratiekamp zou hebben geleken als er ook doucheruimten waren geweest. Het water stroomde langs de muren, vooral in de buurt van de elektriciteitsdraden. De plaatijzeren muren waren zo verroest dat ik wel uitkeek er niet tegenaan te leunen, uit angst tetanus op te lopen. Maar toen Alex begon te mixen, kwam alles goed. Natuurlijk. En dat gold ook voor elke volgende rave, voor elk feest...

Toen we bij Maillot arriveerden en geen centimeter meer vooruitkwamen, stapten we eindelijk uit. Onze billen plakten van het zweten op de leren banken. Op zulke dagen deden de idioten die blikjes cola voor tien en flesjes water voor vijftien francs verkochten gouden zaken, terwijl de hele stad, het hele land op apegapen lag.

Ik tuurde de omgeving af op zoek naar de auto van Alex, een grijze metallic Ford Puma coupé. De mensen kwamen in drommen de metro uit, terwijl anderen in hun auto's de file nog langer maakten. Iedereen sprak elkaar aan of maakte gebaren. Het rook als een parkeerplaats langs de snelweg, met al die banden die stonden te smelten in de hitte. Overal lagen kaarten uitgevouwen op de motorkap en overal bonkte de techno. Maar het ongelooflijkste was dat de smerissen die het verkeer probeerden te regelen zich niet eens afvroegen waar die chaos eigenlijk vandaan kwam. Toch waren het dezelfde smerissen die naar alle uithoeken van Frankrijk gingen om met geweld ergens binnen te dringen en degenen die vroegen of er niets te regelen viel ruw opzij duwden en 'ben je belazerd' toeblaften of 'je kan een hengst krijgen', onderwijl voor tientallen duizenden francs goed spul naar de filistijnen helpend, zomaar, zonder enige reden. Als deze feesten toch plaatsvonden onder redelijk veilige omstandigheden, wat kon het hun dan verdommen als de muziek hard aanstond? Er waren in de wijde omtrek geen buren te bekennen. Ze scholden je verrot als ze een halve ecstasypil in je zak vonden, terwijl ze zelf vanaf zeven uur 's morgens uit hun bek naar de pastis stonken. Waarom deden ze dit werk eigenlijk als ze er zo'n hekel aan hadden? Omdat ze hun adrenalinespiegel voelden stijgen elke keer als ze een arme sloeber te grazen namen die de pech had geen witte huid te hebben? En daar stonden ze dan, gebaren te maken naar de auto's dat ze door moesten rijden of stoppen, belachelijk in hun kleine jasjes ontworpen door ik weet niet meer welke idioot. Het waren prachtige, kleine doelschijven om vol lood te schieten, zodat we ze zouden kunnen zien dansen, met samengeknepen billen van angst. Dat zou ze leren de mensen te terroriseren. Er is niets engers dan bij een smeris in de val te lopen, want bij wie kun je dan nog terecht? Ik was banger voor smerissen dan voor welke psychopaat dan ook die ik 's nachts op de hoek van een straat tegen het lijf zou kunnen lopen. De macht van die gasten was volstrekt obsceen. Daarom wilden wij in ons vak doorstoten naar de top. Ze konden beroemde mensen niet dwingen zomaar een half uur aan de kant te staan om hun smerige bedreigingen en gore praat aan te horen. Zielenpoten.

Uiteindelijk lukte het ons de anderen te vinden. Ze stonden allemaal om Alex heen, die je ondanks haar één meter negenenvijftig altijd als eerste opmerkte. Alex droeg een reclame-T-shirt van de Dope-show van Marilyn Manson (de trut), en ze zag er schitterend uit met haar korte, naar achteren geplakte blonde haren, die de puurheid van haar engelachtige gezicht nog sterker deden uitkomen. Ze was met Inès, haar vriendinnetje van zeventien, die onmiddellijk door Pallas werd omhelsd. Iedereen was jaloers op dat vriendinnetje van Alex, maar ik vond haar vreselijk en zei haar amper gedag. Ik vond haar een soort kloon van Natalie Imbruglia, met hetzelfde bruine kortgeknipte haar, waarvan enkele lange lokken in haar ogen vielen. Ze was best knap, maar ze had dat misprijzende smoeltje van meiden die uit de middenklasse komen maar zich aan iedereen superieur wanen omdat ze toevallig in Versailles wonen. Uitgedost in veel te grote broeken die ze heel laag droeg en korte T-shirts, zodat de piercing in haar navel goed uitkwam (alsof ze de enige was), stond ze altijd overdreven rechtop met haar handen achter op haar heupen, waardoor haar borsten en haar nek naar voren kwamen, terwijl de rest van haar lichaam – schouders, ellebogen en billen – naar achteren staken, zodat ze op een of andere bizarre vogel leek. Bij meiden die ouder waren, zoals ik, had ze weinig tekst en deed ze ziekelijk verlegen. Ze durfde je alleen maar van achter haar lokken aan te kijken, die de rest van haar gezicht verborgen; ik vond haar echt onuitstaanbaar.

Eva, die uit Montpellier kwam, was er ook. Zij was een huisgenoot van Alex en haar beste jeugdvriendin; zij was de enige die Alex niet als een bediende durfde te behandelen. Eva was klein, had bruin haar en zachte groene ogen, was zesentwintig jaar oud en ging onopvallend gekleed. Ze was anders dan de anderen, en niet alleen omdat ze in principe hetero was of een gewone baan als verkoopster had. Hoewel zij van ons degene was die het meest uitging, de meeste ecstasy nam en nooit serieus was als ze haar mond opendeed, maar de hele tijd grappen over blondjes maakte, en ze met een hele zooi gadgets voor kinderen met de afbeelding van Miss Kitty erop rondsjouwde, was ze toch een soort moeder voor ons allen. Misschien omdat ze altijd grote porties voor ons kookte als we uit de disco kwamen, maar vooral omdat ze vrij laat in Parijs was komen wonen en dus met niemand een ex gemeen had en daarom met niemand in de clinch lag.

Gayle was er ook, haar vriendinnetje uit Londen, die haar elke maand een week bezocht, een schattige babyface omringd door korte bruine krullen, die bijna op haar duim zou gaan zuigen als ze moe was en wezenloos op een roze wolk zat. En Julia was er, even oud als Eva en ook een huisgenoot van Alex. Zij werkte in de garderobe van de Pulp, maar ze was vooral danseres en een ongeëvenaarde jongleur, groot en indrukwekkend met haar rode dreadlocks die ze telkens als een hardrockzanger heen en weer schudde. Ze was het type robuuste en gezonde puber die in de Midwest tussen de maïs was opgegroeid, maar een eersteklas fuifnummer, en voortdurend stoned. De kleine Cyril was er ook, nu al met ontbloot bovenlijf, waarover hij water gooide. Hij was het kleine broertje van Alex, niet zo groot, maar erg gespierd, met een bruine, kaalgeschoren schedel en een magere en knokige borstkas, die hij voortdurend trainde. Hij liet geen gelegenheid onbenut om zijn buikspieren te tonen. Ten slotte was er nog een meisje met ook een kaalgeschoren schedel, bruinverbrand en een beetje stevig. Haar rug was licht gebogen en ze droeg een zwarte, strakke blouse, opengeknoopt tot aan een Wonderbra die op het punt stond te exploderen. Dat moest Jessie zijn. Een deejay uit Nîmes, net als Pallas, die naar Parijs was gekomen om samen met Alex muziek te maken en over wie ik al veel had gehoord, voordat ik de gelegenheid kreeg haar te ontmoeten. Net als de vele honderden anderen die over het plein ijsbeerden – op Pallas en Alice na die een jurk droegen en ik zelf met mijn strakke jeans en Adidasschoenen – droeg dit hele groepje strakke T-shirts van G-Star, E-pure, Lady Soul of Tim Bargeot, wijde broeken van Carhartt, Dickies, Homecore, Goodvibes of Kanabeach en grote sportschoenen van Northwave, Globe, Oakley, New Balance, Nike,

Reebok of Fila. Maar op de een of andere manier stond het ze zo goed, dat ik me ze niet anders gekleed kon voorstellen.

'Met hoeveel zijn we?' vroeg Alex zonder haar ogen af te wenden van de tekst op mijn T-shirt. 'Ik neem Eva, Gayle, Inès en mijn broertje, de anderen gaan met Fred mee.'

De trut. Ik zou deze keer toch met haar in die klote-auto van d'r meerijden? Maar nee. Alleen omdat zij mijn T-shirt niet als eerste gevonden had. Ze snapte er niks van, haar eigen T-shirt was nog beter. Haar Puma stond achter haar te fonkelen in de zon. Door een openstaand portier kon ik het verchroomde dashboard zien, de ingebouwde cd-speler en de schone vloerbekleding, waarop trots het Pumalogo prijkte. Toen we nog bij elkaar waren, droomden we van auto's als deze. We zeiden altijd tegen elkaar dat we op een dag naar San Francisco zouden verhuizen, waar we een huis bij Stinson Beach met glazen puien zouden nemen, zoals het huis van Sharon Stone in *Basic Instinct*, met twee Lotussen ervoor geparkeerd. En nu ze me een ritje kon aanbieden in eentje die erop leek – ze had hem al een maand en ik had er nog steeds niet in gereden – deed ze het niet. Dat nam ik haar kwalijk, en nog veel meer dingen. Per slot van rekening had ik haar naam op mijn buik getatoeëerd en zij de mijne (ik had Alex en zij Lou), allebei op dezelfde plek, halverwege de navel en de venusheuvel, in mooie gotische letters van bloedrood met zwarte schaduwen). Ja, het kwam zelden voor dat ik niet razend werd als ik haar zag. Ik nam haar kwalijk dat ze me gedwongen had haar te verlaten, dat ze nooit eens ontrouw aan die kleine Inès wilde zijn, terwijl ze dat met mij wel de hele tijd was. Ik nam haar ook kwalijk dat ze regelmatig langskwam en me eventjes aanraakte, zodat ik zeker wist dat we op een dag weer bij elkaar zouden zijn. Of ik er zin in had of niet, deed er niet toe. Ik haatte het dat zij voor mij besliste.

Ik wilde haar net zeggen dat het zeker een grapje was dat ze me niet in haar auto mee zou nemen, toen Jessie mijn arm aanraakte en met een mooie, licht gorgelende stem die op een grappige manier contrasteerde met haar brede schouders zei: 'Klasse, dat T-shirt van je.' (Wat Alex nog meer irriteerde; ze beval Inès onmiddellijk een joint voor haar te draaien.)

'Ik ben Jessie. Wil je me helpen mijn platen in te laden?'

Alice vroeg me wie Fred was en ik wees haar een kaalgeschoren gozer van Radio FG aan, met een zwart T-shirt waarop in witte letters stond: 'Home Fucking Kills Prostitution'. Ik keek om me heen of ik Guillaume zag, die gezegd had dat hij ons hier zou treffen. Guillaume was een jonge skater die je overal tegen het lijf liep en die al geruime tijd achter me aan zat. Sinds een week of twee liet ik hem wat dichterbij komen. Zijn perfecte, gebeeldhouwde lichaam, regelrecht uit een reclame voor zwembroeken van Calvin Klein, bracht alle meiden in vervoering die liever jongens hadden willen zijn, terwijl de paar anderen die niet bang waren voor heteroseks zich afvroegen waarom ik zo'n knulletje had gekozen, niet eens een echte kerel. Maar ik wist waar ik mee bezig was... En verder beviel onze afspraak me: het was mijn idee geen telefoonnummers uit te wisselen maar alleen met elkaar naar huis te gaan als we elkaar toevallig ergens tegenkwamen. Misschien had hij het alleen geaccepteerd om me later makkelijker aan de haak te kunnen slaan, maar dat zag ik dan wel weer.

We gingen naar Epernon, op ongeveer zestig kilometer van Rambouillet. Hardhouse knetterde uit de speakers en liet de half opengedraaide ramen trillen. Elke keer als het refrein terugkwam, schreeuwden Jessie en Julia gezamenlijk mee: 'I-DON'T-NEED-THIS-SHIT!' Jessie was absoluut een paradox, zowel lomp als onbeschrijflijk vrouwelijk met haar grote borsten die uit haar bloes knalden. Ze was zowel knuffelbeerachtig met haar bleke grijze ogen en sproeten, als een bom energie, die ik graag eens zou horen mixen. Pallas zat voorin, maar had zich naar ons omgedraaid zonder iemand echt aan te kijken. Ze had er de pest over in dat ze niet in dezelfde auto als de kleine Inès zat. De zeldzame keren dat ze zowel met Alice, Inès en mij was, wist ze niet meer op wie ze haar aandacht moest richten. De kleine Inès was het beste om mee te dansen en te kankeren, Alice was er voor de roddels en de inkopen, en ik was er om thuis mee te cocoonen. Op dit moment had Inès duidelijk haar voorkeur, hetgeen Alice, die toch al zat te mokken dat ze in een kleine, groene Clio zat in plaats van in de veel opzichtiger Puma van Alex, woedend maakte. Op sommige momenten kon ik ook jaloers zijn op de voorkeuren van Pallas, maar nu dacht ik alleen maar aan de rave. Omdat Fred geweigerd had op de kaart te kijken, begreep ik dat hij allang wist waar het was. Radio FG was waarschijnlijk een partner of zelfs de organisator van het feest. Ik keek hem in de achteruitkijkspiegel indringend aan en probeerde hem met een paar grimassen tevergeefs wat informatie te ontfutselen over wat ons te wachten stond. Hij glimlachte alleen terug en ik trok een pruilmond, terwijl ik dacht dat ze maar beter voor iets waanzinnig spectaculairs konden zorgen, want met al dat mysterieuze gedoe zouden ze anders door iedereen voor klootzakken versleten worden.

## 2

Van buiten zag de tent eruit als die van de jaarlijkse rave van de Transmusicales van Rennes. Twee kleinere circustenten, die verbonden waren met een grotere tent via transparante tunnels die leken op de tunnels die in de film ET het huis isoleerden.

'Ook niet origineel,' fluisterde ik tegen Fred, terwijl we naar de grote tent liepen.

Ook nu glimlachte hij alleen. We liepen langs de lange rij die voor de ingang stond, Fred sprak even met de uitsmijters en toen mochten we allemaal naar binnen. De grote, reeds halfvolle zaal, lag te knetteren onder de stroboscopen, de techno schalde door de speakers. Achterin, op een hoog podium, zag je ternauwernood de deejay staan, heel klein in een bundel blauw licht. Aan beide zijden van het podium hing een groot filmscherm waarop kleurspiralen te zien waren. Tot zover was er niets bijzonders. Toen richtten we onze blikken op een groot aankondigingsbord, zoals je die op luchthavens ziet:

HOUSE SCENE
23.00-0.30 u.: Markus Nikolaï (D)
0.30-2.00 u.: DJ Jaws (F)
2.00-3.30 u.: Freaks (UK)
3.30-5.00 u.: Herbert (UK)
5.00-6.30 u.: Trash 2000 (F)

TECHNO SCENE
23.00-0.30 u.: The Hacker (F)
0.30-2.00 u.: Jessie (F)
2.00-3.30 u.: DJ Hell (D)
3.30-5.00 u.: Kevin Saunderson (USA)
5.00-6.30 u.: Laurent Garnier (F)

EXPERIMENTELE SCENE
2300.-1.30 u.: Torgull (F)
1.30-2.30 u.: Micropoint (F – live)
2.30-4.00 u.: Manu Le Malin (F)
4.00-5.30 u.: Liza'n'Eliaz (B)
5.30-6.30 u.: Atari Teenage Riot (D)

Video: V-Form, Alien's Mother, 4 Spaces.

'SHIT!' brulde Jessie. 'Ik mix met Kevin Saunderson! Ik mix met Kevin Saunderson! Shit! Niet te geloven!'

'Verdomme,' zei Julia, 'er zijn te veel goeie dingen op dezelfde tijd.'

'Shit, jullie zijn de enige twee meiden, samen met Alex,' voegde ik er nog aan toe.

Fred keek me geamuseerd aan en ik wist niets terug te zeggen. Het was geen commerciële megarave met kraampjes troep en posters die de sponsors bedankten. Bij de ingang hing alleen een kleine affiche van Radio FG, maar verder stond er niets anders dan een lange houten tafel met grote buikflessen water die vier mannen in bekertjes uitschonken en aan een andere tafel zaten drie artsen onder een spandoek van Médecins du Monde, waar je je ecstasypillen kon laten testen. Alles wat je nodig had. Alleen een grote, kale zaal met klassemuziek. En de blik van Fred: je moet af en toe een beetje vertrouwen hebben.

Terwijl Alice en Pallas aan Fred vroegen hen naar de anderen te brengen, volgde ik Jessie en Julia op de voet naar de zijkant van de zaal. Jessie en ik droegen de flight-cases en Julia de tassen met platen en haar eigen tas. Af en toe lieten de stroboscoopflitsen flarden van nu al bezwete lijven en plakkende haren zien en ik snapte niet hoe het kwam dat er al zoveel mensen waren, terwijl wij toch bij de eersten hoorden die vertrokken waren. Toen we bij de hekken aankwamen, zetten we alles op de grond neer en begon Jessie haar pasje te zoeken. Achter de hekken lag het drie meter hoge podium van de deejay, met enkele meters lege ruimte tussen de hekken en het publiek. De gast van de bewaking stond met gevouwen armen voor het hek, genietend van het vooruitzicht ons weg te kunnen sturen. Was hij soms achterlijk of zo? Zag hij onze platen dan niet? Uiteindelijk haalde Jessie met een triomfantelijk gebaar haar pasje te voorschijn en gebaarde dat wij bij haar hoorden. Maar hij schudde zijn hoofd. 'WAT?' schreeuwde Jessie boven de muziek uit. Toen bukte Julia zich om op haar beurt in haar tas te woelen. Ze haalde haar pasje eruit, dat ze aan mij gaf, richtte zich in volle lengte op, zette haar handen als een luidspreker rond haar mond en schreeuwde de man in zijn gezicht: 'U moet me laten passeren. Ik hoor bij de show!' Hij vroeg haar kalmpjes hoe ze heette, zei iets in zijn walkie-talkie, liet het knopje los en luisterde naar het antwoord. Terwijl ik het pasje om mijn nek hing, keek hij me ijskoud aan. Misschien was het de tekst 'substance' op mijn T-shirt die die arme klootzak kwaad maakte. Het antwoord kwam en met tegenzin maakte hij het hek voor ons open. Jessie en ik liepen links om het podium heen, en beklommen zo goed en kwaad als het ging met de tassen en de flight-cases de smalle, ijzeren trap. We zetten alles achter The Hacker neer, die naar ons gebaarde dat de stemming er al goed in zat. Jessie verlichtte met een aansteker haar horloge en schreeuwde dat ze nog een half uur had. We tuimelden de trap weer af en raceten naar de kleedkamers.

Een stuk of zes meiden zat zich aan een lange tafel voor spiegels met allemaal kleine lampjes eromheen op te maken. Julia was zo slechtziend dat ze haar gezicht op tien centimeter afstand van de spiegel moest houden om haar eyeliner op te kunnen doen. Met een zorgelijk pruilmondje knikte ze naar de anderen. Woeste haardossen, katachtige make-up en metaalachtige pakjes, een soort kruising tussen Mad Max en Starwars.

'Shit-ik-geloof-het-niet,' zei Jessie gearticuleerd, 'ik mix met Kevin Saunderson.'

Ze liep enkele passen naar achteren, stak haar hand in de zak van haar spijkerbroek en gebaarde ons dat we dichterbij moesten komen. Ik bedankte eerst voor het pilletje dat ze me aanbood, ik was al voorzien. Ik keek wat om me heen, maar begon toen toch het etiket van het ecstasyzakje te bestuderen. Het was een Main, mijn favoriete pil. Dan kon ik net zo goed hiermee beginnen. Ik stopte hem onopvallend in mijn mond, de andere meiden deden hetzelfde en toen liepen we terug naar het podium.

Uit gewoonte volgde ik Jessie en klom ik achter haar aan naar boven, maar eenmaal achter de draaitafel, voelde ik me te veel. Niet dat je een reden moest hebben om daar te zitten, maar sinds Alex had ik dat niet meer gedaan. Jessie keerde een deksel van de flight-case om, gebaarde me dat ik daarop mocht zitten en begon haar platen uit te zoeken. Dezelfde gebaren als Alex... Dezelfde gebaren als alle deejays van de wereld: twee handen die snel door de stapels platen heen schieten, sommige platen eruit halen en meer naar voren of naar achteren zetten, andere half eruit laten steken om ze sneller terug te kunnen vinden. Met Alex bleef ik altijd in de cabine of op het podium, al naar gelang de gekte van de menigte, mijn ogen continu op haar handen gericht. Ik zat voor honderd procent boven op wat zij speelde, bevestigde met mijn blik dat de nummers perfect op elkaar aansloten of dat een tempowisseling helemaal in de roos was. Zodra ze een plaat van de schijf haalde, ving ik hem op en zette hem terug, en tegen het einde wist ik zelfs te voorspellen wat ze vervolgens zou gaan spelen en hield ik, tot haar grote verbijstering, de plaat al gereed. Ik wilde voor haar onmisbaar worden en dat was ook zo geweest, maar niet op de manier waarop ik had gehoopt... Ik kreeg het warm, mijn rug begon te kriebelen en ik had een droge mond. Jessie ontwarde de draden van haar koptelefoon en schreeuwde naar me dat het waanzinnig zou worden. Ik gebaarde naar haar dat ik naar beneden zou gaan.

Ik versmolt met de menigte die al aanzienlijk dichter op elkaar gepakt was. Bundels blauw licht gleden over de bezwete gezichten. Er hing een sterke geur van weed. Ik wrong me door de massa heen en kwam pal tegenover Jessie te staan, die haar koptelefoon op had en haar eerste plaat pakte. De geluidsgolven ebden langzaam weg, totdat er alleen nog wat vaag gebrom over was. Er steeg protest op. Maar toen nam een acid-klank het over. Mijn voeten begonnen als vanzelf te dansen. De toon rekte zich langzaam in de stilte uit, draaide hier en daar, gevolgd door een bas die steeds duidelijker werd. Langzaam, waterachtig, voelde ik hoe de bas zich meester maakte van mijn buik. Om me heen deinde het publiek vagelijk op en neer. Ik stopte het pasje onder mijn T-shirt. De oorverdovende lach van Aphex Twin knalde uit de speakers, gevolgd door nog een, en toen gebeurde het, onverwachts, een lange roffel van de drums en een schreeuw steeg op uit de menigte, die ook begrepen had dat het retegoed zou worden. De stroboscopen kwamen terug, die de bewegingen om mij heen versnelden en mijn waarneming van de afstand tussen mij en de andere dansers veranderden. Mijn voeten gaven het ritme aan, mijn hoofd volgde de toon. De klankkronkels volgden elkaar op, rolden over elkaar heen, weefden allerlei verschillende patronen die mijn hersens allemaal wilden volgen. Op sommige momenten volgde ik de lage tonen, dan weer de hoge. De omkeringen lieten me opspringen, buigen en weer oprichten. Op de gigantische schermen veranderden de kleurspiralen met de draaikolk van de muziek mee van vorm. Ik keek naar mijn handen die golvende bewegingen maakten, zich sloten, weer opengingen. Mijn armen waren verlengstukken van mijn lichaam geworden, ze gingen omhoog, omlaag en weer omhoog, verloren zich in de laserstralen en ik volgde ze nauwgezet met mijn ogen. Alles om mij heen werd helderder, scherper. Van de glinsterende piercings in de wenkbrauwen, de neusvleugels en de oren, de zweetdruppels op de voorhoofden, de waterdruppels die van drinkende kinnen dropen, tot aan de diepte van de blikken waarin ik zonder me in te houden verzoop. Iedereen was extatisch omdat ze zich daar, op deze onbekende plek, voor de duur van een nacht bevonden. Iedereen was betoverd door de magie van deze eenheid van muziek, licht en mensenmassa.

Toen ik dorst begon te krijgen, wist ik niet of er uren of slechts minuten waren verstreken. De kraam met water bij de ingang was te ver weg. Ik haalde mijn pasje te voorschijn voor de kerel van de bewaking, die zijn gezicht nog altijd in de plooi hield, klom de trap op en vond Julia naast Jessie op het podium. Ze maakte weed fijn in de palm van haar hand. Ik lichtte haar bij met mijn aansteker en in drie tellen had ze gerold, gelikt en geplakt. Ze stak de joint aan, gaf hem aan mij en ging water halen. Ik bleef eraan hijsen, mijn hoofd heen en weer schuddend op de muziek, onderwijl de rug van Jessie bestuderend. Ze was hartstikke physical. Haar hoofd en bovenlijf sloegen op gewelddadige wijze de maat. Ze was verschrikkelijk ruw met haar platen, trok ze uit de hoezen die op de grond vielen, en smeet ze op de draaischijven. Terwijl ze met een duw van haar schouder de koptelefoon recht zette, testte ze het tempo, paste het aan en zond het de lucht in. Julie kwam terug met een fles water. Jessie draaide zich naar haar om. 'Wat dacht je hiervan!' riep ze. Een break leidde een furieuze jungledrumsessie in en Julia spoot letterlijk omhoog, zodat ik naar achteren deinsde om geen schop te krijgen. Ze sprong naar voren, naar achteren, haar dreadlocks wild schuddend, kromp ineen en richtte zich weer op de dubbele ritmes die naar alle kanten uiteenspatten. Jessie draaide zich naar mij om: 'Ken jij de laatste, DJ Rush?' Ik schudde van nee, terwijl ik dronk. De drums hielden op het hoogtepunt abrupt op en Jessie joelde met de menigte mee, terwijl het technoritme en de schrille tonen krachtig terugkwamen. Vervolgens verdwenen alle tonen weer om plaats te maken voor een enkele, lage zangstem, de koude, ironische stem van een witte zanger, die fluisterde: 'I wanna... I wanna fuck you all night.' Mijn lichaam duwde me de trap af. Ik kwam beneden precies op het moment dat het ritme opnieuw losbarstte. Alle armen waren geheven. Mensen die beweren dat dit koude, onmenselijke muziek is, zouden zich moeten laten nakijken. Onophoudelijk hield de bas aan, als een blinde en dove locomotief die onder de stem van de zanger kroop die onvermoeibaar bleef herhalen dat hij je de hele nacht wilde neuken. Ik dacht even aan de andere zaal waar Alex ongetwijfeld ook dodelijk goed zou draaien en aan de zaal waar de live-optredens ook heel wat goeds beloofden. Ik had graag overal tegelijkertijd willen zijn...

Iemand greep me bij mijn schouder. Het was Jessie die schreeuwde dat ze in de andere zaal ging kijken. Met een beetje geluk stond Alex daar nog steeds te mixen. Ik had niet eens gemerkt dat zij op het podium al plaats had gemaakt voor DJ Hell.

De plastic tunnel was verlaten en koel, de technomuziek zwakte af, terwijl de hardhouse duidelijker werd, trager en vetter. De zaal was kleiner en de hitte deed je terugdeinzen. Er waren meer lichtbundels, die over de dansende menigte zwiepten en beurtelings oranje, geel, rood en groen kleurden. Alex was nog steeds aan het mixen, minuscuul op het podium achter in de zaal. Jessie gebaarde dat iedereen waarschijnlijk vooraan zou staan. Het was gek om Alex op zo'n groot podium te zien spelen. Ik had haar al vaker op grotere feesten zien mixen, maar het was voor het eerst dat ik haar uit de verte, vanuit het hart van de dansende menigte zag. We liepen langzaam naar voren, baanden ons een kronkelende weg door het publiek, ervoor uitkijkend de dansers niet te storen. Mijn ogen gleden over alle koppen met blonde stekeltjes, maar geen enkel gezicht hoorde bij Guillaume, mijn skater. De anderen stonden inderdaad allemaal vooraan. Fred was goed los en het deed me plezier hem zo te zien, anders dan op het kantoor van de Radio, waar we hem alleen in de deuropening zagen, altijd gehaast en gefrustreerd wegens gebrek aan vrijheid en middelen. De kleine Cyril maakte zulke snelle bewegingen met zijn armen dat ze vervaagden. Gayle stond op onzichtbare skistokken te duwen. Eva danste met kleine pasjes en riep 'Wow Wow' naar Alex, haar beide wijsvingers naar haar uitstekend. Alice, haar hoofd naar achteren geworpen, danste met de armen slap langs haar lichaam. En Pallas en Inès sprongen tegenover elkaar van de ene voet op de andere. Het was gek om Inès in het publiek te zien. Ik ging nooit dansen als Alex mixte, maar hield haar altijd gezelschap op het podium. Zo had ik haar verloren en zo kon Inès haar behouden. Dat gedoe met afstand – de enige houding die Alex voor je deed rennen. Ik stak een sigaret op en bleef, zonder te dansen, naar Alex kijken, twee meter hoger en dichter bij de rand dan de deejays in de andere zaal.

Ze was nu heel erg op haar gemak. Ze was altijd min of meer statisch, maakte altijd dezelfde delicate gebaren van de plaat terugspoelen om de juiste track op te zoeken, maar haar gezicht was niet langer gespannen van bezorgdheid. Alleen verwrongen door de dope. Het was altijd overduidelijk als zij gebruikt had. Haar bruine ogen, waarvan het normaal gesproken al moeilijk was de grootte van de pupillen te bepalen, lichtten op totdat ze huilerig goud werden. Haar oogleden die van zichzelf al zwaar waren, begonnen te zwellen, zodat ze er als een suffe hagedis uitzag en haar toch al witte huid werd grauw, zodat haar gelaatstrekken zich plotseling overal verdiepten, net zoals het driehoekige kopje van mijn opblaasbare alien in mijn kamer. En dan natuurlijk haar ademhaling, de ademhaling van te veel 'Stophoest'. Die schattige snoepjes die je in de bakken van de drogisterijen vindt, en waarin je een metalen schep moet steken om een plastic zakje te vullen dat je vervolgens moet laten wegen – stel je deze kindersnoepjes eens voor, met de onschuldige naam Stophoest, waar alle junkies van de hoofdstad de godganse dag op liepen te zuigen om hun kots binnen te houden! En daar stond ze stoer te doen met haar Dopeshow-T-shirt. Alleen de levensgrote, aan en uit knipperende letters van haar naam, zoals op een videoclip, ontbraken nog. Maar ik moest toegeven: zelfs stoned als een garnaal kon ze nog perfect mixen. Pas daarna, als haar concentratie wegebde, viel alles in duigen.

Terwijl mijn voeten weer uit zichzelf begonnen te dansen, viel mijn blik op een van de videoschermen. Schitterende laserstralen ontploften boven mangabeelden, afgewisseld met Hongkongfilms, waarin schietpartijen en enorme watervallen omgekeerd in kleurnegatieven waren afgebeeld. Zodra die videofielen een beetje hun best deden, werd het meteen subliem... Mijn blik keerde weer terug naar Alex, die naar Eva gebaarde dat het volgende stuk haar versteld zou doen staan. Ik vroeg me af hoe ze het verhaal over mijn contract opnam. Als onze verhouding minder ingewikkeld was, zou ik die plaat met haar maken. We waren een goed team. De dingen die ik in de schaduw van haar composities uitbroedde, zorgden voor redelijk originele live muziek...

'Waarom trek je zo'n gezicht?' schreeuwde Eva naar me.

Ik haalde mijn schouders op.

'Hé!' schreeuwde ze opnieuw. 'Waarom zijn de doodskisten van blondjes driehoekig? Omdat ze met de benen wijd worden begraven!'

Ze was echt te gek, Eva. Voor een avontuurtje met haar zou ik alles over hebben gehad. Behalve dat ze echt sexy was, was ze ook iets wat niemand anders was. Gezond, levenslustig en verantwoordelijk. Daarom wilde je in haar armen wegkruipen en alles aan haar overlaten.

'Maar waarom trek je verdomme zo'n gezicht?' riep ze nog een keer vrolijk uit, terwijl ze mijn handen vastpakte en zo mijn armen omhoog duwde.

Yep, het was tijd voor een tweede pilletje.

## 3

Later keerde ik terug naar de grote zaal, die nog altijd in blauw licht gehuld was. Ik ging achter DJ Hell zitten, die een soort Afrikaanse techno met veel drums speelde, en dronk water. In de zaal was de vuuroorlog begonnen: fluorescerende serpentines en vuurtoortsen draaiden in het rond. Ik dronk nog wat en liep naar beneden om Jessie te zoeken. Ze danste licht gebogen, met de handen in de zakken van haar spijkerbroek en een sigaret in de hoek van haar extatisch glimlachende mond. Ik bewoog alleen mijn voeten om wat uit te rusten. Met mijn handen onder mijn nek en mijn wijd uitstekende ellebogen was ik me bewust van de blikken van een paar jongens op de ronde vormen van mijn borsten in mijn T-shirt. Ik liet me een beetje gaan, starend naar de vuurbanen van de brandende toortsen die in het rond vlogen. Het leek net alsof ik ondanks de verdovende herrie van de drums toch nog het sissen van de toortsen die door de lucht heen schoten kon horen of het zuchten van het vuurkanon dat de vlammen uitspuwde. Uit al dat licht doemde soms kort het ontspannen, heupwiegende lichaam van Julia op, die haar handen en vingers ineenvouwde en weer uit elkaar trok. Zij was ook niet gek. Maar ook zij had helaas al iemand anders. Toen voelde ik twee armen om mijn middel sluiten. Ik zag nog net de brede schouders van de naakte torso van Guillaume, en zijn ogen, toegeknepen onder zijn petje, voordat ik zijn volle, warme, vochtige mond op de mijne voelde drukken. Mijn tong gleed langs zijn tandvlees, proefde de mentholsmaak. Mijn huid werd supergevoelig onder zijn vingers, die de plooien in mijn armen streelden. Voor een jongen kon hij goed zoenen. Elke keer als ik tegen mezelf zei: ik heb voor de verandering eens zin in een vent, herinnerde ik me onmiddellijk hoeveel beter het met een meisje was... Ik deed mijn ogen weer open en terwijl ik me afvroeg waar de toiletten waren, zag ik Jessie, gevolgd door een enorme neger met een lichtgekleurd petje, de trap naar het podium beklimmen. In het publiek was gefluit te horen. Guillaume ging vlak achter me staan en liet zijn vingers in de zakken voor op mijn spijkerbroek glijden, in een poging meer ruimte te maken om bij mijn kruis te komen. Ik voelde het zweet van zijn borst tegen mijn T-shirt. Toen ik me omdraaide om hem weer te zoenen, zag ik Eva, die zich een weg door de menigte baande, gevolgd door Gayle, Inès, Pallas en Alice. Ik vroeg me afwezig af waar Alex was. Misschien kreeg ze net uitbetaald, of was ze nog naar de volgende mix blijven luisteren. Bijna iedereen was nu opgehouden met dansen en had het op een joelen gezet. Kevin Saunderson zette zijn koptelefoon op, iedereen begon nog harder te schreeuwen en te applaudisseren en hij begon breeduit te lachen. Natuurlijk. Al die gasten uit Detroit en omgeving werden bij ons veel beter onthaald dan in hun eigen land. Achter de laatste drumroffel die zachtjes wegstierf, werd het eerste nummer hoorbaar. Pure Detroittechno, minimalistisch maar fluweelzacht, alles heel verfijnd. Mensen die er geen verstand van hebben, denken dat mixen een kwestie is van twee platen achter elkaar opzetten zonder dat je dat hoort, maar het is veel ingewikkelder dan dat. Het trucje zit hem in het vermogen een bepaalde geluidseenheid vast te houden die ergens naartoe leidt. Wat me tot deze muziek had gebracht, was dat die niet alleen mijn hoofd maar ook mijn lichaam op hol bracht. Het was iets seksueels. Guillaume maakte zich van me los om zijn armen weer mee te laten dansen en ik sloot mijn ogen en liet me door de muziekstroom meevoeren.

Aan de binnenkant van mijn oogleden werden de klanken een lavastroom die door mijn hersens vloeide, en zo het laatste beetje verzet wegnamen dat nog in me zat. Een kristallen ruimte opende zich voor mij, zo ver als ik kon kijken. Onder mijn voeten die de vloer niet meer raakten, kon ik het hele leven zien, een wereld van wortels en kleine beestjes die langzaam tot ontwikkeling kwamen, zonder angst of haast. Ik was alleen in dat decor, maar ik wist dat als ik mijn ogen opendeed ze er allemaal weer zouden zijn. En ze voelden allemaal hetzelfde als ik. Iedereen was in zijn eigen roes, maar op dezelfde golf van muziek. Iedereen was zich bewust van hetzelfde, unieke ritme. We waren allemaal daar om ons te laten wegvoeren van alles wat niet lekker liep. Ver van alles wat al mislukte nog voordat je het geprobeerd had. Ver van het weinige dat we hadden en dat in niets leek op wat we hadden willen hebben. We waren allemaal daar om ons over te geven aan deze muziek die onophoudelijk het hier en nu herhaalde.

III

# De ochtend na ecstasy & Goddelijke Dildo

## I

Toen ik mijn ogen opendeed – ik lag op mijn buik – baadde de kamer al in zonlicht. Ik begreep eerst niet door welk onzalig toeval de luiken waren opengebleven. Daarna herinnerde ik me het beetje bij beetje. Guillaume en ik waren zonder de anderen te groeten de rave ontvlucht en bij iemand in de auto gestapt die zo ver heen was dat we hem twee keer hadden moeten dwingen te stoppen en buiten rondjes te lopen om een beetje nuchter te worden. Ik herinnerde me onze tocht vanaf République, waar we gedropt waren, en hoe we om de drie meter stopten om leunend tegen ijzeren rolluiken een joint te draaien, en elke keer weer doorliepen als een politieauto naast ons op straat vaart minderde. Thuis het bord pasta met tomatensaus dat we voor de tv opaten, waar een documentaire over de jacht op watersnippen te zien was, en daarna de vrijpartij voor de open luiken. Guillaume wilde de werknemers van het arbeidsbureau een plezier doen, door ze voordat ze hun lange, saaie dag begonnen uit hun bol te laten gaan bij het zien van twee jonge, mooie nietsnutten die de sterren van de hemel vreeën, vrij waren... Het probleem was alleen dat het zaterdag was en alleen de buurtzwerver van de aanblik van mijn door het gewrijf langs de balustrade van het balkon ongetwijfeld rood geworden billen kon genieten. Op het laatst zag ik hem staan, terwijl ik net mijn hoofd naar achteren gooide om het zo losjes mogelijk te kunnen laten zweven: hij stond vlak onder het raam en sloeg met grote trage bewegingen het ritme mee!

Ik stopte mijn hoofd onder het kussen en liet net voldoende ruimte over voor mijn mond die schreeuwde: 'GUILLAUME?' Hij verscheen met zijn naakte borst, zijn petje, zijn opengeknoopte beige Dickies-broek, waarboven een stuk van zijn zwarte onderbroek uitstak. Ik bedaarde wat, vroeg hem de luiken te sluiten en keek toe hoe hij gehoorzaamde voordat ik eruitkwam. Wat was er toch met me aan de hand dat ik tegenwoordig zulke gozertjes oppikte? De andere jongens, Nikki en zo, die hadden tenminste nog iets bijzonders... terwijl deze er als ieder ander knulletje van zijn leeftijd uitzag. Waarschijnlijk was het de periode voor zulke avontuurtjes, het paste goed bij de muziek waarnaar we luisterden... Hij kwam terug met een dienblad dat hij voorzichtig naast me neerzette. Kopje thee, een glas jus d'orange, gegrillde muffins met Nutella. Ik ging zitten. Ik had overal spierpijn en mijn oren suisden. Het was net zo warm als de vorige dag. Alleen al door het overeind gaan zitten, begon onder mijn oksels het zweet naar buiten te breken.

'Is Pallas er?' vroeg ik, terwijl ik een slok jus nam.

'Ik geloof het niet. Ik moet zo gaan. Er is een nieuwe skatebaan bij La Défense, die heel gaaf schijnt te zijn.'

Ik onderdrukte een schaterlach. Kom niet te laat thuis, lieveling, de kinderen zien je de laatste tijd zo weinig! Maar het moet gezegd, hij was echt een goede skater. Vierde bij ik weet niet meer welke Extreme Games-wedstrijd. Soms hielden jongeren op straat hem aan om hem om advies te vragen. Hij maakte zijn broek dicht en boog zich over me heen om me te zoenen. 'Maar ik heb denk ik nog wel vijf minuutjes,' mompelde hij, terwijl hij het dekbed opzijschoof om mijn benen te ontbloten.

'Nee, laat maar!' kirde ik, 'het is wel goed zo!'

Het voelde alsof hij nog altijd in me was, zo vaak hadden we het gedaan.

'Ook goed,' antwoordde hij quasi-onverschillig.

Ik keek hoe hij op de stoel van de computer ging zitten en zich naar voren boog om zijn sokken uit zijn sportschoenen te pakken. Ik hield van de rondingen van zijn schouders, zijn door het skaten gebruinde huid. Ik hield vooral van zijn broek, waarvan de slappe ritssluiting gemakkelijk openging als hij zat. Ik trok mijn ochtendjas naar me toe, schoot hem aan terwijl ik opstond en liep naar de deur van mijn kamer om die dicht te doen. Zijn ogen waren te groen en zijn lippen te vlezig; hij was werkelijk een knulletje. Maar de paal in zijn broek had niets knulligs. Ik hoefde hem nauwelijks aan te raken om hem weer stijf te laten worden. Hij trok zijn petje over zijn ogen, terwijl hij in de stoel onderuitzakte, zijn handen gevouwen achter zijn nek. 'Wat dacht je,' mompelde ik, terwijl ik mijn hand door de zijne verving. Ze zeggen vaak dat een meisje dat nooit zo goed lukt als een jongen, tenzij ze het op precies dezelfde manier doet, met dezelfde hand die hij gebruikt, en de pols gebogen in dezelfde hoek... nou ja, zoiets. Ik heb er altijd van genoten ze het zelf te zien doen. Die extase die ze met hun eigen hand beleven. Het geeft ze een soort zelfgenoegzaamheid waar ik jaloers op ben. Ik wist ook dat ik er net niet genoeg van af wist om er zeker van te zijn dat... Ik ging geknield voor hem zitten om zijn pik even in mijn mond te nemen, net lang genoeg om hem steeds korter te horen zuchten en zijn buikspieren te zien spannen naarmate hij zich meer uitrekte op de stoel. Toen kwam ik overeind om op zijn schoot te gaan zitten. Ik hield de slippen van mijn peignoir open, zodat hij kon zien hoezeer ik er klaar voor was, maar ik wachtte nog even met te gaan zitten, omdat ik wist dat het zou branden, zo geïrriteerd was ik op die plek geraakt. Ik wachtte ook tot hij zichzelf eindelijk toestond me smekend aan te kijken en toen ging ik zachtjes zitten en liet hem tot diep in me doordringen. Het brandde verschrikkelijk, maar het was het moment waarop ik het meest van hem genoot. Toen zijn kinderogen rond werden, en hij zijn lippen tot bloedens toe beet, wist hij niet meer hoe hij me vast moest grijpen om me nog sneller te laten bewegen. Op enkele uitzonderingen na, mannen met uithoudingsvermogen en getalenteerde handen, zou neuken met mannen waarschijnlijk nooit echt bevredigend voor me zijn. Maar de plek waar het allemaal gebeurde was toch ook wel lekker en bovendien kon ik zo even al die meiden vergeten, waarop ik altijd veel te verliefd werd, en waarmee ik lief maar meestal vooral leed deelde.

## 2

Op de overloop probeerde ik mijn peignoir dicht te houden, terwijl ik Guillaume uitzwaaide. Ik zag het puntje van zijn petje draaien en verdwijnen en hoorde de hardcore-muziek uit zijn walkman langzaam wegsterven. Lager op de trap greep een hand af en toe de leuning vast en toen zag ik Alex verschijnen, die de trap met vier treden tegelijk beklom. Haar haar dat de vorige avond glad naar achteren had gezeten, stak nu alle kanten uit – wild als een Muppet in haar zwarte T-shirt waarop in roze punkletters 'Goldorak's Not Dead' geschreven stond. Ze had haar grote Northwaves aan en een gave, Amerikaanse politiebroek, grijs met zwarte banden aan de zijkant. Alleen bestond dit model, zoals wel vaker het geval was, niet in haar maat en zwom ze erin.

'Heb je je weer door je skater laten bespringen!' liet ze zich ontvallen, terwijl ze als een windhoos mijn kamer binnenstoof.

Ze liep recht op mijn cd-stapels af, vond onmiddellijk wat ze zocht en stopte de cd in de speler.

'Je bent een geile teef!' voegde ze eraan toe, terwijl ze de deur dichtsloeg. Geamuseerd keek ik toe hoe ze haar sportschoenen uitschopte. Aan de ene kant haatte ze het te merken dat ik met anderen sliep, maar aan de andere kant was ze er dol op. Het deed haar pijn, en daar hield ze van. Ik ging op de rand van het bed zitten, sloeg de slippen van mijn peignoir over mijn dijen en luisterde naar de steeds harder wordende muziek, een soort repeterende klappen die aan iets of iemand werden uitgedeeld, de intro van Mister Self Destruct van Nine Inch Nails, die Alex altijd opzette als we het gingen doen.

'Ik heb een uurtje,' zei ze, terwijl ze haar benen uit haar broek trok, gevaarlijk op één voet balancerend.

'Had je gedroomd,' zei ik terwijl ik een kussen in mijn rug propte, 'ik heb mijn portie wel gehad.'

Ze hapte in een halve muffin.

'Had jij gedroomd!' schreeuwde ze met haar mond vol, waarna ze bovenop me ging zitten.

Ze hield mijn polsen achter mijn hoofd en wiegde zachtjes mee op de zware, obsederende klanken van de muziek. 'Je was te mooi vannacht. Je bent er zomaar vandoor gegaan. Dat kan zomaar niet.' Ze gaf me een klap. Voordat ik er erg in had, had ze haar gezicht al in mijn nek gelegd en zette ze haar tanden in mijn keel. Ik moest haar haren net zo lang naar achteren trekken tot ze eindelijk losliet. Even gleden haar handen langs mijn schouders, mijn borsten, tot aan haar getatoeëerde naam op mijn buik, maar toen drukte ze uit alle macht de botten van haar heupen in mijn dijen. Onze buiken dropen al van het zweet. Haar lippen zochten de mijne, terwijl ze tegelijkertijd probeerde ze te mijden. Ik deed alsof het me moeite kostte boven op haar te gaan zitten en vroeg me af waar ik toch elke keer de fantasie vandaan haalde om dit gedoe als een echt gevecht te zien, terwijl een knie optillen al voldoende zou zijn geweest om haar van me af te krijgen, zo licht was ze. Toen ik eindelijk bovenop zat, greep ze me onmiddellijk bij mijn schouders en duwde me naar beneden. Ze gaf me weer een klap en nog een, en nog een, tot ik gehoorzaamde. Ik liet de piercing in haar navel voor wat die was – waardeloze krengen, zodra je eraan komt, raken ze ontstoken – sloeg ook de rode en zwarte letters van mijn naam in haar onderbuik over en begon met mijn tong rond haar clitoris te draaien. Haar nagels krabden over mijn schedel, terwijl van alle kanten de gitaren gierden en de stem van Trent Reznor ontaardde in woedend en snerpend geschreeuw. Toen ik haar eindelijk klaar liet komen, liet ze een kort gereutel horen en verder niets. Onze grote kick was om niets te laten merken, net zo lang totdat de ander er krankzinnig van werd, niet meer te houden, zodat we eindelijk konden beginnen. Ik gebaarde dat ik haar op handen en voeten wilde. Ze draaide zich om, ik ging op haar rug zitten en ze begreep iets te laat dat ik een dildo had. Hij lag onder het matras, zoals altijd. Zulke gewoontes verlies je niet gauw. Het kostte me geen enkele moeite hem voor te binden zonder dat ze bewoog. Met mijn tanden in haar nekwervels zorgde ik ervoor dat ze geen kant meer op kon, terwijl ik ondertussen wat gel op de dildo deed en met het puntje van mijn duim de opening van haar anus bespeelde. Ik zou geduldig blijven wachten op het moment dat het voor haar ondraaglijk zou worden zich nog langer leeg te voelen. Ze wist dat ze er alleen recht op had als ze erom zou vragen, als ze er hardop om zou durven vragen. Ze draaide haar gezicht opzij en ik zag haar lippen bewegen, maar ik gebaarde dat ik niets hoorde en toen was het mijn beurt om haar te slaan. Ze zei dat ik het moest doen, dat ik d'r verdomme in d'r kont moest neuken. Dus deed ik dat met één ferme stoot, waarmee ik haar een zacht gekreun ontlokte, maar verder niets. Ik hield haar handen tegen zodat ze zichzelf niet kon betasten en ging er flink tegenaan. Ze moest wel een prostaat hebben om hier zo van te houden, anders kon het niet. Die idioot van een Reznor schreeuwde maar dat hij alles onder controle had. Alex schreeuwde dat ze me haatte om mij vervolgens te willen horen zeggen dat ik van haar hield, maar het was lang geleden dat ik dergelijke onzin tegen haar had verkondigd. Ik verplaatste ons zo dat haar voorhoofd tegen de muur aan kwam. Met elke stoot van mijn dildo sloeg haar hoofd tegen de muur. Ik liet eindelijk haar handen los en zij begon er meteen in te spugen, opdat het beter zou glijden. Ze zei dat ze op het punt stond klaar te komen, haar lichaam tot een boog gespannen, en vroeg meteen daarna of ik op wilde houden, maar ik ging nog harder tekeer, dat zou d'r leren zomaar onaangekondigd bij me binnen te komen vallen. Ze begon te hoesten, naar adem te snakken en te proberen de muur te ontwijken. Zonder de dildo eruit te halen maakte ik de gordel los, zodat ik hem in mijn hand kon vasthouden. Zo kon ik hem nog sneller, nog dieper laten gaan, ik gebruikte er alle kracht in mijn arm voor. De tranen begonnen over haar wangen te stromen, ze snikte op het ritme van de hysterische muziek. Het lukte me haar gezicht naar mij te draaien. Op dat moment was niets op aarde belangrijker voor mij dan die verslagen blik in haar ogen.

Buiten adem bleven we even naast elkaar op de doorweekte lakens liggen. De eerste die het niet langer hield zou de colafles bij de stereo-installatie moeten pakken. Ik tastte in het rond om de afstandsbediening te vinden en zette de muziek zo zacht mogelijk. Ik voelde het zweet onder mijn oksels prikken. De hoge temperatuur van het begin van de middag was nog verder gestegen. De weinige keren dat ik door het open raam ergens een portier hoorde dichtslaan, klonk het loom en vermoeid. Uiteindelijk draaide ik me op mijn zij en stond op. De cola had een lauwe en verschaalde smaak. Ik dronk er toch wat van en terwijl ik net deed alsof ik het smekende gebaar van Alex niet zag, draaide ik de dop er weer op en liet hem bij de stereo staan. Ondanks de elleboogstoot die ze in mijn maag plantte, spuugde ik net niet uit wat ik nog in mijn mond had. Het was niet echt een stortvloed die ik toen in haar mond goot. Ze spuugde het uit op het laken en klaagde dat het warm was. Vervolgens klom ze over me heen om de afstandsbediening te pakken – het was allemaal net begonnen.

Ze ging meteen weer in de aanval, omdat het bij ons nu eenmaal altijd zo ging. Op mijn rug gezeten begon ze mijn gezicht in het met cola doorweekte laken te duwen en ik zag haar zo voor me in een film, waarin ze de loop van een geweer in de nek van een of andere kerel drukte. Ze draaide mijn armen om, maakte mijn polsen vast met iets wat een lange sok moest zijn en toen voelde ik de koelte van de gel die ze zonder enige consideratie over me uit smeerde. De dildo gleed zacht naar binnen, kwam er weer helemaal uit, gleed opnieuw naar binnen, heel diep ditmaal, waardoor ik mijn tanden op elkaar moest zetten en me afvroeg of ik niet ineens heel nodig naar het toilet moest. Ze draaide het volume van de muziek weer hoger, en het begon van voren af aan. Een langzaam maar zeker komen en gaan, dat me elke keer een beetje meer uit elkaar scheurde. Ik wist dat ik alleen op de lakens onder mij moest rekenen om klaar te komen. Met mijn neus in het matras gedrukt, voelde ik de nawerking van de ecstasy. Ik dobberde in het rond, voelde me niet in mijn eigen huis, in mijn eigen bed. Maar ik voelde me wel samen met Alex, daar was geen twijfel over mogelijk. Reznor was er om me eraan te herinneren dat hij alles onder controle had. Ik wist maar al te goed dat het nog lang niet voorbij was. Ze had het misschien zes maanden uitgehouden Inès niet te bedriegen, maar nu ze weer teruggekomen was, zou ze me zeker niet met rust laten. Ik zou zelf iemand moeten ontmoeten... Elke keer als mijn bekken zich verplaatste op zoek naar een kreukel in de lakens, greep ze mijn haren vast en trok ze ze zo ver als de soepelheid van mijn nek maar toeliet naar achteren. Was ze ook zo met haar vriendinnetje van zeventien? Ze drukte haar mond op mijn oor en siste dat ze binnenkort met het spul op de stoep zou staan en ik niet zou kunnen weigeren. Zuiver wit spul dat alleen met een beetje bloed gekleurd wilde worden. Ze trok de dildo eruit, maakte mijn polsen los zodat ik me om kon draaien en ging omgekeerd op me zitten. Mijn handen zochten tastend naar een kussen om onder mijn hoofd te leggen. In het begin had ik het lastig gevonden dat ze zo klein was, maar al gauw ging het vanzelf en pasten we perfect in elkaar. Zelfs zo goed dat ik de eerste tijd na onze breuk de 'normale' lengte van andere lichamen bijzonder onaangenaam vond. Daarom duurde onze verhouding waarschijnlijk ook zo lang, omdat we te goed in elkaar pasten. Zij noemde mij 'vuile trut' en ik haar 'gore slet'. In de disco draaiden we als panters om elkaar heen en scholden we elkaar verrot, maar als we thuis niet meer wakker konden blijven, vielen we ineengestrengeld in slaap... Ik trok mijn spieren samen om het moment van klaarkomen uit te stellen, net zolang totdat het bij haar opnieuw op gang zou komen. Ze moest bij mij niet meer aankomen met verhaaltjes over dope. Ze wist dat het voor mij een hel was geweest om haar drie jaar lang lijntjes te zien trekken, omdat ik voordat ik haar ontmoette tot over mijn oren in die troep had gezeten. Maar zij wist vooral dat ik nooit voor haar een eerste shot zou zetten, zelfs niet in een ander leven. Door de wol geverfde junkies lopen vaak tegen dat soort lulverhalen op. 'Jij moet het voor me doen, want als ik het zelf doe, dan mislukt het misschien.' Ben je gek. Het is misschien waar, maar ook oneerlijk. Het is een grote verantwoordelijkheid om te beslissen of het voor diegene alleen maar een gril is of dat ze het werkelijk wil doen. Toch kun je het maar beter op je nemen in plaats van dat een of andere klootzak ermee begint te stuntelen of een overdosis geeft. Het vooruitzicht bezorgde me koude rillingen over mijn rug, maar ik deed mijn best mezelf ervan te overtuigen dat het niet langer mijn probleem was... Ik greep haar billen om ze beter uit elkaar te duwen en ze liet zo'n heftig gekreun horen dat ik haar middel vastpakte en mijn ogen heel hard dichtkneep om niet uit te schreeuwen dat ik nog altijd van haar hield.

Daarna was het allemaal veel minder grappig. Ze stond te bellen, terwijl ze zich aankleedde en noteerde allerlei data die haar agent haar opgaf, alsof ik niet langer bestond. Daarna belde ze de kleine Inès, die blijkbaar met Pallas aan het winkelen was, en om een mogelijk schuldgevoel tegenover de kleine meteen de kop in te drukken, ging ik naar de badkamer om daar elk spoor weg te spoelen dat Pallas razend zou hebben gemaakt.

## 3

Die zaterdagmiddag ging geleidelijk over in een suffe avond. Ik lag op mijn dekbed dat voor de helft uit de hoes gegleden was, met alleen een onderbroek aan, verlamd door de hitte die nog altijd niet minder werd. Ik keek naar MTV, maar had het geluid afgezet. De afstandsbediening lag in mijn hand voor het geval dat ik iets wel wilde horen, maar dat gebeurde niet. Alleen clips van New Jack of goedkope rap – kleine joelende puberettertjes die hun vinger naar je uitstaken of een menigte geoliede lijven die tussen seksbommen in ultrakorte rokjes paradeerden (en dan waren ze nog verbaasd dat de gemiddelde eikel daar slechts 'gangsters' of geile gorilla's in ziet). Ik had ook de afstandsbediening van de stereo bij de hand, maar had eigenlijk nergens zin in. In de verte bromde de ondeugende stem van Marilyn Manson. De cd stond op repeat in de kamer van Pallas, die in de keuken het avondeten klaarmaakte. Zij had in Alex' huis geslapen. We waren op het nippertje aan de grootste ellende ontsnapt, want bijna had Pallas die kleine Inès hiermee naartoe genomen.

Lusteloos lag ik te denken aan de anderen die later naar de Batofar zouden gaan. Ik had zelfs geen energie meer om mijn benen te bewegen en zo de spieren die ik achter op mijn dijen voelde trekken wat te ontspannen. Door het gebrek aan slaap voelde ik me vies en wazig, maar het bracht me vooral ook in een onaangename tussenstaat. Ik dreef elk moment weg, maar zonder ooit een keer werkelijk weg te raken. Mijn oogleden vielen vanzelf dicht, maar door mijn hersens schoten talloze beelden, die mijn ogen weer deden opengaan. Zulke vluchtige en ongeordende beelden dat ik er niet een van heb kunnen onthouden.

De ochtend na ecstasy is een peulenschil vergeleken met de dag na een flinke speed- of acidtrip, maar toch lukte het me niet om mijn depressieve gedrag af te wenden. Uiteindelijk zei ik tegen mezelf dat ik misschien te oud werd om nog in zo'n jong groepje te zitten. Twee nachten achter elkaar niet slapen was te veel van het goede. Ik ging niet zo ver te zeggen dat dertig echt een verschil maakte, maar het was meer dat de anderen nog zeeën van tijd hadden om zich elke nacht zonder aarzeling te bedwelmen, terwijl ik, éénendertig nu, vond dat elke dag van nietsdoen een verloren dag was voor de toekomst. De toekomst, een bijna buitenaardse gedachte...

Ik zou aan het werk moeten zijn, of op zijn minst moeten nadenken over wat ik op de plaat zou zetten. Hoe lang was het nu geleden dat ik het contract gekregen had, twee dagen? Ik kon er maar niet bij dat ik er zo weinig opgewonden over was...

Ik had zelfs geen zin om op te staan en koude cola te halen. Ik hoorde Pallas in de keuken bezig. Het lukte me ook niet om me te verheugen op de aflevering van Ally McBeal van afgelopen dinsdag die Pallas had opgenomen en waar we zo naar zouden gaan kijken. Ik wilde haar eigenlijk vragen het tot morgen uit te stellen, maar ik had haar al zo teleurgesteld door er op de rave tussenuit te knijpen. Sinds ze thuis was gekomen, ging ze elke keer als mijn telefoon rinkelde stiekem staan luisteren wie er op het antwoordapparaat insprak en zei vervolgens tegen het apparaat dat wat voor uitnodiging het ook mocht zijn, ik toch lekker niet zou opnemen, omdat ik vanavond van haar was.

Alex had al drie keer gebeld en ingesproken of ik mee naar de Batofar ging. De derde keer riep ze kwaad dat ik wel thuis moest zijn, omdat de telefoon vlak daarvoor bezet was. Pallas liet een paar afkeurende 'hoho's' horen, maar dat kwam omdat ik haar niet had verteld wat er die middag was gebeurd. Ze zou niet alleen jaloers geworden zijn, maar zou het ook niet verdragen hebben dat Alex zojuist haar vriendinnetje had bedrogen. Het was het gesprek van de afgelopen maanden geweest, dat Alex zo veranderd was door dat grietje. Alleen begon de wind nu blijkbaar uit een andere hoek te waaien... Maar ook daaraan wilde ik niet denken.

Eva belde ook, en haar grapje van de dag was: 'Een blondje gaat naar de dokter. Dokter, dokter, ik heb overal pijn. Ik heb hier pijn en daar, en daar. Ze wijst hem telkens allerlei plekken aan door er met haar vinger op te drukken. Dokter, dokter, wat heb ik toch? Waarop de dokter zegt: ik denk dat u een gebroken vinger heeft!'

Pallas gierde van het lachen. Ze sprong heen en weer door de kamer en riep: 'Kijk! Dat moet je doen. Een plaat met allemaal grappen over blondjes erop! Dan kunnen de mensen tenminste nog lachen als ze aan het dansen zijn!' Ik had graag gewild dat Eva er was. Zij wist precies hoe ze lief en rustig moest zijn met iemand die van een ecstasytrip aan het bijkomen was. Ja, ik had graag gewild dat ze erbij was. Maar niet om uit ons dak te gaan, alleen om haar kalmerende armen om me heen te voelen.

Jessie belde ook. Ik had niet verwacht dat ze mijn nummer zo snel zou draaien. Bij het eerste bericht was ze net in Lyon aangekomen, waar ze moest mixen en ze vroeg me of ik daar geen mensen wist die ecstasy verkochten. Op haar tweede bericht vertelde ze dat ze iemand zocht die internet had, omdat het meisje dat op haar hond paste een webcam had en zij haar hond zo graag even wilde zien. Toen belde ze nog een keer op om te zeggen dat haar hond om op te vreten was en dat ik hem enig zou vinden. Tijd voor Pallas om opnieuw 'hoho' uit te roepen, maar daar ging ik niet op in.

Op een gegeven moment zette ik het geluid van de televisie aan om de cover te horen die Puff Daddy van Led Zeppelin maakte. Het was zeker niet de eerste keer dat ik die clip zag, maar hij had een vreemd effect op mij. Een soort triestheid kwam over me toen ik me herinnerde dat ik zelf jaren geleden geprobeerd had om de riff uit 'Whole lotta love...' te spelen. Misschien kwam het alleen doordat ik opnieuw met Alex gevreeën had dat ik zo down was. Ik trok een bordeauxrood T-shirt van Talkin'Loud naar me toe, dat Guillaume in het bed had achtergelaten. Hij deed nooit een luchtje op, behalve de deodorant van Kenzo die altijd lang bleef hangen. Pallas kwam binnen met een dienblad en wierp een smekende blik omhoog toen ze mij het T-shirt zag besnuffelen. Ik gooide hem naar haar toe en ging zo goed en zo kwaad als het ging overeind zitten. Pallas bleef wachten tot ik het dekbed goed had neergelegd. Ik sloeg het hier en daar wat plat en gebaarde vervolgens dat ik veel te moe was om nog meer te doen.

'Heeft die skater van je je zo uitgeput?' vroeg Pallas, terwijl ze het blad neerzette.

Ik nam niet eens de moeite haar te zeggen dat je van ecstasy behoorlijk last kan hebben, want anders zouden we weer in zo'n antidrugsmonoloog verzeild zijn geraakt en daar was het echt het verkeerde tijdstip voor. Ik schonk een glas cola in en dronk het tot de laatste druppel leeg. Daarna schudde ik de overgebleven ijsklontjes zachtjes tegen elkaar. Op sommige plekken waren ze zo doorschijnend dat ze een prachtige wirwar van piepkleine, met rijp bedekte nerven lieten zien. Net als de uitgestrekte, kristallen ruimte die ik dankzij de ecstasy te voorschijn toverde... Die pure, oneindige wereld, waarin alleen mijn hartslag te horen was. Dat smartelijke verlangen naar stilte was geheel in tegenstrijd met de muziek die ik maakte... Ik richtte mijn blik weer op Pallas en het leek net alsof ze er anders uitzag. Haar pony. Ze had hem korter geknipt. Ze leek nu net op de gamegirl Jacquouille uit de *Visiteurs*.

'Hier, pak aan, Jacquouille,' zei ik, terwijl ik haar een kussen aanreikte.

Ze bleef roerloos staan, de lepel met tomatensalade halverwege haar bord.

'Als je me ooit nog eens zo noemt als er iemand bij is...'

Ik barstte in lachen uit en probeerde haar meewarig aan te kijken. Maar ze had gelijk: als iemand dat hoorde, zou ze het de hele tijd naar haar hoofd krijgen!

'Mag ik je iets vragen?' vroeg Pallas.

Ik knikte en begon te eten.

'Ben je echt verliefd op dat gozertje, of hoe zit dat?'

Ik wachtte totdat ik de hap had doorgeslikt om met nee te antwoorden. Het was wel lekker, meer niet. Wat ook de waarheid was. Maar wat ik niet tegen haar zei was dit: ik ging met hem naar bed om me anders te voelen. Om tegen mezelf te kunnen zeggen dat ik niet was zoals de meeste meiden uit deze scene die ik minachtte. Om tegen mezelf te kunnen zeggen dat als ik het werkelijk wilde, er een mogelijkheid was te ontsnappen... Waarom wilde ik niet accepteren dat ik alleen op meisjes viel? Ik wist het niet, maar ik maakte me van alles wijs om maar te geloven dat ik hetero was. Dus sliep ik met hem en dat was cool, omdat ik het prettig vond dat een jongen me leuk vond. Maar afgezien daarvan deed hij me niets, net zomin als die paar anderen die er na Alex geweest waren. Ik had er graag eentje gevonden met wie het opnieuw serieus zou worden, zoals destijds met Nikki. Dat was eigenlijk wat me zo deprimeerde. Ik realiseerde me dat het niet voldoende was iets vurig te wensen om het ook echt te laten gebeuren.

IV

# Vox AC30, Miss Pallenberg & een zekere Kurt Weill

1

Toen ik de volgende ochtend wakker werd, zette ik een plaat op die ik sinds tijden niet meer had gehoord. Ik dacht er niet echt bij na, hoorde de muziek niet eens terwijl ik op het matras ging zitten om mijn gympies aan te doen. Ik zat daar, keek naar mijn vingers die de lange veters strikten en mompelde afwezig de woorden mee, toen ik in gedachten ineens een paar laarzen voor me zag. Zwarte laarzen met hakken, die vlak naast de mijne door de nacht liepen, klikkend op de door de regen nat geworden keien. Het waren laarzen van Annelio & Davide, waarop de strakke, donkergrijze broek met lichte streepjes prachtig stond. Het waren de laarzen van Nikki, en ik luisterde op dat moment naar ‘Gimme Shelter’ van de Stones, het allereerste stuk muziek dat ik Nikki op de gitaar had horen spelen. Ik richtte mijn blik langzaam op de platenspeler waarop de elpee draaide, en kreeg de onstuitbare behoefte om te janken. Toen begreep ik dat er iets niet in orde was. Ik zei niets tegen Pallas die in de hal liep te ijsberen en me op de overloop achterna kwam om te vragen waar ik naartoe ging. Ik stormde de trap af, alsof ik plotseling heel nodig moest overgeven en alles er al uit dreigde te komen. Ik stond pas stil toen ik buiten adem op het trottoir was beland. Ongewassen en met ongekamde haren stond ik daar in een vaag zondagochtendzonnetje, in mijn T-shirt en met lege zakken, zonder geld of sigaretten, zelfs geen sleutels. Nikki zou best wel eens niet thuis kunnen zijn, dacht ik. Ik bleef een tijdje naar het gebouw aan de overkant staren en herinnerde me hoe hij me ooit tegemoet was komen lopen... in een andere straat, een andere tijd... Toen gebaarde ik kort naar Pallas die me door het open raam achterna riep, en liep de straat uit.

Nikki woonde bij de boulevard Rochechouart, zeker drie kwartier lopen vanaf Parmentier. Aan de ene kant wilde ik de tijd nemen om goed na te denken voordat ik daar zou aankomen, aan de andere kant wilde ik er in een roes naartoe lopen zonder ergens aan te denken. Maar alles wat ik zag herinnerde me aan Nikki. Een stel dat met kinderen in de auto stapte, deed me denken aan het gezin dat ons altijd verbijsterd aanstaarde als wij 's ochtends thuiskwamen in onze verkreukelde kleren en ruige kapsels en gingen slapen terwijl zij zaten te ontbijten. Een gozer op een fiets, met een redelijk mooi suède jasje aan, herinnerde me aan de tweedehandsmarkt waar we urenlang in stapels kleren woelden, op zoek naar jasjes met een kraag zus en bloesjes met een kraag zo. En alle etalages van de dichte winkels deden me denken aan onze wandelingen na afloop van een concert, in wat voor een provinciestad of op welke zondag dan ook...

Uiteindelijk stopte ik met om me heen te kijken, knipperend met mijn ogen om de onophoudelijke stroom tranen tegen te houden en telkens mijn speeksel inslikkend om de brok achter in mijn keel weg te krijgen. Er was geen vlekje schaduw op het trottoir, maar ik was te moe om naar de overkant te lopen. Naarmate ik me meer bewust werd van wat me was overkomen, kreeg ik het gevoel leeg te stromen, net zoals wanneer je te snel opstaat na een bloedafname. Ik hield mijn handen in de kontzakken van mijn spijkerbroek en liep weer verder, met gebogen hoofd om de zon en de blikken van de voorbijgangers te ontwijken. Bij elk nieuw kruispunt had ik het gevoel dat het stuk dat ik nog moest afleggen er langer op was geworden. De brok in mijn keel werd ook niet minder. Een flinke brok die pijn deed. Zo'n brok die je zelden voelt, veel minder vaak dan tranen. Een brok, zo scherp aanwezig, dat ik wel op elke bank die ik zag wilde neerploffen om nooit meer op te staan. Mijn benen bewegen, mijn hoofd naar voren buigen, hoesten en nogmaals hoesten, net zo lang totdat het me zou lukken die brok uit mijn keel te verdrijven. Maar ik liep door. Ik wilde niet instorten voordat ik er was, niet instorten te midden van niets en zonder iemand in de buurt om me op te rapen.

Nikki en ik hebben elkaar op een te gekke manier leren kennen.

Op een dag, ik was net negentien, lag ik uitgestrekt op het matras van mijn zolderkamertje te dommelen in de stilte van een zomermiddag, toen de stilte doorbroken werd door muziek. En niet zomaar een stukje muziek. Het was 'So you wanna be a rock-'n-roll star' van de Byrds, waarvan ik destijds de cover van Patti Smith had opgenomen, door mijn cassetterecorder vlak bij de televisie die haar concert uitzond te schuiven, omdat ik hem niet op de plaat had weten te vinden. Ik stond gelijk op om uit het raam te kijken. Het huis aan de overkant in het nauwe, verlaten steegje was minder dan vijf meter hoog en ik kon zien waar de muziek vandaan kwam, drie etages lager. Door een soort vitrage die voor het raam hing kon ik niet naar binnen kijken. Ik wachtte rustig af totdat het nummer was afgelopen en vervolgens zette ik mijn eigen versie van Patti Smith op en verborg me achter een uitgeklapt luik. Toen zag ik een jongen met lang bruin haar om het hoekje van de vitrage kijken. Hij keek naar beneden, naar boven en toen naar mij. Zijn haar viel over zijn ogen en tot op zijn schouders en hij droeg een paars overhemd. Ik hield mijn adem in, en vroeg me af of hij me wel door de latjes van het luik kon zien, omdat deze mij juist beletten zijn gezicht scherp te zien. Toen het nummer was afgelopen, haalde ik de cassette eruit en vroeg me af wat ik nu zou opzetten, maar hij was me voor met 'I can't explain' van David Bowie, een album met covers dat alleen echte fans in huis hebben. Zonder te wachten tot het afgelopen was, zette ik de originele versie van de Who op, en weer keek hij om het hoekje, maar nu zag hij er gespannen uit! Hij wachtte op zijn beurt ook niet af en deed me nog meer versteld staan met de Shadows of Knight, op het Nuggets-album, dat nog minder mensen kenden. Ik antwoordde met een nummer van dezelfde plaat, en toen pakte hij de vitrage vast en stak de middelvinger van zijn andere hand omhoog. Vanaf dat moment werd het een echt examen. Hij zette een intro op en ik had elke keer maar een paar seconden om iets in mijn platencollectie te vinden dat er een goed antwoord op zou zijn. Toen hij 'Alabama song' van de Doors opzette, had hij een kans van één op miljard dat ik Kurt Weill en Bertolt Brecht kende. Maar toevallig kende ik die wel. Ik had net de *Driestuiversopera* gekocht, omdat ik in een biografie over Bowie had gelezen dat hij deze prachtig vond. Ik zette het volume op z'n hardst, opdat het hele steegje gevuld zou raken met die oude deuntjes, die sublieme, melancholieke mengeling van de wals en de polka, en op dat moment scheurde hij gewoon de vitrage weg en schreeuwde. 'Laat je verdomme zien! En zorg dat je een meisje bent!'

In plaats van me te laten zien, ben ik naar beneden gegaan. Toen hij me zag, sloot hij onmiddellijk zijn raam en enkele seconden later stond hij voor me. Hij stond een beetje gebogen voor me, een jongen iets kleiner dan ik, ondanks zijn laarzen met hakken. Hij was zesentwintig en hij was geweldig. Net een broertje van Syd Barrett gekleed als Keith Richards. Hij begon om me heen te draaien en gaf koortsachtig commentaar op alles wat ik aanhad. Mijn blouse die hem aan iemand op een of andere platenhoes deed denken, de broek, de gesp van mijn ceintuur, mijn laarzen. Ik glimlachte alleen, maar ook ik was verbijsterd dat ik zo iemand tegen het lijf was gelopen. Een tijdje later zat ik op mijn hurken in zijn kamer, die uitpuilde van de gitaren en de versterkers, zijn platencollectie door te nemen, en was het zijn beurt om te glimlachen. Ik begreep beetje bij beetje dat hij de ex-zanger en -gitarist was van een bandje dat ik om onbegrijpelijke redenen gemist had. En toen kwamen we op zijn bed terecht en probeerden we elkaar uit te kleden, zonder dat we met zoenen ophielden, en drie dagen later zei ik mijn zolderkamertje vaarwel.

2

Toen ik eindelijk bij zijn huis aankwam, huilde ik niet meer. Ik was alleen maar uitgeput. En in het steegje, voor de intercom die op de voorgevel was geïnstalleerd, aarzelde ik. Het was te vroeg om bij Nikki binnen te vallen. Misschien was hij niet alleen en verder hadden we elkaar al zeker twee maanden niet gezien. Dat was op zich geen probleem – er ging wel vaker een tijdje voorbij dat we geen contact hadden, en dan belde de een op een gegeven moment de ander gewoon op en leek het net alsof we elkaar de vorige dag nog gezien hadden, maar dit keer was het anders. Zelfs nu ik bijna zeker wist dat wat mij overkwam geen tijdelijke bevlieging was, wist ik niet zeker of ik wel de woorden zou kunnen vinden om het hem uit te leggen. Ik had even kunnen gaan zitten, een beetje uitrusten in de schaduw en dan weggaan, maar ik wist dat ik de hoek maar om hoefde te gaan om alweer te branden van verlangen om terug te keren. En dus drukte ik op het knopje van de intercom. Na een paar lange seconden hoorde ik een slaperig 'Wie is daar?' in het steegje knetteren. Ik schraapte mijn keel en zei toen zo serieus mogelijk:

'Anita Pallenberg.'

'O,' zei hij, 'in dat geval.'

Het trappenhuis was koel en donker. Ik grinnikte toen ik naar boven liep. Anita Pallenberg was lange tijd de vriendin van Keith Richards geweest. 'Zij was tenminste echte klasse,' had Nikki gezegd toen ik om de een of andere reden een keer kwaad tegen hem had uitgeroepen dat hij nooit Keith Richards zou zijn! Op de overloop stond de deur halfopen. Er was geen geluid te horen in de woning, waar de gebruikelijke geur van oude tabaksrook hing. Ik deed de deur zachtjes achter mij dicht en liep door de smalle gang, de hoekjes van de reusachtige poster van de Ramones ontwijkend, die er altijd bij de minste schouderbeweging af viel. Ik kwam langs de kleine badkamer rechts, waar ik door de half openstaande deur Nikki ontwaarde, die met zijn halflange bruine haren en een groene handdoek om voorovergebogen aan de wasbak stond. Vervolgens liep ik de woonkamer in. Er was niets, of bijna niets veranderd sinds de eerste keer dat ik hier kwam. Sinds dertien jaar. Ik moest erom lachen, maar ik had er net zo goed om kunnen huilen.

Nikki had altijd in deze driekamerwoning gewoond sinds hij omstreeks 1985 uit Rennes was weggegaan, na het uiteenvallen van zijn tweede bandje. Na de dood van zijn oom mocht hij de woning betrekken totdat deze verkocht zou zijn, maar uiteindelijk mocht hij er van de familie blijven. De huiskamer lag rechts, achterin was de keuken, ertegenover was de 'muziekkamer' en daarachter de slaapkamer. In die kamer, waar ik iemand een sigaret meende te horen opsteken, was alleen plek voor een matras met twee asbakken aan weerszijden en een kast achter de deur. Ik liep de keuken binnen om Nikki's koffiezetapparaat aan te zetten. De keuken was ook al zo petieterig. Er waren een gootsteen die uitpuilde van de vuile vaat, twee kookplaatjes, een kleine koelkast waarop het koffiezetapparaat stond, en aan de zijkant stond een krukje met een blad glazen en bestek erop, die niet in het enige keukenkastje onder de gootsteen pasten. De badkamer was nauwelijks groter, en de huiskamer, waar ik weer binnenliep om aan de salontafel een sigaret te roken, was op zich in orde, maar leek toch meer op een voortzetting van de gang dan op iets anders.

Nikki liet even op zich wachten, onder andere omdat hij een keer de telefoon moest opnemen. Als er bij hem mensen langskwamen, waren het er zelden meer dan twee en ze kwamen uiteindelijk zonder uitzondering in de muziekkamer terecht, waar Nikki altijd wel met het een of ander bezig was. In de woonkamer stond nog altijd de oude, maar heel comfortabele, donkerbruine leren bank, en op het boekenrek, dat op heuphoogte tot aan de ingang van de keuken liep, lag een hoop rotzooi. De onderste plank bezweek bijna onder de muziektijdschriften en kilo's partituren, bijna allemaal min of meer gescheurd. De middelste plank was geheel gevuld met boeken en op de bovenste plank stond en lag van alles en nog wat: een witte seventies-tv in de vorm van een paddestoel, een prehistorische videorecorder, asbakken uit de jaren vijftig met kleingeld en andere rommeltjes, zonnebrillen en meerdere Lava-lampen. Er lag ook een indrukwekkende stapel post die maar zeer gedeeltelijk geopend was. Nikki interesseerde zich alleen voor brieven met cheques en contracten, die hij aan het briefhoofd op de enveloppen kon herkennen.

Hij kwam met vagelijk gekamde haren de kamer binnenlopen, de dikke, bruine massa lag met flink wat gel plat naar achteren, een beetje à la Nick Cave. Hij knoopte een verkreukelde witte blouse dicht, die hij droeg op een zwarte, ribfluwelen Levi's, die niet helemaal fris meer was. Het meisje dat bij hem was, was twee koppen groter op haar hakken, nauwelijks twintig jaar oud, en had lang, steil blond haar en grote, dicht bij elkaar staande blauwe uilenogen. Een beetje het mannequintypetje met een 'interessant gezicht'. Ik kreeg een verlegen glimlachje en vervolgens kneep ze er zonder een woord te zeggen tussenuit. Ik keek Nikki geamuseerd aan, maar hij zei niets, te elegant om ook maar de geringste onaardige opmerking over een meisje te maken, zelfs nadat ze vertrokken was. Hij ging op de bank zitten om zijn laarzen aan te trekken. Ik drukte mijn sigaret in de asbak op de salontafel uit en liep de muziekkamer in.

Deze kamer was ruim en goudkleurig. Er was een schrijftafel en tegen de ene muur stonden ongeveer vijfduizend platen in houten rekken. Tegen de andere stonden zes Fender Bassmans boven op elkaar gestapeld, nog zes andere versterkers en een piano. De laatste vrije muur hing vol met gitaren, een stuk of tien, opgehangen aan de hals aan een rek dat tegen het plafond was bevestigd en allemaal eersteklas.

Hier had Nikki mij zo vaak als onbenul behandeld als ik een bepaald gitaarmodel weer eens niet herkende, dat het mij nu vrijwel meteen lukte te zeggen welke er nieuw waren en welke er ontbraken. Zijn imposante Gretsch White Falcon en de kleine Silver Jet waren er niet meer. Ook zijn Epiphone Casino, witgesponsd zoals die van Lennon, was er niet. Daarentegen had hij nu weer een grote rode Gibson 335, en natuurlijk een Gold Top, een van zijn favorieten. De zwarte Dan Electro van Jimmy Page was er niet, noch de wit-rode Fender Mustang. Maar de Stratocaster serie L rood was er wel, net zoals de Tesco Del Rey met gouden glitters, de Dan Armstrong van plexiglas en de Burns Synchromatic sunburst (in nuances van zwart naar oranje, wat ik altijd 'zonsondergang' noemde, ool al maakte dat Nikki razend). Er waren ook nog altijd een licht eikenhouten Rickenbacker met twaalf snaren, een 'zonsondergang' Fender Jazzmaster, een akoestische Jumbo, en natuurlijk zijn lievelingsgitaar, de crèmekleurige Gibson TV Junior die hij voor tweehonderd dollar in New York had gekocht toen hij achttien was. In de hoek stond nog de 'zonsondergang' Mosrite Ventures, waaraan twee snaren ontbraken, en misschien zaten er nog wel een paar andere gitaren in de zes flight-cases die op elkaar gestapeld tegen de muur stonden. De zwarte Vox AC30-versterker, die hij overal mee naartoe sjouwde, stond er ook, evenals de rode Combo Marshall Plexi en de eveneens rode Kustom met zijn grappige bekleding, die hem op een opgeblazen en met glitter bedekte Afghaanse jas deed lijken. Een stuk of tien Electro-Harmonix-pedalen lagen stof te verzamelen, evenals enkele

Fuzz'en, Wah-Wahs, Cry Baby's, een viersporen-Revox en een stapel jacks. Ook zijn 'zonsondergang' Precision-basgitaar stond er nog altijd, in een hoekje weggestouwd samen met de Ampeg-basversterker en mijn gele Mustang, die ik nooit van hem had mogen verkopen.

Maar wat de brok weer in mijn keel bracht, was de spiegel boven het bureautje tussen de ramen. Die ovale spiegel in nepgouden lijst met een waaier van foto's eromheen. Foto's van Nikki op het podium met zijn eerste bandje, met zijn tweede, met mij en andere spelers die aan zijn twee soloalbums hadden meegewerkt. Foto's van vrienden, maar vooral foto's van Nikki en mij gemaakt bij allerlei mogelijke gelegenheden. Op een ervan stonden we gekleed als prinsen, Nikki in een groenfluwelen kostuum met een dubbele rij knopen en een satijnen, donkergele blouse en ik in een paarse, zijden blouse met een wit colbertje met Danton-kraag en een witte Levi's. Uiteraard Annelio-laarzen voor ons beiden, en de haardracht van Keith Richards. En verder nog een foto van mij alleen, lang voor die andere genomen, waarop ik nog probeerde gitaar te leren spelen, voordat ik mij op de basgitaar zou storten. Ik zat op een Marshall-versterker, in deze kamer, in mijn onderbroek en zwarte Stooges-T-shirt, met een rode Höhner op mijn knieën, stevig balend omdat ik om acht uur 's morgens uit mijn bed was gesleurd voor mijn dagelijkse gitaarles, zo vroeg omdat ik zogenaamd nog zoveel moest leren...

Nikki zette een kop hete koffie op het bureautje en een andere met thee, en vervolgens voelde ik hoe hij zich van achteren tegen mijn rug aan vlijde, en zijn twee armen om mijn middel legde. Ik wierp mijn armen om zijn hals, draaide me om en barstte in tranen uit.

## 3

'Wacht even,' zuchtte Nikki, en zakte nog dieper weg in de kussens van de bank in de huiskamer, 'ik begrijp het niet goed, begin eens opnieuw.'

Zijn slecht naar achteren gekamde haar stond alle kanten uit en hij had zijn witte overhemd twee knopen te laag dichtgemaakt. Ik moest lachen, maar hij zag er zo serieus uit dat zijn wenkbrauwen elkaar bijna raakten.

'Ik weet niet hoe ik het anders moet zeggen,' verzuchtte ik. 'Ik luisterde naar "Gimme shelter" en toen werd alles me ineens duidelijk, dat is alles.'

'Maar wat werd je duidelijk?'

'Nou, alles. De gitaren, de laarzen, alles!'

'Oké, goed, we weten dat dat klasse is.'

'Ik was vergeten hoe klasse...'

'En dus?'

'En dus? Nou, ik kan nu niet meer doen alsof.'

'Wat doen alsof?' zei Nikki geïrriteerd. 'Ik begrijp niet wat je me wil zeggen. Wil je soms weer bas gaan spelen? Is dat het?'

'Nee, helemaal niet. Daar weet ik toch niks van!' zei ik boos. 'Ik heb alleen geen zin meer om een technoplaat te maken.'

Nikki stond op, maar ik zag nog net de glimp van ironie in zijn blik. Hij pakte zijn kopje weer op en liep naar de keuken om zichzelf opnieuw koffie in te schenken.

'En tegelijkertijd,' ging ik verder, terwijl ik mijn stem verhief zodat hij me kon blijven horen, 'begrijp ik maar al te goed de mazzel die ik heb met dit contract.'

'Ja, dat kan je wel zeggen,' riep Nikki vanuit de keuken.

'Luister, zeur niet. Ik kom je zeggen dat jij uiteindelijk gelijk had, dat die elektronische dingen niet meer werken en dat je ze daarom moet laten zitten.'

Nikki kwam weer binnen en ging zitten. Het was de eerste keer dat we hier een gesprek begonnen, bedacht ik toen. Waarover we spraken moest wel erg belangrijk zijn, veel meer dan ik me realiseerde.

'Goed,' zei hij, terwijl hij een slok koffie nam voordat hij zijn kopje weer neerzette. 'Ik geloof dat er iets is wat je niet goed begrijpt. Ten eerste heb je een contract bij een label van Virgin dat alleen maar techno produceert, klopt dat? Dus zullen die gasten het behoorlijk lullig vinden als je ineens met een rockplaat komt aanzetten. Maar afgezien daarvan geloof ik dat je nog iets niet goed snapt. Ik verdien geen geld met mijn eigen platen, maar door op die van anderen te spelen. Ik heb er drieëntwintig jaar gitaarspelen op zitten, dus dat betekent dat ik altijd wel werk zal hebben, terwijl jij, hoe lang heb je bas gespeeld, drie, vier jaar?'

'Zes.'

'Oké, zes jaar. Maar je zingt niet en je schrijft geen teksten. Dus zie jij jezelf al met Cabrel of Jean-Louis Aubert spelen?'

'Ik kan toch verdomme mijn eigen bandje beginnen!'

'Ben je ineens weer twaalf of zo? Rockmuziek is uit!'

'Dat is niet waar. Kijk maar naar Radiohead, Placebo, Marilyn Manson...'

'Maar dat zijn verdomme alleen de uitzonderingen die je noemt. En het zijn bovendien geen Fransen.'

'Probeer je me te zeggen dat er geen goede Franse muzikanten zijn?'

'Nee, ik probeer je te zeggen dat er veel zijn, te veel zelfs, maar dat er geen massa's zijn die genoeg charisma hebben om een eigen band te beginnen die door zal breken en ik probeer je te zeggen dat het systeem geen rock meer WIL.'

'Oké. Wat zeg je nu eigenlijk precies?'

'Ik zeg dat je weer rustig moet worden en dat we na moeten denken.'

'Ja, en terwijl we nadenken missen we de boot,' zei ik, terwijl ik mijn sigaret uitdrukte en opstond om naar de muziekkamer terug te keren.

Ik rommelde in de bak met Rock totdat ik de *Satanic Sessions* van de Stones vond waarnaar ik thuis geluisterd had. Ik zorgde ervoor dat ik de plaat niet met mijn vingers aanraakte en hing de naald van de pick-up vlak boven het begin van 'Gimme shelter'. Vervolgens pakte ik mijn basgitaar, streelde zacht de snaren die onder het stof zaten en draaide me toen om naar de gitaren.

'Welke kan ik nemen?' vroeg ik aan Nikki die met zijn kop koffie in de deuropening stond.

Hij schudde zijn hoofd, zuchtte en zette zijn kopje op het bureautje neer. Ik had zo lang niet meer gespeeld dat ik niet goed wist hoe ik de Stratocaster die hij me aanreikte moest aanpakken. Vervolgens haalde Nikki zijn Junior van de muur, plaatste hem behoedzaam tegen de Vox en knielde toen voor de stapel jacks neer. Hij nam er eentje uit, toen nog een, kwam weer overeind en pakte de stoel van het bureautje om deze dichter bij de versterker te zetten. Hij pakte zijn Junior weer op, ging zitten en gaf mij een teken dat ik de muziek moest afzetten. Ik plugde de koptelefoon erin en zette het nummer opnieuw op. Terwijl Nikki de twee gitaren in open tuning stemde, bleef ik naar de muziek staan luisteren, terwijl ik telkens de intro opnieuw opzette. Ik wist dat het voor Nikki een lijdensweg zou worden, want ik zou massa's verkeerde noten spelen en vooral niet goed ritme weten te houden. Maar het kwam door dit stuk muziek dat ik gitaar was gaan spelen, ook al had ik die na een jaar voor de basgitaar ingeruild. Beweren dat ik na slechts een jaar gitaar 'Gimme shelter' zou kunnen spelen, was een goeie grap, maar destijds lukte het me wel te tokkelen op de noten van de lange intro, en daarna kon ik ook de akkoorden volgen.

Nikki had ongelofelijke mazzel dat hij hier kon spelen: geen eerste verdieping – de begane grond was een werkplaats zo hoog als een pakhuis waar het de hele dag gonsde van bedrijvigheid – en de buurman van de derde verdieping was een ouwe dandy die net zo van de herrie van Nikki als van zijn kleren genoot als hij hem in het trappenhuis tegenkwam. Nikki was het type dat het normaal vond dat hij zomaar een versterker aan kon zetten, waar die zich ook bevond. Het was alles wat hij deed. Dat, en op de hoek van een tafel zitten, waar dan ook, om songteksten op een papiertje te krabbelen. Het nummer was afgelopen en ik hoorde Nikki schreeuwen. Ik zette de koptelefoon af.

'Wil je een riem?' vroeg hij.

Het leek me nogal grotesk om staand te spelen, maar waarom ook niet, ik moest er maar eens helemaal voor gaan. Ik knikte, terwijl ik de installatie uitzette en Nikki bukte zich om een opgerolde riem op te rapen die hij me vervolgens toewierp. Omdat hij geen tweede riem pakte, glimlachte ik en zei dat hij niet kon blijven zitten terwijl ik in mijn eentje voor gek zou staan. Hij bukte zuchtend om nog een riem te pakken. De mijne was van slangenleer, heel chic, terwijl die van hem een eenvoudige zwarte riem was, zodat ik me nog idioter voelde. Hij pakte een plectrum uit zijn broekzak, gaf hem aan mij en raapte er vervolgens nog een van de grond op. De Vox en de Marshall snorden nauwelijks hoorbaar en Nikki wachtte af, met een half geamuseerde, half meewarige blik. Mijn handen trilden en toen gaf ik hem het teken om te beginnen.

Er waren twee verschillende gitaarpartijen voor de intro. De eerste partij was het ingewikkeldst, maar ook het meest helder en omdat Nikki begon, moest ik mij vervolgens op de tweede partij storten, die minder vol, maar veel moeilijker te spelen was, met allemaal bends en slides. Al snel moest Nikki allerlei dingen tegelijk invoegen, omdat ik zo veel noten miste. Ik was verbaasd dat hij me niet onderbrak om me van voren af aan te laten beginnen, net zolang tot het me lukte, zoals hij vroeger had gedaan toen hij me leerde spelen. Ik moest mijn rechtervoet naar voren zetten om de gitaar met mijn knie omhoog te houden en de hals te kunnen zien. Ik had geen enkele soepelheid meer in mijn vingers. Mijn pink was niet sterk genoeg. Mijn rechterhand vergiste zich in de snaren. De gitaar hing loodzwaar aan mijn schouder, de riem sneed in mijn hals. En verder voelde ik me belachelijk in mijn T-shirt en op mijn gympies naast Nikki, die er perfect uitzag in zijn overhemd dat hij uiteindelijk goed had dichtgeknoopt en zijn zwarte Levi's en laarzen. Maar het was verdomme toch goed, niet met de volumeknop helemaal open, maar toch hard genoeg, en met de stem van Nikki die hier en daar wat tekst begon mee te neuriën om me beter in het ritme te houden. Hij speelde met gesloten ogen en zijn hoofd licht naar achteren gebogen, onbeweeglijk met alleen zijn linkerschouder die zachtjes op en neer bewoog en de eerste van elke twee tellen aangaf. Maar alleen al door naar hem te kijken verloor ik het overzicht op de snaren. Uiteindelijk ging ik op de stoel zitten om me wat meer op mijn gemak te voelen, en Nikki glimlachte haast onmerkbaar, de ogen nog altijd gesloten, terwijl hij het ritme met zijn schouder bleef aangeven. Beetje bij beetje speelde ik alleen hier en daar nog wat noten, balend dat ik het er niet beter afbracht. Wat Nikki alleen speelde was perfect, maar het werd tegelijkertijd ook een beetje monotoon, zonder een tweede gitaar of bas of drums. Hij sloot vervolgens aan bij 'Susie Q' en ik begreep wat hij van plan was. Ik zette de Marshall uit om de Ampeg aan te sluiten en bevestigde de riem van de Strat aan mijn

Mustang-basgitaar. De gitaar was min of meer gestemd en ik viel in in de passage waar Nikki was gebleven, en toen ging alles meteen stukken beter. De bas die in 'Susie Q' op de voorgrond speelde structureerde het hele stuk terwijl hij tegelijkertijd ook elke frasering van de gitaar beantwoordde. Nikki begon erbovenuit te zingen: 'Oh say that you'll be true...' Een stem zo helder, zo zuiver, en zonder enig accent. Ik gaf nu het ritme met mijn voet aan, met beide hakken, net zoals Jagger als die leek te lopen zonder vooruit te komen. Omdat ik nu zonder foute noten speelde, kon Nikki zich rustig aan zijn solo wijden, en omdat ik niet meer de behoefte had om op de snaren te kijken, keek ik naar hem. Nog altijd bijna onbeweeglijk en met zijn ogen gesloten. Helemaal opgaand in wat hij deed. Maar het was niet alsof hij een bezoekje bracht aan enkele oude nummers waarvan hij toevallig hield – het waren de nummers zelf die hem opzochten, die zich van hem meester maakten. Die hem transformeerden, ja. Gewoonlijk zag hij er al geweldig uit, maar als hij speelde, dan gebeurde er iets met hem. Iets waanzinnig magisch. Zelfs zijn achter de gitaar verborgen kruis werd er nog sexier van. Hoe vaak had ik niet voor Pam & Jim willen spelen, door me op mijn knieën te laten zakken als hij aan de piano zat te zingen. Maar het was nooit zoals met Morrisson in de film geweest. Nikki begon niet verbijsterend mooi te zingen, hij hield gewoon op of zei kwaad dat het niet het juiste moment was! Uiteindelijk nam ik zijn gezicht in mijn handen, terwijl de plotselinge stilte zich vulde met de scherpe tonen van zijn gitaar waar mijn bas tegenaan sloeg. Hij liet zich kussen zonder de ogen te sluiten en keek me vervolgens met een geamuseerde blik aan, toen ik mijn hoofd weer terugtrok. Ik ontdeed me van de basgitaar die ik tegen de versterker zette en deed hetzelfde met zijn gitaar en leunde toen tegen de muur. Hij keek me perplex aan alsof hij wilde zeggen: weet je zeker dat dat is wat je wilt? Ik stak mijn hand uit om de slip van zijn blouse te pakken en trok hem zachtjes naar me toe. Zijn lichaam kwam dichterbij en de manier waarop zijn handen zich om mijn heupen sloten deed in niets denken aan mijn skater.

# 4

Hij wachtte vlak voor de ingang, terwijl het net voelde alsof hij de hele ruimte al vulde nog voor hij er was. We zouden samen opstijgen, ons aan elkaar vastgrijpen op een enorme golf die ons omhoog zou werpen en het zou waanzinnig zijn. Die golf wachtte daar ook, net als hij. Zijn brede schouders, de kalme kracht van zijn borstkas en de viriliteit die door de diepte zou worden ontvangen in heel zijn omvang. De gaping zou worden gevuld. Het droombeeld, het verlangen, het gemis, alles zou eindelijk worden gevuld. Al die tijd dat ik me geen vrouw had gevoeld... dat ik me... onzijdig had gevoeld? Aarzelend tussen mijn veertiende en negentiende jaar, uitsluitend hetero met hem, vervolgens bijna net zo overtuigd lesbo met Alex – wat maakte dat van me? Biseksuelen bestaan niet. Er zijn heteromeisjes die soms met andere meisjes gaan, lesbische meiden die het soms met een man doen, homo's die zich soms door meisjes laten verleiden en heteromannen die zich misschien, één keer in hun leven, door een andere man laten neuken. Maar niemand staat onverschillig tegenover beide seksen. Iedereen heeft altijd een voorkeur, en degenen die het tegendeel beweren, liegen. Ik was misschien met Alex gegaan, omdat ik geen tweede Nikki had kunnen vinden. Ik kwam terug omdat dit het was. De afgelopen jaren werden misschien door niets anders gekenmerkt dan door een enorme angst voor mannen. Ik was bang dat ik niet goed genoeg was. Dat ik hun lichaam niet begreep, hun geest, hun anders-zijn. Een onzinnige angst, die me bijna verlamde. Bang voor het onbekende. Bang voor het leven. Uiteindelijk was het een kwestie van vertrouwen. Daarom werkte het de eerste keer. Omdat ik vertrouwen had gehad. De muziek die we deelden was een afleidingsmanoeuvre, om de taak te verlichten die me soms te veel werd. We gingen uit elkaar omdat we elkaar te dicht genaderd waren en nu leek het erop dat er voldoende tijd overheen was gegaan om opnieuw te beginnen. Ik zag dat aan de manier waarop hij glimlachte, over mij heen gebogen met zijn haren die in zijn ogen vielen. Ik glimlachte ook. Ik had het de hele tijd kunnen doen, glimlachen en zeggen: doe maar, ik geloof dat ik opnieuw van jou ben. Zijn waanzinnige charme miste zijn uitwerking niet. Hij besnuffelde me, verkende het territorium waar hij binnen zou dringen. Wat waren die jongens toch ongelofelijk, altijd ervan overtuigd dat ze de enige waren aan wie God zo'n cadeautje gegeven had. De buurman had er misschien ook een, maar het was onmogelijk dat die net zo fantastisch was als de hunne... Normaal gesproken was het vermoeiend, gemakkelijk, belachelijk zelfs, maar op deze momenten was het magisch. Hun zelfverzekerdheid, die toch een beetje gepaard ging met een zwijgend ondervragen, was overrompelend. Alles smolt in mij. In mijn buik, mijn hart. Uiteindelijk duwde ik mijn bekken iets omhoog, en hij gleed meteen langzaam naar binnen, zachtjes, zo ver als hij kon. Ik hield mijn adem in, gefascineerd door de gewelddadige indruk die het op mij maakte. Hij hield in en mijn zenuwen ontspanden zich stuiptrekkend. Zonder condoom kon ik alles voelen. Ik was nog een beetje ongesteld en bovendien hadden we nog nooit samen condooms gebruikt. De vraag werd gewoon niet gesteld. Er zijn nu eenmaal dingen die je niet voor de helft doet. Ik wilde niet alleen de lozing voelen, maar ook elke huidvezel. Verlegen stak ik een vinger naar binnen. Aanraken wat ons verbond. Nog altijd bijna roerloos begon hij zijn spieren zachtjes te spannen. Ik ontspande de mijne. Ik was zo ondersteboven dat ik zelfs geen adem meer durfde te halen. Ik kon alles voelen. Elke millimeter huid. De natte, overgevoelig geworden textuur. Levend vlees. Het perfecte moment waarop alles betekenis krijgt. En mijn ogen sloten zich om zich op een andere wereld te kunnen richten.

## 5

De nacht was gevallen en het enige licht kwam uit de muziekkamer waar de lamp aan was gebleven. Naakt uitgestrekt tegen Nikki aan, mijn wang tegen zijn borst gevlijd, keek ik naar de kledingkast die voor het raam stond. De half openstaande deuren lieten de mouw van een bordeauxrood fluwelen jasje zien, een oude Granny's. Het deed me goed dergelijke kleren weer te zien. Het zou nog moeilijk worden voor mezelf weer zoiets te vinden... Opeens realiseerde ik me iets waar ik zo van schrok dat ik recht overeind schoot. Ik zat rechtop, met open mond, als een vis die net uit zijn kom is gehaald. Nikki hief zijn arm op, deed vagelijk een oog open en dommelde weer verder. Ik legde mijn handen op mijn gezicht, stak een sigaret aan en schoot in mijn T-shirt. In de kamer ernaast pakte ik een asbak en ging ermee op de kleine kruk voor de piano zitten. In de diepe stilte die heerste tussen de platen, de versterkers en de gitaren die onbeweeglijk aan de muur hingen, liet ik een kort nerveus gegiechel horen.

De angst duurde niet langer dan een seconde, maar toch... Een paar uur daarvoor, toen ik tegen mezelf zei: wat een mazzel dat je Nikki hebt teruggevonden, realiseerde ik me nog niet hoe erg.... Nu begreep ik ook waarom het met geen van de jongens met wie ik na hem was gegaan gewerkt had: mijn smaak was niet veranderd in de loop van de tijd. Die bleef hetzelfde als die welke ik op vijftienjarige leeftijd had ontdekt.

Behalve Bowie had ik altijd maar drie idolen gehad: Syd Barrett, de leadzanger en gitarist van Pink Floyd, Keith Richards, de gitarist van de Stones en Johnny Thunders, de gitarist van de New York Dolls, van de Heartbreakers en vervolgens van zichzelf. De eerste werd in 1967 gelanceerd, zijn hersenpan smeltend onder de mythische Mandrax-shampoo. De tweede was getrouwd en de derde bleek, toen ik eindelijk tegenover hem zat, een al te goede kennis van Nikki te zijn met wie ik toen al ging. Afgezien van het feit dat ze alledrie geografisch gezien onbereikbaar waren, en dat ze mij sowieso te jong en te onbeduidend zouden hebben gevonden vergeleken met de meiden die zij gewend waren, waren ze te oud voor mij geworden. Ik hield van hun gezichten die op de hoezen stonden van de platen waarnaar ik luisterde, maar niet van de koppen die ze vijfentwintig of dertig jaar later hadden gekregen. Nikki leek op alledrie: hij had het uiterlijk van de eerste, het gedrag van de tweede en de ziel van de derde. Hij deelde nog veel meer dingen met hen, waardoor ze onafscheidelijk waren geworden tot aan de overdosis van de laatste in 1991. Maar voordat ik Nikki ontmoette, in 1987, waren het vier lange jaren van toekomstloze avontuurtjes geweest met fletse kopieën van het origineel. Sixties-legendes, seventies-iconen of overlevenden van de punkrock – ik hield helaas alleen maar daarvan. Ik hield van die donkere gitaristen met lange haren, die Byron en Oscar Wilde hadden gelezen, het type dat flirtte met de zelfkant, zoals men zegt, gedreven en geobsedeerd, en met een duidelijke voorkeur voor de junkiestijl.

Ik drukte mijn sigaret uit en sloeg mijn armen om mijn knieën. Vier jaren van nachten doorhalen in de Gibus, met behulp van een handvol Dinintel en andere amfetaminen, voordat we overgingen tot de comfortabele drugs die we rustig op de wc konden spuiten. Iedereen zorgde dat hij het spul in de disco verborg, om het niet bij zich te hebben als de politie kwam controleren. De kleine zaal met het laag hangende, stenen plafond, en het stoere, ovale logo van de Gibus op de nauwelijks verhoogde dansvloer. De groepjes die elkaar daar onophoudelijk afwisselden waren altijd min of meer beïnvloed door degene van wie we de platen zochten in de speciale muziekzaken. Ik was vijftien en ik was er met Monica (van Monica Vitti, maar haar echte naam was Cécile), mijn beste vriendin. Op het eind van de avond glipten we altijd de artiestenloge binnen. Monica zag er toen al erg vrouwelijk uit met haar lange geblondeerde haar, haar vijftien centimeter hoge hakken en haar grote zwarte zonnebril à la Jackie Onassis. Ik deed alsof ik Edie Sedgwick was, met dezelfde kortgeknipte, gebleekte haren tot aan de wortels, dezelfde koolachtige make-up, en hetzelfde voorkomen van het kleine meisje dat kleren van haar moeder geleend heeft, een mix van korte, lichte jurkjes met een hele verzameling kitscherige accessoires. Ik had dezelfde, slepende namaakstem van het kakkineuze blasé meisje, was afwisselend vreselijk aardig en ongelofelijk wispelturig, en ging zelfs zo ver dat ik Sedgwicks overdreven gracieuze handgebaren imiteerde. Met Monica kwamen we dus altijd in de artiestenloge terecht, zij op zoek naar de zanger, ik naar de gitarist. Dat ging soms door tot aan een hotelkamer of een appartement dat ze zelf niet eens kenden, maar waar wij ons tegen hen aandrukten, terwijl de gastheer nogmaals uitvoerig hun concert van die avond prees. Nacht na nacht ging het door, zonder besef van tijd, en als we 's middags uit een soort coma ontwaakten keken we diep in hun koortsachtige, brandende ogen – allemaal gek van de sixties of de seventies, en natuurlijk ook van de fifties en allemaal ook toen al vurig wensend dat ze de tijd terug konden zetten... Monica fantaseerde over Nikki, die zij vaak bij concerten had gezien, maar die nog altijd in Rennes woonde en uiteindelijk was ik degene die met hem ging, toen zij een New Yorker achterna was gereisd. We hielden contact totdat ze trouwden, en vervolgens had ik geen geld om de overtocht te maken en hield zij op een gegeven dag gewoon op mijn brieven te beantwoorden.

Ik liet mijn voeten op de grond rusten en legde mijn handen onder mijn billen. Nee, het was weinig soeps geweest tot aan Nikki. Ook toen had ik al een lichte voorkeur voor meisjes, maar ik dacht dat dat kwam door een gebrek aan leuke jongens. Nu wist ik dat het gewoon kwam doordat ik jongens niet leuk genoeg vond om er gemakkelijk verliefd op te worden. Terwijl met meisjes, het maakte niet uit wat ze droegen of waarnaar ze luisterden, een enkele glimlach voldoende was. In dat milieu was het rock-'n-roll als twee meisjes zoenden. Het deed denken aan Anita Pallenberg en Marianne Faithfull die regelmatig door Mick Jagger en Keith Richards in bed betrapt werden, als die hen weer eens te lang alleen hadden gelaten om in de studio te werken. Met dat verschil dat ik alles heel serieus nam en altijd verbitterd afdroop als ik er na enkele uren uit werd gezet, omdat hun vriendje thuiskwam. Er waren er een paar geweest met wie het wat langer had geduurd, maar het was niets vergeleken met de drie jaar die ik hiervoor met Alex had doorgebracht.

Ik ging nog een sigaret in de slaapkamer halen. Nikki had zich op zijn buik gedraaid en liet een zacht gesnurk horen. Ik ging tegen de muur staan en liet me naar beneden glijden en zo bleef ik daar in de schemering op mijn hurken zitten roken en naar hem kijken. Toen ik bij hem weg was gegaan, had ik niet besloten me voortaan op meisjes te richten. Ik had helemaal niets besloten. Ik kwam gewoon terecht op de bank van een vriendinnetje en het was eerder dodelijke verveling dan iets anders geweest waardoor ik haar vervolgens naar allerlei lesbotenten was gevolgd. Ik was zo geërgerd over die ordinaire lichamen, dat ik me in het begin niet kon voorstellen dat ik me ook maar zou laten aanspreken, maar nadat ik voor de zoveelste keer versierd was en te horen had gekregen dat ik de meest klasse griet was die ze ooit hadden gezien, ging ik erop in. Vanaf dat moment pakte ik alles wat maar voorbijkwam, de mooie en de lelijkste meiden. Ik schepte er een kwaadaardig genoegen in ze stapelverliefd op me te laten worden, om ze vervolgens toe te bijten of ze misschien niet goed in de spiegel hadden gekeken. Zo had ik er tientallen gehad. Ze ruzieden onderling en barstten in tranen uit als ik weer met een ander de disco verliet. Wat dat 'meest klasse' betreft, zat ik meer dan ooit tot over mijn oren in de dope en belde ik voortdurend huilend Nikki op: ik kom terug, ik kom niet terug. Ik miste mijn basgitaar die ik bij hem had achtergelaten, ik miste alle plekken waar ik niet langer heen kon gaan uit angst hem daar te treffen, en ik richtte mijn woede op die meiden die de pech hadden middelmatig te zijn en het lef hadden te denken dat ik ze leuk vond. Dat duurde zo ongeveer een jaar totdat ik Alex tegenkwam. Niets duidde erop dat ik op een grietje van amper een meter negenenvijftig zou vallen, behalve dan de enorme dosis perversiteit in haar blik. Maar eigenlijk was het logisch: ze was net als Nikki, ze leefde voor haar platen, zoals hij voor zijn gitaren. Het was ook de eerste keer dat ik eindelijk de kans kreeg daar te zijn waar het gebeurde. In 1983 was alles waarvan ik hield al dood en begraven. Maar toen ik haar ontmoette vond ik alles – de kleren die ik ging dragen, de nieuwe muziek waarnaar ik ging luisteren – waar we maar heen gingen. De raves leken net de modereportages op het strand van Brighton. De sfeer in de straten van de Marais was dezelfde als in Carnaby. Overal eender geklede silhouetten, uit alle bars kwam dezelfde muziek. Alleen hoorde ik heel snel om me heen zeggen dat de beweging al aan het veranderen was. Dat de raves op het punt stonden zich los te maken van de underground en daarom hun kracht begonnen te verliezen, omdat ze juist uit een afwijzing van de rockmuziek waren voortgekomen. Net zoals de punkrock van 1976 het jaar daarop al een schaduw van zichzelf was geworden, zo was de techno al behoorlijk bezig een commerciële zwendel te worden...

Terug naar af dus.... Maar hoe, wat en waar, daar had ik geen idee van. Ik was gedoemd door een doolhof van spoken en nog heftiger herrie rond te dwalen. Maar nu ik Nikki had teruggevonden, ontsnapte ik tenminste aan een dubbele dwaling. Die van het gebrek aan liefde. Want wie van de weinigen die er nog over waren van de scene van begin jaren tachtig, van de weinigen die geen overdosis hadden genomen of zichzelf een kogel door hun kop hadden gejaagd, zou me zo hebben kunnen boeien als Nikki? De persexemplaren van de eerste soloalbums van de anderen waren meteen in de uitverkoopbakken van Gibert terechtgekomen. Sommigen hadden zich op 'elektronische experimenten' gestort, maar voor de meesten, die zelfs geen royalty's meer kregen voor hun oude platen die niemand opnieuw wilde uitbrengen, gebeurde er hoegenaamd niets. Niet in staat zich te ontwikkelen, of zonder een producent die hun nog een kansje had kunnen geven, was het voor hen alsof ze een lange tocht door de woestijn maakten. Een leven van dodelijke stilte en koud zweet bij het ontwaken uit gigantische nachtmerries waarin ze het gewetenloos op een akkoordje probeerden te gooien – de Giga Angst om onder een paar kranten op straat te eindigen. En een paar van die gasten waren zo talentvol geweest, zo mooi ook, het was om te janken... Natuurlijk was er nu op de wereld een hele zooi jonge supergoeie en supercoole gitaristen te vinden, maar degene die op z'n elfde (in 1972) naar zijn eerste Stonesplaat luisterde, op z'n dertiende zijn eerste laarzen droeg, op z'n zestiende zijn eerste bandje oprichtte en nu op z'n negenendertigste nog altijd de laatste echte teenagersrock-'n-rollmythe was, lag vlak voor mij.

Ik drukte mijn sigaret uit, kroop op Nikki's rug, draaide hem zo goed en zo kwaad als het ging om en trok mijn T-shirt uit. En terwijl hij met moeite zijn ogen opende, begon ik, wijdbeens op hem gezeten, het speeltje van mijn nieuwe oude verloofde wakker te maken.

## 6

Tegen één uur 's nachts kleedden we ons aan om ergens iets te gaan eten. Deze keer trok ik een shirt van Nikki aan. Een hemd dat hij nooit meer droeg, maar dat veel herinneringen opriep. Het was van lindegroen satijn, strak, en had vier knoopjes waarvan er drie ontbraken. Nikki droeg zijn witte blouse van de vorige dag op zijn zwarte, ribfluwelen Levi's, een precies goed getailleerd jasje en uiteraard zijn laarzen.

We zwierven een beetje door de driehoek Abesses-Blanche-Pigalle, de armen losjes om elkaar heen geslagen. Alles was natuurlijk al dicht op dit uur van de dag, behalve een paar bars. En zoals wel vaker gebeurde bleken alle tenten die Nikki nog vaag kende van zijn vijftien jaar lange omzwervingen door deze buurt, opgedoekt en herinnerde hij zich dat pas op het laatste moment. Uiteindelijk vonden we een Marokkaans tentje bij het metrostation Anvers. De zaak was leeg, op de eigenaar na die vlak bij de ingang in z'n eentje zat te eten. We gingen achterin zitten en ik liet Nikki, die er doodmoe uitzag, op het bankje plaatsnemen. Het tafeltje zat onder de sausvlekken, zodat we niet op onze ellebogen konden leunen. Het stonk naar warme olie en in het felle tl-licht aan het plafond zagen we er wanhopig slecht uit, maar toch waren we blij dat we daar zaten. Zoals je blij kunt zijn als je sterft van de honger en eindelijk een of andere etensgeur opsnuift, terwijl je ondertussen krampachtig de aandacht van de ober probeert te trekken om je bestelling op te nemen. Achter Nikki, die zijn ogen gesloten hield, met zijn armen over elkaar gevouwen en zijn hoofd naar achteren tegen de leuning, hing een spiegel over de gehele lengte van de muur. Ik kon het kleine zaaltje zien en door de open deur, die uitkwam op de straat, het verkeer, de nog altijd talrijke voetgangers, de op het plein geparkeerde toeristenbussen, en de neonverlichting van de sexshops die weerspiegelde in de ruiten en zijramen van de autobussen. Ik kon ook mezelf zien, bleekjes en mager in dat vaalgroene overhemd, dat te ver openstond. Ik vond het gek om me in dat hemd en met die korte haren te zien. Want ik wist dat als ik op zou staan, ik geen heupbroek en laarzen aan zou hebben, maar een ordinaire 505 en gympies. Wat me ook enigszins in verwarring bracht was dat ik, behalve mijn korte kapsel, nergens aan kon zien dat ik niet meer zoals vroeger was. Aan niets was te zien dat ik zo'n zes jaar geleden radicaal van levensstijl veranderd was. Mijn blik, mijn houding, de manier waarop ik een sigaret aanstak en dan de aansteker neerlegde – allemaal weer heel vrouwelijke gebaren – dat alles zag er net zo uit als het eruitgezien zou hebben wanneer ik met Nikki verder was gegaan. Als we destijds gefantaseerd zouden hebben over hoe we er later uit zouden zien, dan was dit het plaatje: twee oude geliefden die met de tijd op elkaar gaan lijken, twee ex-junkies in min of meer goede conditie, trouw gebleven aan de rock-'n-roll en de vette eettentjes op Pigalle. Nikki was veel te ingetogen om dergelijke gedachten hardop te verkondigen en bovendien zat hij te dommelen en dus hield ik me stil, vol overgave zijn handen bestuderend. Zijn dun uitlopende vingers waren een beetje krom, heel wit en nauwelijks behaard. Aan de binnenkant van zijn vingers zaten aan de uiteinden witte eeltplekjes, die leken op plakjes gestold kaarsvet. Het waren prachtige gitaristenvingers. Elke keer als we naar zee waren gegaan, weigerde hij ze te lang in het water te houden, uit angst dat de eeltplekken zouden verdwijnen. Ik bleef stil en roerloos zitten, maar inwendig was ik verbijsterd dat mijn leven in nog geen vijf minuten was omgegooid, net zolang als het duurde om 's ochtends bij het ontwaken met een half oor naar een nummer van de Stones te luisteren...

Ik draaide me om naar de ober, die nog altijd geen couscous en groenten op onze borden had geschept. Ik wees op mijn horloge om aan te geven dat het wel erg lang duurde en hij gebaarde dat het er zo aankwam. Ik stak nog een sigaret op. Ondanks zijn veertig jaar en ondanks de rimpels die voortaan op zijn gezicht zouden blijven als hij sliep, zag Nikki er nog altijd als een jongen uit. En tegelijkertijd was hij nu een echte man. Dat kwam waarschijnlijk door de wending die zijn professionele leven had genomen. Tegenwoordig stond alles zo'n beetje op de rails en liep hij niet meer echt het risico van een financiële of sociale neergang, waar hij zo lang bang voor was geweest. Nog afgezien van zijn eigen platen was hij altijd wel ergens mee bezig. Met sommige musici deed hij mee aan plaatopnamen en ging hij op tournee, voor anderen schreef hij alleen een nummer, zonder een volgend te beloven. De verkoop van zijn eigen platen was niet spectaculair. Weigeren Frans te zingen vormde hierbij een ernstige handicap, maar Nikki bleek vooral veel doeltreffender voor anderen te kunnen werken dan voor zichzelf. Zijn platen waren uiteindelijk niet veel meer dan hommages aan datgene waar hij van hield. Zang à la Scott Walker of Alice Cooper, gitaarspel à la Mike Ronson of Jeff Beck, daar had hij lol in. Alles wat hij maakte was altijd geïnspireerd en technisch perfect (hij speelde alles zelf behalve de drums), maar niet origineel. Hij had een andere stem of een andere groep nodig om zelf creatief te kunnen worden. Dat was misschien tragisch, maar hij had zich er tevreden mee gesteld.

Het was een apart slag mensen, zanger-gitaristen... Die gasten zochten allemaal hetzelfde: het meisje dat zij met hun zang konden verleiden, dat genoeg geld had om hen te onderhouden of connecties had in de muziekwereld; in alle gevallen was zij blond. Hoe dan ook, degene die zij wilden bestond natuurlijk niet. Zij behoorde tot een ras dat uitstierf op hetzelfde moment dat Jagger aan aerobics ging doen. Het type groupie-dat-muze-wordt, zoals Anita Pallenberg, Marianne Faithfull, Miss Pamela of Cyrinda Fox – en zij waren geen kleintjes. Zelfs nu kon ik nog niet zeggen of Nikki hierop een uitzondering was of dat hij zich eenvoudigweg realistisch toonde...

Eindelijk kwam de ober onze dampende borden neerzetten. Nikki deed meteen zijn ogen open, met nog die kinderlijke uitstraling die door zijn vermoeidheid heen schemerde. Eten was meer dan een bijzonder ritueel voor hem. Hij wachtte letterlijk tot hij uitgehongerd was voordat hij eraan begon, maar als hij dan eenmaal zat, was er ook geen ruimte meer voor een gesprek zolang hij de laatste hap nog niet naar binnen had gewerkt. We begonnen dus zwijgend te eten, sneden onze merguezworstjes, dompelden onze vorken onder in de couscous met groenten en spoelden alles met lekker frisse cola weg. Weer was ik verbaasd dat de gebaren die ik maakte trager, lichter en sierlijker waren... In het verleden had ik me duizend keer afgevraagd wie van ons tweeën het eerst door een overdosis het loodje zou leggen. Daarna, toen we op veiliger spul waren overgestapt, ik op methadon, hij op Subutex, dat hij overigens nog altijd gebruikte, vroeg ik me af hoe hij oud zou worden. Maar eigenlijk veranderde hij geen sikkepit. Over twintig, dertig of veertig jaar, al naargelang de tijd die hij nog voor zich had, zou hij nog altijd op dezelfde slordige manier eten, drie pakjes per dag roken, dezelfde kleren dragen en dezelfde muziek maken.

Ik was oprecht gelukkig dat ik hem weer gevonden had. Ik wist niet waar het op uit zou lopen en ik stelde me die vraag ook niet.

Ik was gewoon blij dat het net leek alsof ik het laatste ontbrekende stukje van een puzzel gevonden had, of teruggevonden had, en een heleboel dingen zouden van nu af aan een stuk simpeler zijn. Maar buiten dat was ik hem vreselijk dankbaar dat ik door hem mezelf opnieuw had ontdekt. Ik was me bewust van de transformatie van mijn lichaam, van de vrouwelijkheid die ik ineens weer uitstraalde, op overigens zo'n natuurlijke wijze, dat die er altijd leek te zijn geweest – en dat was de meest verfrissende ervaring die ik sinds lang had gehad.

## 7

Maar het kon Nikki niet zijn. Dat realiseerde ik me toen ik opstond en ontdekte dat hij al weer in de muziekkamer aan het werk was. Hij zat achter de piano, gebogen over een muziekstuk dat op zijn knieën lag en waarop hij met een afgekauwd potlood langzaam aan het schrijven was. Ik leunde in mijn hemd en onderbroek tegen de deurpost aan. Het kon hem niet zijn, want er was niets veranderd. Als we bij elkaar terug zouden komen, zouden we niets anders doen dan de dingen weer oppakken zoals we ze achtergelaten hadden... Na een poosje merkte hij me op en glimlachte, maar ik wist niet wat ik tegen hem moest zeggen. Ik kreeg tranen in mijn ogen en toen hij ze zag en zichzelf dwong toch te glimlachen, begreep ik niet alleen dat hij het ook wist, maar dat hij het al veel eerder door had gehad dan ik. Ik kwam dichterbij om een sigaret van de piano te pakken en hij begon weer in zijn hanenpoten op de partituur te krabbelen. Ik bukte me om de volle asbak in het plastic tasje dat als vuilniszak dienst deed leeg te gooien, zoende hem op zijn hoofd en liep terug naar de slaapkamer. Die was zo donker dat het al avond leek. Buiten was het grauw. Misschien zelfs koud. De warmte van de afgelopen dagen, de rave, dat alles leek al heel ver weg. Ik dacht aan Pallas die hysterisch van bezorgdheid zou zijn, omdat ze niet wist waar ik naartoe was gegaan. Ik dacht aan mijn kamer, met de apparatuur, en aan mijn contract dat ergens op het tapijt lag te slingeren. Het wachten maakte me onzeker. Een drukkende angst. Maar waar wachtte ik op? Op dat belachelijke bedrag dat binnenkort op mijn rekening gestort zou worden? Ik had er de afgelopen vierentwintig uur niet eens aan gedacht... Ik schoot mijn jeans aan, ging op het bed zitten om de twee asbakken op te pakken en ze naar de keuken terug te brengen.

Het grauwe weer dompelde de kamer in precies dezelfde sfeer als op sommige winterochtenden, als ik met moeite uit bed kwam om eerst de kou van de onverwarmde woning en de tegels van de douche, en vervolgens die van buiten te doorstaan. De kou van sombere, regenachtige maandagochtenden, als ik de mini-advertenties van de *Figaro* en de *France Soir* uitploos. Die kloteadvertenties op de achterkant, bestemd voor hen die geen diploma's hadden, en waarin bijverdiensten werden aangeboden, waarvoor je je dezelfde dag nog op het genoemde adres kon aanmelden. Folders uitdelen bij de uitgangen van de metrostations. Ik hield het nooit langer dan twee uur vol. Dan was ik zo gedeprimeerd geraakt door de aanblik van de anderen die hetzelfde werk deden, dat ik de rest van de folders in de eerste de beste vuilnisbak dumpte. Als ik me vervolgens in de metro wurmde, was ik eerst erg trots op mijn dappere gebaar, maar naarmate de stations aan me voorbijtrokken, maakte dat gevoel plaats voor een gevoel van vernedering dat ik het niet langer had uitgehouden. Het was de tijd waarin Nikki elke avond naar de Gibus of elders ging om iemand te vinden om samen mee op te treden. Eenmaal thuis had die geestelijke marteling natuurlijk tot gevolg dat ik het effect van de dope begon te missen die ik bij het wakker worden had genomen, zodat Nikki, zonder dat ik erom vroeg, zijn gitaar neerlegde om het spul te pakken. Terwijl hij het lepeltje verwarmde, zag ik zijn angst groeien bij het idee dat we de dosis die voor de avond bestemd was te vroeg namen, maar hij zei niets; hij gaf me alleen mijn basgitaar aan...

Vandaag was het maandag, een grijze, troosteloze maandag, en ik voelde me net alsof ik me weldra weer naar een kiosk zou moeten slepen. Ik voelde me afschuwelijk. Zomaar opnieuw op te duiken in het leven van Nikki, zonder zijn mening te vragen, en allemaal voor niets... Ik realiseerde me dat ik huilde toen hij een arm om mijn schouders legde.

'Het spijt me,' snikte ik, terwijl ik mijn gezicht tegen zijn hals aandrukte, 'het spijt me zo.'

'Het geeft niet,' zei hij zachtjes.

'Ik kan het niet,' hikte ik. 'Begrijp je dat?'

'Ik weet het.'

Hij legde ook zijn andere arm om me heen en ik begon nog harder te huilen. Ik had zo mijn leventje met hem weer kunnen oppakken, hij was alles wat ik wilde terugvinden. Maar ik kon niet teruggaan naar een verhouding die alleen op kameraadschap was gebaseerd, hoe perfect ook. Ik kon niet naar hem teruggaan, en ondertussen wachten op een ontmoeting met iemand anders. En alleen door het feit dat ik zo dicht tegen hem aangedrukt stond, huilde ik tranen met tuiten, zo teleurgesteld dat alles niet langer zo eenvoudig was...

Toen ik eindelijk Pallas belde, was ze veel minder bezorgd dan ik had gedacht. Ze zei dat ze door de muziek waarnaar ik geluisterd had wel had geweten waar ik heen was gegaan. Ze had alleen niet verwacht dat ik ook zou blijven slapen. Ik hoorde verkeersgeluiden op de achtergrond en vroeg waar ze was. Ze antwoordde dat ze met Alex en de kleine Inès aan het winkelen was. Eigenlijk vreemd dat ik in het bestek van enkele dagen met twee exen had geslapen en dat allemaal voor niets. Na een lange stilte vroeg Pallas wat er aan de hand was. Ik voelde de tranen weer opkomen en omdat ik er genoeg van begon te krijgen elke vijf minuten in huilen uit te barsten, antwoordde ik dat alles heel goed ging en hing op. Ik aarzelde even of ik mijn antwoordapparaat af zou luisteren, maar toen zei ik tegen mezelf dat als er misschien een bericht van Virgin op stond dat ze zich in het bedrag hadden vergist, het vroeg genoeg was als ik dat thuis pas hoorde. Op dit moment had ik nog helemaal geen zin om naar huis te gaan. Ik wilde alleen even kunnen ophouden met denken.

Later zat ik op de grond van de muziekkamer door een koptelefoon te luisteren naar enkele platen, terwijl Nikki, opnieuw achter zijn piano, hier en daar wat noten speelde die hij vervolgens op de partituur schreef. Af en toe draaide hij zich om, glimlachte instemmend naar me en knikte met zijn hoofd om aan te geven dat hij het met mijn keuze eens was. Ondanks de koptelefoon kon hij horen waarnaar ik luisterde, vooral omdat ik bij elk nieuw stuk muziek onbewust de volumeknop nog meer opendraaide. We zaten daar zoals vroeger en ik vroeg me af of mijn aanwezigheid hem niet stoorde omdat hij me misschien niet eens opmerkte. Net zo gewend aan mij als ik aan hem? Misschien was hij uiteindelijk wel de eerste geweest die niet meer verliefd was. Hij had immers niet echt geprobeerd me tegen te houden toen ik was weggegaan... Ondertussen stroomde het verleden maar door mijn oren en probeerde ik uit te maken wat dit met me deed. Een geweldige opwinding vermengd met een enorme frustratie, want er zouden nooit genoeg uren in de nacht, in de maand, in het jaar zijn om al deze muziek opnieuw te kunnen ontdekken. Thuis had ik niet meer dan een stuk of dertig van deze platen. Een paar best-of, een paar albums van de Stones, van Patti Smith en Bowie. De rest was allemaal import-techno, -house of -electro met enorm veel synthesizertrucjes. Hoe had ik me de afgelopen zes jaar met die 'anonieme' platen tevreden kunnen stellen? Die platen, en vooral de maxisingles, zagen er allemaal hetzelfde uit. Witte of zwarte hoezen en er was bijna nooit iets op geschreven, zelfs niet op de platen. Nummers die uren konden duren, zonder ooit het minste of geringste verhaal te vertellen. Dat was alles.

# V
# De Dépôt, de Pulp en de Shit

## I

Het gebeurde op dinsdag. In de Dépôt. De homodisco in de rue aux Ours die sinds kort ook één keer per week voor vrouwen toegankelijk was.

Het krankzinnige was dat ik er eerst helemaal niet naartoe wilde. Ik was pas de vorige dag van Nikki thuisgekomen, waar ik ook al niet veel had geslapen, en was de hele afgelopen nacht bezig geweest zijn platen op cd op te nemen. Dus toen tegen acht uur 's avonds Pallas in de deuropening kwam staan en vroeg wat ik van plan was, dacht ik maar aan één ding: mijn ogen sluiten en heel diep slapen. Ik had bovendien geen zin om weer eindeloos naar techno te moeten luisteren en ook niet om in deze hitte mijn neus buiten de deur te steken. Maar helaas kwam uit een dikke mist de herinnering aan een week geleden opzetten, toen ik met Pallas gierend van het lachen bij de uitgang van de Dépôt had gestaan. Zij had mij bekend dat ze op de barkeepster was gevallen en ik had haar heilig beloofd de volgende week weer mee te komen om haar mijn mening te geven.

De Dépôt is een vochtige, kleine tent, geheel uit stenen opgetrokken. De inrichting is sindsdien vaak gewijzigd, maar destijds bestond het decor uit lappen stof die voor de muren hingen en een zwak, rood licht dat de intimiteit van de vele hoekjes en nisjes benadrukte. Als je de ruimte binnenkwam, stuitte je eerst op een trap die naar de dark room afdaalde, een souterrain dat tweemaal zo groot was als de begane grond, maar verboden voor meisjes. Alsof het ons een reet zou kunnen schelen om te zien hoe die kerels zich lieten afrukken, neuken of fistfucken. De toegang die permanent bewaakt moest worden leverde vijfhonderd francs op voor diegene die genoeg energie had om vijf uur achter elkaar rechtop te blijven staan en dit waren ironisch genoeg meestal meisjes. Rechts lag de dansvloer, en achterin was een lange bar. Meteen links was een wenteltrap die naar een ijzeren overloop liep, die over een gedeelte van de begane grond hing. In de linkerhoek daarvan stonden enkele bankjes, achterin was de cabine van de deejays en nog een andere trap, die weer rechtstreeks naar de bar leidde. Daar was ook de 'dark room voor de meisjes', drie deuren die naar krappe cabines leidden, nauwelijks groter dan de verkleedhokjes in een zwembad, en ik heb er persoonlijk nog nooit een meisje naar binnen zien gaan.

De woensdagavonden in de Dépôt, door La Chocha, een Cubaanse uit San Francisco die zich sterk maakte om het imago van het lesbomilieu te veranderen, tot Ladies Room omgedoopt, waren volstrekt anders dan de andere avonden. Om te beginnen was de muziek doorgaans uitsluitend house en techno en dat konden die potten niet hebben, die zonder hun eurodancehitjes en hun medleys van Mylène Farmer helemaal de kluts kwijtraakten. Boven op die kerels geperst te moeten zitten, bezorgde ze ook behoorlijk wat stress, maar afgezien daarvan waren ze vooral doodsbang voor de harde reputatie van de tent op andere avonden. Tussen het publiek dat voornamelijk uit jongens bestond, waren de weinige meiden die je op die avonden tegenkwam van een ander kaliber. Zo'n beetje als de meiden die je overal ziet waar Alex en andere vrouwelijke deejays mixten: lesbisch, maar bovenal technofans die daar alleen kwamen om te dansen.

De zaak ging al om negen uur open en sloot tegen tweeën, waardoor hij ook mensen aantrok die nog een glas kwamen drinken voordat ze naar huis gingen of anderen die hier kwamen dansen totdat de andere disco's opengingen. Voor ons was een bezoekje brengen aan Alex die er praktisch woonde net zoiets als even langsgaan bij het buurtcafé, waar je de cafébaas goed kent. De overloop was zo'n beetje ons hoofdkwartier; we legden onze spullen in de cabine, namen alle bankjes in beslag, waar we zelfs languit op gingen uitrusten, we konden gratis drinken dankzij de consumptiebonnen van La Chocha, en als we wilden dansen, dan deden we dat vlak voor de cabine, daar waar het geluid het hardst was. Iedereen die zich hier naar boven waagde, werd algauw door ons intieme sfeertje afgeschrikt en vertrok weer. Dat beperkte natuurlijk wel onze ontmoetingen, althans voor Pallas en mij, die als enigen nog vrijgezel waren. Naar beneden afdalen om de dansvloer te inspecteren had ook weinig zin, omdat er zelden nieuwe meisjes kwamen. Je kwam altijd weer dezelfde bekende figuren tegen, net zoals de lucht van de airconditioning eindeloos gerecycled wordt.

In deze tent kwamen we dinsdag dus terecht. Ik, Pallas, Eva, Gayle, Jessie, Alex, de kleine Inès, de kleine Cyril, Guillaume en Julia die even langskwam voordat ze moest werken in de Pulp. De tent was net open en door het zonlicht dat nog door de openstaande deur binnenviel had de sfeer veel van een late vakantiemiddag. Alex mixte nog niet. Er speelde een bandje met easylistening-muziek, terwijl zij in de cabine haar platen uitzocht (en als een gek stond te showen met haar T-shirt waarop stond 'LAST NIGHT A DJ FUCKED YOUR WIFE'). We dronken ijskoude cola en genoten van de koelte van de tent vergeleken met de moordende hitte buiten. We kletsten met elkaar, om beurten de beroemde hond van Jessie aaiend, een beetje angstige, witte bulterriër, die zij Flut genoemd had. Eva vertelde hoe verschrikkelijk het was in een kledingboetiek te moeten werken, waar je de hele dag moest staan zonder dat je met de andere verkoopsters mocht praten, Julia liet de tekening van een draak zien die ze op haar rug wilde laten tatoeeren, Cyril probeerde op de overloop de skateboard van Guillaume uit, en een eindje verderop was Pallas met Inès aan het fluisteren, ongetwijfeld over haar bardame. Ik wachtte totdat die griet verdomme eindelijk eens zou komen opdagen, zodat ik naar huis kon gaan om te slapen. Ik voelde hoe de slaap me overviel en zat daar uitgeteld in mijn lukraak bij elkaar gegraaide kloffie. Ik droeg het overhemd van Nikki, waarvan de eerste drie knoopjes ontbraken, en daaronder droeg ik een soort ecru lap stof, die ik als een rok had omgeknoopt. Aan mijn voeten droeg ik oude witte sandalen die iemand ooit bij ons had laten staan. Ik had de hele dag in mijn onderbroek rondgelopen. Toen ik begreep dat ik niet onder een bezoekje aan de Dépôt uit kon, had ik in een even vrolijke als onnadenkende impuls de uitdaging van Pallas aangenomen die zei dat ik desnoods naakt mee moest komen, maar dat ik moest opschieten. Uiteindelijk, zo realiseer ik me nu, was het niets anders dan een onhandige poging geweest om vrouwelijker te lijken. Als ik me daar toen bewust van was geweest, zou ik eerder een jurk van Pallas geleend hebben dan me in een gordijn van haar kamer te hullen. Ik had ook donkerrode nagellak op mijn teennagels. Dat was het eerste wat ik gedaan had toen ik van Nikki was thuisgekomen, me onderwijl afvragend waarom ik met nagels lakken was opgehouden zodra ik met meisjes begon uit te gaan. Niemand zei iets over mijn uiterlijk, maar af en toe voelde ik een verbaasde blik over mijn kloffie gaan.

'Nou luister, een blondje gaat naar de kapper,' begon Eva, 'en ze heeft de koptelefoon van haar walkman op haar hoofd. Dus vraagt de kapper natuurlijk of ze die af wil zetten, maar het blondje antwoordt dat ze als ze dat doet, dood zal gaan. De kapper probeert geduldig uit te leggen dat hij haar haren niet kan knippen als ze dat ding niet afzet, maar het blondje wil nergens van weten: als ik hem afzet, ga ik dood. Op een gegeven moment krijgt de kapper er genoeg van en trekt de koptelefoon van haar hoofd. Het blondje valt op de grond en sterft. De kapper voelt zich behoorlijk klote. Hij begrijp er niets van. Dus raapt hij de koptelefoon op, legt zijn oor ertegenaan om te luisteren en hoort: haal adem, haal adem, haal adem, haal adem!'

Eva lachte zo hard dat ze van Gayles knieën af viel. Daarna rommelde ze in haar tas om haar zaklamp te vinden. Die gebruikte ze altijd om haar sigaretten te vinden als het te donker was. Iedereen zei nu tegen haar dat ze nog een tweede lamp nodig had om de eerste te vinden. We hadden allemaal lol, ja zeker, en ik zou nooit hebben kunnen bedenken dat ik slechts een paar uur later door een onbeduidend zinnetje in de grootst mogelijke shit zou zitten. Zo erg dat de dingen nooit meer zouden worden als vroeger.

Pallas sleurde me een paar keer mee naar beneden, maar haar barkeepster was nog nergens te bekennen. Ik had vreselijke slaap, was voortdurend bezig mijn zogenaamde rok weer vast te binden en Guillaume bij me weg te duwen, omdat ik de moed niet had tegen hem te zeggen dat ik ermee op wilde houden. Pallas drong erop aan dat ik nog zou blijven. Uiteindelijk stond ik tegen de leuning van de overloop naar de dansvloer beneden te kijken. Eigenlijk was het niet zo onaangenaam om techno te horen. Het was zelfs precies die muziek waar je zin in had in een tent als deze. Ik had misschien alleen liever met de vrienden van Nikki over gitaren en Granny's colbertjes gekletst. Zelfs nu ik wist dat het nergens toe zou leiden, had ik toch nog zin hem weer op te zoeken. Of misschien had ik gewoon geen zin om in een echte homotent te zijn. Ik keek naar de weinige meisjes op de dansvloer en vroeg me af hoeveel van hen ooit de moeite hadden genomen jongens uit te proberen. Ik keek ook naar de jongens. Sommigen waren openlijk vijandig tegen de meisjes, met zo'n hautaine houding waar homo's soms zo goed in zijn, maar de meesten keken langs ons heen alsof we deurknoppen waren. Geen van hen was mannelijk genoeg om op mij ook maar de geringste aantrekkingskracht te hebben, maar ik was wel een beetje pissig dat geen van hen mij opmerkte, terwijl ik me juist zo anders van binnen voelde... Pallas kwam naast me leunen. Dit keer nam ze helemaal niet serieus wat mij was overkomen en wat ik haar bij thuiskomst had verteld. Had ze even tijd nodig om eraan te wennen of kon het haar geen reet schelen?

De kleine Inès kwam bij ons staan en begon Pallas op te hitsen over haar barmeid, door te zeggen dat ze vast en zeker een poster van Amélie Mauresmo op haar wc had hangen en dat ze zich nu ergens zat te bezatten vanwege haar laatste nederlaag. Pallas vond het niet erg grappig en draaide zich, na een dodelijke blik op ons geworpen te hebben, van ons weg. De kleine Inès – klein vanwege haar leeftijd, niet vanwege haar lengte – bleef staan, zwijgend, tegen de reling aangeleund net als ik. Het was de allereerste keer dat ik zo dicht bij haar was, en alleen, maar het boezemde me geen angst in. Haar profiel, onder het bruine haar dat in haar ogen viel, leek wel iets op dat van Leonardo Di Caprio. Ze had dezelfde uitstekende neus, die tot diep tussen haar ogen liep, die ze licht toegeknepen hield. Alleen waren haar ogen donkerder. Dezelfde jonge uitstraling ook, met van die ronde wangen, maar vooral ook dezelfde arrogante, licht naar voren stekende kin. Een deel van haar paste bij deze scene, ze banjerde er met haar mooie koppie lekker in rond, maar een ander deel van haar leek alleen op doortocht te zijn. Een meisje dat pas uit het nest was gekropen, toevallig hier was terechtgekomen en rustig rondkeek alvorens naar elders te vertrekken. Ze was ongelofelijk vrouwelijk, met van die meisjesgebaren die alleen hetero's hebben, en onbewust was ze misschien bezig het moment af te wachten waarop ze de andere wereld zou binnengaan en door de omgang met jongens zou opbloeien. Of dat beter of slechter voor haar zou zijn, was onmogelijk te zeggen. Ze vroeg of ik dorst had en ging weg. Pallas kwam terug en ik zei haar dat ik Inès mooi vond. 'Beter laat dan nooit,' zei ze en deed er het zwijgen toe. Ik wilde gaan, maar de kleine Inès kwam terug met twee glazen. Pallas trok haar wenkbrauwen op. Inès en ik boden haar allebei ons glas aan, maar Pallas sloeg ze minachtend af. Ze streek met haar hand door mijn haar, trok een vies gezicht en verklaarde dat ik nodig naar de kapper moest. Daarna vertrok ze weer. Inès kwam weer zwijgend naast me leunen. Ik herinnerde me dat Alex ooit tegen me had gezegd dat ze een hoop dingen van mij in haar herkende. Ik zag niet goed wat dat wel moest zijn, behalve dat ikzelf op die leeftijd ook met een hautaine blik rondliep, terwijl ik eigenlijk in mijn broek pieste van angst om al die oudere mensen. Ik zag Guillaume naast de trap staan, zijn skateboard in zijn hand. Hij stond wel tien meter van ons vandaan, maar toch meende ik zijn ogen te kunnen zien schitteren in het duister. Alsof hij alleen maar door naar me te kijken een boodschap kon overbrengen, zonder zijn lippen daarvoor te hoeven bewegen: 'Ik sta mijn plaats af, als het moet.' Dat zinnetje dat zich in mijn hoofd vormde kreeg een soort echo die ik niet kon ontcijferen. Toen zag ik Alex voorbijgaan, Jessie die met haar platen onder haar arm gedag zwaaide, Eva en Gayle die naar de trap liepen en Inès die me vroeg of ik meeging. Zonder dat ik de tijd nam over het antwoord na te denken, begon ik ook gehaast naar beneden te lopen, zo goed en zo kwaad als het ging de lap bijeenhoudend die als rok diende. Ik botste boven op Pallas. Ik zei haar dat ze als geroepen kweam, en dat ze snel haar spullen uit de cabine moest pakken, omdat we naar de Pulp gingen. Ze antwoordde dat ze niet meeging. Ze stond roerloos als een zuil, terwijl de kleine Inès haar snel twee zoenen op haar wangen gaf. Ik gebaarde dat ik eraan kwam, Inès maakte zich uit de voeten en Pallas kruiste haar armen.

'Ik dacht dat je geen zin had om uit te gaan?' merkte ze sarcastisch op. Voordat ik iets kon zeggen, voegde ze eraan toe: 'Als er ook maar iets gebeurt...'

Ik staarde haar onthutst aan. Was ze wel goed bij haar hoofd, wou ik vragen, maar Eva pakte me bij mijn elleboog, en toen ik me opnieuw naar Pallas omdraaide, was ze verdwenen. 'Je zou vaker een rok aan moeten doen,' zei Eva toen we door de gang naar de uitgang liepen. Ik vroeg me af of dat nu een compliment was of niet en realiseerde me daarom niet dat we Pallas daar alleen achterlieten.

Ik had geen zin om naar de Pulp te gaan, ik wilde er gewoon vandoor. Ik had moeten vragen of ze me onderweg bij mijn huis wilden afzetten, maar ik vergat het te doen. Eva ging achterin tussen Gayle en Inès zitten, ik glipte voorin. De stoelen waren net zo laag als in een sportauto. Het leer rook als nieuw, de vloerbedekking zag er picobello uit, en zat nog niet onder de vlekken zoals die in haar vorige auto. Alex startte de auto en uit de stereo klonk Ma Benz van NTM. Alex bukte zich om het handschoenenkastje open te doen en haalden er twee petten uit. Een zwarte met in gele letters Iron Maiden erop, die ze op haar hoofd zette, en een witte pet met in rode letters Trust erop, die ze naar Eva toe gooide. Op het trottoir keek iedereen naar ons, zo hard klonk de muziek door de geopende raampjes. Naar achteren gedraaid en met de witte pet op, bewoog Eva haar hoofd op en neer zoals de speelgoedhondjes op de hoedenplank van bumawagens dat doen. Iedereen rapte met luide keel mee op de muziek, en probeerde de donkere berenstem van Joey Starr na te doen door alleen de woorden 'in mijn Benz Benz Benz' te herhalen, de enige tekst die te verstaan was! Ik keek het allemaal geamuseerd aan, gewend om Alex grappen te zien uithalen met Eva. Ik vroeg me af of deze mensen van wie ik hield het zouden pikken als ik uit hun scene zou stappen. Toen wees nog niets erop dat ik nooit meer met hen in deze auto zou stappen.

## 2

De Pulp was net open en op de dansvloer was niemand, op enkele leden van het personeel na. Er hing die onbeschrijflijke geur van ammoniak vermengd met oude tabaksrook, zoals alle disco's ruiken die net zijn schoongemaakt maar niet kunnen worden gelucht.

De Pulp – vroeger de Entracte, die trouwens 's middags nog altijd zo heet als de ouwe lullen komen dansen – ziet er als een verlepte danszaal uit, zolang er nog geen mensen zijn. De muren zijn bedekt met spiegels, rechts ligt de bar, terwijl links een muurtje op ooghoogte staat, waarachter het enkele treden hoger gelegen loungegedeelte ligt. De dansvloer ligt recht tegenover de ingang, met in het midden de cabine van de deejays. Her en der staan lage tafeltjes opgesteld met bankjes en poefjes eromheen, bekleed met rood nepfluweel.

Toen ik nog met Alex was, ging ik altijd met haar mee hiernaartoe als ze moest mixen. Maar nu zette ik er alleen nog een voet over de drempel als de anderen er vanwege een bijzondere avond om zeurden. De twee meiden die de tent beheerden, waren twee huisgenoten van Alex, en ik respecteerde ze, maar hoe ze ook hun best hadden gedaan om de zaak op te knappen, ik vond het er nog altijd troosteloos. Ondanks alle veranderingen – een goede keuze van deejays die hun publiek probeerden op te voeden met iets anders dan Franse variété en discomuziek, een paar gogo-girls die met blote tieten dansten en goed personeel dat zo uit de catalogus van een boetiek met streetwear-kleren kon komen, met goeie kapsels en tatoeages en piercings – ondanks al die details die ervoor zorgden dat je niet langer naar een disco in New York of Londen hoefde te verlangen en die inderdaad een nieuwe club leuke meiden hadden weten aan te trekken, bleven de rasechte potten het grootste deel van het publiek uitmaken. Dat de beheerders weigerden om aan de deur te selecteren kon ik begrijpen, het was tenslotte een tent voor meiden, maar ik, ik kon er niet meer tegen.

Inès, Eva en Gayle gingen op een bankje vlak bij de cabine zitten, waar Alex haar platen aan het uitpakken was. Ik ging naar de toiletten. De vloer was nog droog, hetgeen niet lang meer het geval zou zijn. Waarom die meiden op de grond piesten, probeer daar maar eens achter te komen! Het was toch niet zo moeilijk in de pot te piesen? Wat deed ik hier eigenlijk?

Degene die een kwartet van Zeven Families zou uitvinden, had alle kans een fortuin te verdienen. In de familie van de vrachtwagenrijdsters zou ik de dikke lomperik kiezen. Deze meiden kwamen het maar niet te boven dat ze zonder pik geboren waren, en dus deden ze alsof. Sommigen gingen zelfs zo ver dat ze een transplantatie overwogen. Ze begonnen als honden naar je te blaffen, zodra je ook maar de pech had op een van hun tenen te gaan staan. Het waren hun vuisten die je bij ruige opstootjes door de lucht zag gaan, waardoor de zwarte uitsmijter weer moest komen opdagen. Vervolgens waren er de meiden die het heerlijk zouden hebben gevonden een jongen te zijn, maar die zich er tevreden mee stelden heel mannelijk te doen. Zij vormden de helft van het publiek en leken op boerenpummels, zo'n beetje als die lullige vertegenwoordigers in hun goedkope kloffie die nog even een glaasje komen drinken voordat ze naar hun vrijgezellenflatje vertrekken. Ze staken je sigaret aan en vroegen of je een slow wilde dansen; dat belachelijke gedoe was nog altijd niet verdwenen en ik ging me er erg ongemakkelijk bij voelen. Daarna kwamen de meiden die niet een kerel wilden zijn, maar er toch heel mannelijk uitzagen, omdat ze meestal uit verlegenheid hun vrouwelijkheid niet durfden te laten uitkomen, uit angst dat het resultaat niet zo geslaagd zou zijn als bij een hetero. Zij vormden de andere helft van het publiek en soms zaten er best schattige bij, maar over het algemeen bleven ze tamelijk nietszeggend. Vervolgens was er het eeuwige groepje dertigers, een stuk of tien meiden, die er gek genoeg allemaal als veulens uitzagen, met hun haren tot op de rug en hun een meter tachtig. Ze voelden zich supervrouwelijk met hun getailleerde broeken en open blouses en overal ringen. Zij bleven altijd onder elkaar en gingen helemaal uit hun dak als ze aan de bar hun creditcards boven de hoofden van de dwergen uit zwaaiden en een fles bestelden, die ze vervolgens aan een tafeltje gingen opdrinken, onderwijl iedereen bekritiserend. Eigenlijk waren zij net zo mannelijk als de anderen, met hun colbertjes met opgerolde mouwen en hun sigaretten die ze tussen hun duim en wijsvinger hielden. Daarnaast waren er nog een stuk of zes echt vrouwelijke meiden, geobsedeerd door de mode, zoals Pallas, of juist heel ontspannen, zoals Eva en Julia die eerst hetero waren geweest en die er nog altijd zo uitzagen. Ten slotte was er nog een mengelmoes van jonge meisjes, die er als mislukte jongetjes uitzagen, bij sommigen had dat iets charmants, maar anderen zaten gewoon erg slecht in hun vel. Maar zaten ze dat niet allemaal? Waarom kon je ze anders uit de verte voor jongens uitmaken? Daarnaast was er nog een handvol meiden, zoals Alex en ik, die noch bijzonder vrouwelijk noch bijzonder mannelijk waren. Meiden die vooral naar de muziek luisterden, en die buiten de disco gewoon op moderne meiden leken, met hun uniseksleren en korte kapsels.

Een kwartetspel van Zeven Families, ja. De stand was wanhopig. Op de vijfhonderd meiden waren er vierhonderd om op te schieten, tachtig nietszeggende, een stuk of tien niet al te slechte, maar die we al ‘gehad’ hadden, en de overige tien waren de vriendinnetjes van onze beste vriendinnen of zoiets dergelijks. Goed, de vraag was dus: gingen we naar huis met eentje die we al honderd keer over het hoofd hadden gezien? Goddank was die vraag voor mij niet meer van belang.

We gingen vlak bij de cabine zitten toen Pallas binnenkwam. We riepen haar naam, we gebaarden naar haar, en ik was de enige die doorhad dat ze ons opzettelijk negeerde. Uiteindelijk stond ik op en liep naar haar toe. Ze was zo kwaad dat ze me niet eens wilde aankijken. Ze bleef maar herhalen dat het om te kotsen was, dat ze nooit gedacht had dat er zoiets zou gebeuren. Ik nam haar mee naar een bankje, om aan de blikken van anderen te ontkomen, helemaal omdat iedereen naar mijn open hemd, mijn rok en witte sandalen staarde. Ik dacht dat ze eindelijk haar barmeid had gezien en dat het slecht was afgelopen. Maar ik schrok me rot toen bleek dat het om Inès ging. Ik was verbijsterd dat ze zich op zoiets absurds blindstaarde, maar ook in de war toen ik merkte dat ze me blijkbaar zo erg haatte. Het duurde even voordat ik haar duidelijk kon maken dat ze aan het raaskallen was. Bij wijze van afleidingsmanoeuvre vroeg ik haar naar de bardame. Tegelijkertijd zag ik Eva en Gayle op de dansvloer. Maar Pallas dacht dat ik Inès zag. ‘Nu is het genoeg,’ riep ze terwijl ze opstond. Ik wilde haar natuurlijk achternagaan, om een einde te maken aan dit belachelijke misverstand, maar ik had geen zin er een spektakel van te maken zoals alle anderen, die elkaar voortdurend apart namen om allerlei zaakjes uit te vechten. Ik vroeg me opnieuw af wat ik hier eigenlijk uitspookte, toen de kleine Inès zich buiten adem naast mij op het bankje liet vallen.

'Ik kan het voor je knippen, als je wilt.'

'Wat?'

'Je haar!' riep ze boven de muziek uit. 'Ik kan het doen als je wilt. Ik knip ook het haar van mijn zus.'

Ik gebaarde zoiets van waarom niet en tuurde in het rond of ik Pallas zag. Ik zag haar staan aan de andere kant van de dansvloer en ze wierp me een dodelijke blik toe. Inès gaf me een sigaret, stak hem aan, wees toen naar een lichtbruin meisje dat net was binnengekomen en vroeg me wat ik van haar vond. Ik sloeg de slippen van mijn rok terug, die mijn dijen ontblootten en boog me voorover zodat ze me beter kon horen. Ik zei dat het meisje mesjogge was, dat ze een keer naar me toe was gekomen om te zeggen dat ik geen enkele kans had, terwijl ik haar niet eens had aangekeken! Inès keek geschokt, ging met één been onder haar billen zitten en boog zich naar mijn oor: 'Ik kan me niet voorstellen dat iemand geen zin in jou heeft.'

Ik wist niet zeker of ik haar goed gehoord had en vroeg haar om het nog eens te zeggen.

'Ik kan me niet voorstellen dat iemand zich niet tot jou aangetrokken voelt.'

Ze trok haar hoofd terug om me met onschuldige blik te observeren. Ik toverde een geamuseerde glimlach op mijn lippen.

'Nee, echt,' voegde ze eraan toe.

Ik trok aan mijn sigaret, en voelde hoe mijn glimlach zich tot de hoeken van mijn mond uitbreidde, maar probeerde me te beheersen, want ik was me bewust van de blik van Pallas. Inès droeg een mouwloos wit T-shirtje van Petit Bateau. Toen ze zich naar me omdraaide, raakte haar naakte schouder mijn borst aan. Omdat zij me nog altijd observeerde, barstte ik in lachen uit en vroeg haar of ze onder de ecstasy zat of zo. Ze knikte, maar voegde eraan toe dat dat er niets mee te maken had.

'Ik ben zeer gevleid,' zei ik eindelijk, terwijl ik mijn rok die openviel weer goed schikte, 'maar ik kan het niet echt waarderen om dat van jou te horen, vooral omdat Alex hier is.'

'O, maar zij weet het,' riep Inès uit, die weer recht tegenover me kwam zitten, met haar voeten tegen de rand van de tafel.

'Wat?'

'Ja. Op een dag vroeg ze me wat ik van je vond en dat heb ik haar toen gezegd.'

Ik boog me naar Inès toe en zonder haar aan te kijken zei ik: 'Alex is de laatste op de wereld die ik zou willen bedriegen. Dus speel niet de verleidster met mij.'

'Ik wil je niet op stang jagen,' antwoordde ze kalm. 'Het is alleen mijn mening, geen voorstel.'

We zwegen. Julia kwam uit de garderobe en danste drie seconden, zoals ze altijd doet zodra ze de kans krijgt. Die avond droeg ze een volledig gebleekte spijkertuinbroek en een zwarte beha, waardoor ze nog meer op Cindy Crawford leek, toen die nog maïs aan het plukken was in de velden. Iedereen ging opzij als zij de dansvloer op kwam, zowel om naar haar show te kijken als om te voorkomen dat ze een klap kregen. Ze stond woedend te heupwiegen, als een enorme inktvis, ging door haar knieën en kwam weer overeind, met haar lange blote armen uitgestoken en haar massa rode dreadlocks woest heen en weer schuddend. Ik zag de hand van Inès omhooggaan. Haar peuk belandde ver voor ons op de grond. Ik voelde me klote dat ik haar zo had aangevallen. Ik draaide mijn hoofd naar haar toe op hetzelfde moment dat zij dat deed en deze keer kon ik haar blik weerstaan. Haar ogen waren zo donker dat het onmogelijk was de grootte van haar pupillen te onderscheiden.

'Het spijt me,' zei ik.

Ze ging rechtop zitten, schoof haar handen onder haar dijen en begon langzaam en bedachtzaam naar voren en naar achteren te wiegen. Ik kon de scheiding in haar steile haar zien zitten, niet helemaal in het midden en niet regelmatig. Ze liet haar handen in haar haar glijden om ze bij haar oren weer te voorschijn te toveren, een gebaar dat ik voor de eerste keer zag en opeens straalde ze niet meer de verlegenheid van een klein meisje uit, maar wasemde ze seks uit. Haar gezicht was op minder dan twintig centimeter afstand van het mijne. Ik zag haar gladde huid, haar getuite lippen, vol en zacht, gesloten rond haar perfect witte tanden van een meisje van zeventien. Ik zag haar mond licht uiteengaan, terwijl ze zachtjes op de binnenkant van haar lip kauwde. Ik had daar uren kunnen blijven zitten, om me te goed te doen aan de golf van warmte die onder in mijn buik kwam opzetten.

'Wie weet,' zei ik, 'misschien in een ander leven.'

'Ja, in een ander leven,' antwoordde ze meteen, voordat ze weer op het bankje plofte.

Iemand kwam haar gedag zeggen, en terwijl zij haar nek uitstak om het meisje haar op haar wang te laten zoenen, zag ik haar borsten onder het strak getrokken T-shirt. Borsten die zichzelf overeind hielden. Het meisje ging weer weg en Inès legde haar arm op de leuning achter mij, alvorens haar hoofd ertegenaan te vlijen. Ze keek naar mijn mond, het puntje van haar tong stak tussen haar tanden uit. Dat veroorzaakte een nieuwe golf in mijn buik en ik opende half mijn mond. Ze bleef ernaar kijken, terwijl ze tegelijkertijd haar mond ook half opendeed. Toen zonken haar koortsige, glazige ogen weer weg in de mijne. Zo bleven we zitten, op minder dan twintig centimeter afstand van elkaar. Onze gezichten waren naar elkaar toe gekeerd alsof we op het punt stonden te zoenen. De spanning was ondraaglijk. Toen zag ik de lichamen van Eva en Gayle langskomen en zich op het bankje tegenover ons installeren. 'Een ander leven is ver weg,' mompelde ik terwijl ik opstond.

Pallas schoot op me af toen ik de toiletten inging.

'Hou op haar te versieren!' riep ze.

Gelukkig was er op de toiletjuffrouw na niemand in de wc's.

'Ik versier haar helemaal niet,' zei ik ter verdediging.

'Ik zie het. Ik ken die blik. Je hebt die blik alleen als iemand je interesseert. Sinds we de Dépôt binnenkwamen kijk je al zo.'

'Wat? In de Dépôt? Wacht eens even. Zij is het die mij versiert.'

'Je bent walgelijk.'

'Shit, maar...'

Maar Pallas was alweer vertrokken. Ik vond haar weer terug

toen ze, Inès meesleurend aan haar arm, de straat op liep. Ik moest haar hand grijpen om haar op het trottoir even apart te nemen. Een stuk of zes meiden stonden bij de ingang te wachten en sloegen ons nauwlettend gade. Ik nam het Pallas kwalijk dat ze me zomaar tot zo'n scène aanzette, maar ze moest tot bedaren komen voordat zich een drama zou voltrekken. Ik legde geduldig uit dat als Inès een paar intieme dingen had gezegd, ze die niet meende omdat ze onder de ecstasy zat. Toen ik dacht dat Pallas het begreep, liet ik haar los, maar ze stortte zich meteen op Inès. Jessie kwam eraan, zonder haar hond, en ik maakte van de gelegenheid dat Pallas opzij moest gaan om Jessie met haar flight-cases te laten passeren gebruik om even snel iets tegen Inès te zeggen.

'Wat ze ook zegt, je ontkent het.'

'Wat? Maar hoe kan ze dat nu weten?'

'Je ontkent, begrepen?'

Met tegenzin liep ik weer naar binnen, samen met Jessie die op mijn rug sloeg en zei dat ze blij was me te zien.

Toen Pallas en Inès eindelijk weer opdoken, stapte Alex, die klaar was met mixen, meteen op Inès af en vroeg wat ze verdomme aan het uitspoken was, dat ze er geen trek in had haar overal te moeten zoeken, dat ze naar de Queen moest, dat zij tenminste werkte. Inès boog zich naar me over om me op mijn wangen te kussen, zonder ook maar met een blik of een woord te verraden waarover ze het hadden gehad. Pallas vroeg aan Alex of ze haar ergens af kon zetten. Ik stond op om me bij hen te voegen, maar Pallas duwde me weer terug.

'Jij,' siste ze in mijn oor, 'jij houdt je nu eens even gedeisd. Je hebt die kleine volledig getraumatiseerd.'

Ik was gewoon verbijsterd. Eva keek me vragend aan, maar ik gebaarde dat ze er niet op moest letten. Toen draaide ik mijn hoofd naar de dansvloer om naar iets anders te kijken, het kon me niet verdommen wat. Ik zou woedend op Pallas moeten zijn en op die kleine die ik weet niet wat voor onzin had verteld, en vooral ook bezorgd vanwege het feit dat dit alles Alex ter ore zou kunnen komen. Maar eigenlijk dacht ik maar één ding. Dat ze voor een keer allemaal naar de hel konden lopen, als dat het enige was waaraan ze konden denken.

## 3

Toen ik tegen zessen, rond sluitingstijd, buiten stond, was het al licht. Alleen al die stilte, nog nauwelijks onderbroken door het verkeer, bezorgt je een schok als je net uit een nacht vol muziek te voorschijn komt. Maar nog vreemder is het als de dagen langer worden en het ochtendlicht al heel schel is. Het was woensdag of zoiets, een doodgewone dag, en ik voelde dat het zwerven nu voor mij was begonnen. Ik zou niet precies weten waarom ik dat toen wist, maar ik wist het gewoon. Het gevoel van spanning dat ik bij Nikki had gevoeld, was begonnen. Afgescheiden van de wereld van de meisjes, maar nog niet overgegaan tot de wereld van de jongens. Ik hoorde nergens meer bij.

'Kolere, wat een koppijn,' hoorde ik iemand achter me zeggen. Het was Jessie die op haar beurt naar buiten kwam en onmiddellijk een zonnebril te voorschijn haalde. Ik had er geen en dat deed me denken aan de tijd met Monica en vervolgens met Nikki, dat we altijd een zonnebril in onze zak hadden zitten. Jessie stelde voor me met de taxi ergens af te zetten. Ze had twee tassen vol platen en een flight-case, maar ze wilde per se niet dat ik iets van haar overnam terwijl we naar de taxistandplaats liepen. Ik zag de kilometerpaal op de hoek van de boulevard, tegenover de grote Brasserie Le Bréban... Daar spraken Monica en ik altijd af, daar dronken we ons met een glas bier moed in voordat we onze korte maar langzame tocht naar de Palace ondernamen, slechts enkele meters daarvandaan in het kleine straatje rechts, elke keer weer bang dat Marie-Line bij de ingang eindelijk zou ontdekken dat we respectievelijk veertien en zestien jaar oud waren. Monica zat nu in New York en maakte ongetwijfeld deel uit van een te gekke scene, terwijl ik niet eens meer wist waar ik was...

Met de flight-case aan haar voeten en de tassen op schoot, zat Jessie te dommelen terwijl we door de nog verlaten avenues reden. Ik wist dat ik thuis in quarantaine gestopt zou worden. Ik wist dat ik daar op het einde van de dag doodziek van zou worden, maar nu vond ik het alleen maar belachelijk. Ik moest alleen wel nog wat geld van Pallas zien te lenen om sigaretten te kunnen kopen... Op de trottoirs deden mensen ijzeren rolluiken omhoog, liepen naar de metro-ingangen of naar de bushaltes. Hoe laat stonden ze op, dat ze nu al helemaal aangekleed, gekapt en opgemaakt waren? Je samen laten persen in stromen parfum en naar koffie stinkende adem. Je in een kantoor laten opsluiten, terwijl de frisse lucht en de blauwe hemel uitnodigden om languit op het grasveld van een park te gaan liggen. Moeten lunchen te midden van de geur van vette baklucht en andere troep, of in een lange rij voor een winkel moeten staan, waar de lunch uit een gore sandwich, in saus drijvende geraspte worteltjes en een drie dagen oud puddinkje bestond. En hoe konden ze in de winter het verlangen weerstaan in bed te blijven liggen wanneer het nog pikkedonker was als de wekker afliep? Ik had misschien nooit een rooie cent om te kopen wat ik wilde, maar ik haalde me in ieder geval niet die ellende op de nek. Iemand zou eens een vervolg op *Falling Down* moeten maken, met dit keer Michael Douglas die als doelwit de taxi's zou nemen die tussen vijf en zeven uur 's morgens rijden. We zouden hem verscholen in de ochtendschemering zien zitten, de passagiers op de achterbank nauwlettend in de gaten houdend, en elke keer als hij er een van onder de dertig ontdekte, zou hij opspringen om hem aan te houden. Hij zou hem uit de auto slepen en hem daar midden op straat wurgen, om hem te straffen voor de onbeschaamdheid op dit uur van de dag tussen de lakens te glijden, terwijl de rest van de planeet eruit moest! Terwijl we de place de la République passeerden, zag ik een busje voor de Holiday Inn geparkeerd staan en uit de verte leek het alsof er leden van een popgroep uitstapten. Tenminste, laten we zeggen vier een beetje gebogen gestalten met dezelfde zwarte kleren aan en geblondeerd haar. Even schoot het door me heen aan de chauffeur te vragen me daar uit te laten stappen. Hallo, waar komen jullie vandaan? Wat voor muziek spelen jullie... O ja, vreselijk cool. Met Monica deed ik niet anders... Maar het moment was alweer voorbij en het plein lag ver achter ons. Zo was ik dus geworden: mijn hart sprong op als ik een paar toeristen met wit haar zag! We waren nog maar twee stoplichten van mijn huis verwijderd toen Jessie rechtop ging zitten, luidruchtig hoestte en toen aan me vroeg wat er aan de hand was.

'Hoezo?' zei ik.

‘Nou, je hebt de hele avond niet één keer gedanst, je hebt met bijna niemand gesproken, je hebt kwaad naar Pallas gekeken en je bent tot aan het eind in de Pulp gebleven. Als het mijn mix niet is die je zo overdonderd heeft, wat is er dan aan de hand?’

‘Niks,’ antwoordde ik, zowel ontroerd als geïrriteerd dat ze zich met mijn zaken bemoeide terwijl we elkaar pas drie keer gezien hadden.

‘Niks belangrijks,’ voegde ik eraan toe. ‘U kunt mij er hier wel uit zetten’, zei ik tegen de chauffeur.

‘Hier,’ zei Jessie, terwijl ze een telefoonnummer op een stukje papier krabbelde. ‘Ik slaap tot twaalf uur, denk ik, maar bel me daarna op als je zin hebt. Dan gaan we iets eten, ik vertrek pas tegen zessen. Shit,’ zuchtte ze. ‘Vanavond mix ik in Le Mans, morgen in Reims, overmorgen in Besançon... O ja...’ Ze opende een van de tassen en haalde er een cd uit. ‘Hier, alsjeblieft. Zeg me maar wat je ervan vindt.’

Ik stapte uit, hield mijn openvallende rok vast en bedankte haar door het geopende raampje dat ze me thuis had gebracht. Toen ik achteruit stapte om de taxi te laten vertrekken, glimlachte ik naar haar, maar niet te veel om haar geen valse hoop te geven. Alles werd altijd helemaal verkeerd begrepen in deze scene.

Ik vond Pallas, die in mijn bed op haar buik lag te slapen, haar jurk tot aan haar billen omhooggekropen. Ik wilde net op mijn tenen de kamer uit glippen, toen ze rechtop ging zitten en in haar ogen wreef. Omdat de glimlach die zich op haar mond aftekende heel onschuldig leek, ging ik op het puntje van het matras zitten. Ze draaide haar blik weg als om te zeggen dat ze niet wist waarom ze zich zo had aangesteld. Ze was bang geweest. Waarvoor, dat wist ze niet. Gewoon bang. Ik haalde een hand door haar haar en mompelde dat het voorbij was. Ze vroeg wat ik in mijn andere hand had en ik liet haar de cd zien. Ze zei dat als Jessie nu al cd’s aan mij aan het uitdelen was, ze op me viel. Volgens mij was het gewoon een cd met nummers van haarzelf erop, aangezien er geen hoes omheen zat, en wilde ze mijn mening horen.

Nadat ik een douche had genomen, ging ik in mijn ochtendjas tegenover Pallas zitten, die thee had gezet en begon te praten.

Ik gaf toe dat vanaf het moment dat ik gemerkt had dat Inès

belangstelling voor mij toonde, ik die ook voor haar had gevoeld, zonder me overigens zorgen over Alex te maken, hoewel die vlak in de buurt was. Ik vond het toch verstandig eraan toe te voegen dat het uitsluitend het gedrag van Inès was geweest dat me had opgewonden en helemaal niet omdat zij het vriendinnetje van Alex was. Toen Pallas zich tevreden toonde met mijn openhartigheid, ging ik over tot de kern van mijn verhaal. Te weten dat ik Alex nooit zoiets zou flikken en dat ik hoe dan ook serieus overwoog me weer op jongens te richten. Afgezien van het feit dat meisjes van zeventien nooit mijn cup of tea waren geweest.

'Weet je,' zei Pallas, terwijl ze opstond, 'ik wilde je helemaal niet boos maken, maar je haalde je allerlei dingen in je hoofd. Ze versierde je helemaal niet, ze liet je alleen je gang maar gaan, omdat ze dat eenvoudiger vond dan "stop" te zeggen. Ze wilde niet dat het nog meer uit de hand zou lopen. Het enige probleem was dat zij werkelijk geschokt was te zien hoe jij probeerde rotzooi te schoppen tussen haar en Alex. Ik heb haar nog nooit in zo'n toestand gezien. Ze is nog jong, weet je. Dus laten we hopen dat ze er niet met Alex over praat.'

Ik deed alles om mijn kaken op elkaar te houden, zodat mijn mond niet net zo rond zou worden als mijn ogen. Voordat ze de deur uitliep, draaide Pallas zich nog een keer om en voegde eraan toe: 'Weet je wat grappig is? Je bent ineens vreselijk vrouwelijk geworden. Ik zag het al in de Pulp en nu zit het in al je gebaren. Het staat je eigenlijk heel goed.'

Mijn lippen krulden zich tot een glimlach die wilde zeggen: 'Dank je wel, wat aardig van je,' maar toen Pallas eenmaal uit mijn gezichtsveld verdwenen was, gingen mijn schouders hangen en kreeg ik een waas voor mijn ogen. Natuurlijk, ik had de kleine letterlijk bevolen te ontkennen, en ontkennen, daar was ze verdomde goed in! Maar zou het ook kunnen dat ze me wel degelijk belazerd had? Tegelijkertijd, als je zo hard ontkent, dan heb je iets te verbergen, nietwaar..? Mijn eenendertig jaren geboden me meteen om dat alles in een seconde vast te stellen. Maar de houding van Pallas liet een bittere smaak in mijn mond achter.

# 4

Later die middag, toen ik lag te slapen en Pallas op mijn bed naar de televisie keek, ging haar mobieltje af. Het was Alex. Ik vroeg haar ook te spreken, zonder dat ik goed wist wat ik wilde zeggen. Ze was bezig haar platen uit te zoeken voor Le Mans, waar ze met Jessie naartoe ging. Ze begon in detail al haar afspraken voor de komende veertien dagen op te sommen en voegde eraan toe dat Inès onder geen beding mee kon komen, omdat ze haar eindexamen moest voorbereiden. Ik was welkom op die party's waar ik heen zou willen. Het was al zo lang geleden dat we samen ergens heen waren gegaan. De bonenstaak was bij haar. Ik had net Pallas naar de wc horen lopen en vroeg haar: 'Is het eigenlijk waar dat ze kan knippen? Ze zei me dat ze mijn haar wel zou willen doen.'

'Wacht, ik geef je haar.'

En zo sprak ik voor de eerste keer met de kleine Inès door de telefoon. Nadat de eerste schrik bij haar na drie seconden verdwenen was, begon ze me vragen te stellen over het kapsel dat ik wilde. Haar stem was zo zacht dat ik mijn vinger in mijn andere oor moest stoppen. Een stem die op geen enkele andere leek. Heel jong en heel opgewekt, maar met een langzame, bijna nonchalante uitspraak, die soms heel laag werd alsof ze nog maar net wakker was. Ze stond waarschijnlijk ergens in huis met de draadloze telefoon, maar ze had net zo goed dwars op bed kunnen liggen, met haar hoofd over de rand heen, onderwijl op dromerige wijze het plafond bestuderend.

'Zit Alex naast je?' vroeg ik.

'Nee.'

'Wat heb je aan Pallas verteld?'

'Nou, je wilde toch dat ik ontkende, of niet?'

'Ja, maar zo erg hoeft ook weer niet... Maar goed, ik wilde alleen weten of je ook meende wat je vannacht tegen me zei.'

'En jij?'

Ik ging op mijn rug liggen.

'Ik vroeg het het eerst.'

'...Ja, ik meende het.' (Stilte.) 'En jij?'

'Dan hebben we dus een probleem, nietwaar?'

'Ja, dat dacht ik zelf ook...'
Ik hoorde Pallas doortrekken. Ik ging weer rechtop zitten.
'Luister,' mompelde ik, 'ik kan nu niet goed met je praten.'
Waarschijnlijk lag ze al in bed, misschien zelfs naakt in het bed van Alex, met alleen de lakens opgetrokken tot haar schouders, want ik hoorde haar ademhaling zwaarder worden toen ze haar arm uitstak om een papiertje en een pen te pakken. Ze herhaalde langzaam het nummer dat ik opgaf, en werkelijk waar, ik heb nog nooit iemand iets zo nonchalant horen zeggen.
'Als je het antwoordapparaat krijgt, moet je geen bericht achterlaten. Tot gauw, een dikke zoen.'
'Van mij ook.'
Ik hing op vlak voordat Pallas de kamer weer binnenkwam. Mijn hart klopte en ik glimlachte tot aan mijn oren. Pallas trok een wenkbrauw op en ik voelde hoe ik onmiddellijk een rooie kop kreeg. Ik redde me uit de situatie door uit te roepen dat Alex ook nooit zou veranderen – dat ze altijd weer bevestigd wilde worden door iedereen. Tot dat moment ging alles nog goed.

Aan het begin van de avond ging mijn telefoon over en ik wist zeker dat het Inès was. Als ik het antwoordapparaat liet aanstaan, liep ik de kans mis met haar te praten – en God mocht weten of ze nog eens zou bellen. Ik kon het risico niet lopen dat Pallas haar stem zou horen, als ze toch een boodschap zou achterlaten. Ik nam de telefoon op vlak voordat het antwoordapparaat begon te lopen en ik zei tweemaal 'Hallo?', omdat ik eerst alleen maar een zachte ademhaling hoorde. Vervolgens ging ons gesprek onder het wakende oog van Pallas ongeveer als volgt:
Inès: 'Ik ben gek op je stem.'
Ik: 'Ja, o ja.'
Inès: 'Ik weet zeker dat je heerlijk kunt zoenen.'
Ik: 'Een enquête, waarover? Kunt u misschien later terugbellen?'
Inès: 'Dat begint goed!'
Ik: 'Dank u. Tot ziens.'
Nadat ik opgehangen had, hernam ik me zelf door een wat treurig gezicht op te zetten. Ik zei tegen Pallas dat die enquêtes

me altijd aan de tijd met Nikki deden denken, toen ik soms helemaal naar Montrouge liep om bij een of ander interviewbureau te gaan werken. Pallas glimlachte lief naar me, en ook toen ging alles nog goed.

Toen de telefoon tegen één uur 's nachts de stilte doorbrak, gleed ik automatisch mijn bed uit om hem na het eerste gerinkel al op te nemen. Ik zei weer tweemaal 'Hallo?', en herinnerde me vervolgens dat deze korte stilte ook aan ons vorige gesprek was voorafgegaan. Ik slaakte een zucht en zei dat ik blij was haar te horen.

'Ik ook,' zei ze, op een heel zachte, maar toch heel aanwezige toon.

'Waar ben je?' vroeg ik, terwijl ik naar mijn deur liep om te kijken of het licht bij Pallas werkelijk uit was. Het was donker, maar haar deur stond natuurlijk, zoals iedere nacht, wagenwijd open. Ik kon de mijne niet dichtdoen, omdat die veel te hard piepte. Dat was nog zo'n gebrek van deze woning. Als ik er niet aan dacht mijn deur te sluiten voordat Pallas ging slapen, kon ik het wel vergeten.

'Hé. Waar ben je?' vroeg ik nogmaals.

'Bij mijn ouders.'

Ik pakte mijn sigaretten en mijn asbak en ging in het raam zitten aan de andere kant van de kamer.

'Maar moet je niet slapen om deze tijd?' vroeg ik zacht, terwijl ik een sigaret opstak. 'Moet je morgen niet naar school of zo?'

'Heel grappig.'

Ik lachte zachtjes, maar ik realiseerde me ook dat ik eigenlijk geen idee had hoe je met een meisje van zeventien moest praten.

'Als ik ineens ophang, dan is het omdat mijn vader eraan komt.'

Haar stem was nog steeds heel zacht, zodat ik opnieuw een vinger in mijn oor moest steken.

'Heb je niets tegen me te zeggen?' vroeg ze, terwijl ze haar keel schraapte.

'Hè? Ja, natuurlijk wel.'

Maar wat? Ik wist niets van haar. Ik wist zelfs niet dat ze eindexamen deed of dat ze bij haar ouders woonde, buiten de uren om die ze bij Alex doorbracht. Ik wist hoegenaamd niets en nog minder wat ze van mij wilde.

'Daarnet,' zei ze, 'verbeeldde ik me dat jij' (ademhaling), 'nou ja, je zoog alleen maar, weet je wel, vlak onder mijn navel' (ademhaling) 'en toen kwam ik klaar.'

'...'

'Nou ja, het was nogal onverwachts, zal ik maar zeggen. Ik dacht niet dat het zo snel zou komen.'

Ik was buiten adem, ik moest de hoorn van de telefoon van mijn mond verwijderen, zodat ze niet zou horen hoe ik weer op adem kwam. Toen ik voelde dat mijn stem niet meer al te erg zou trillen, antwoordde ik dat ik het waarschijnlijk niet geweest was, omdat ik nooit zuigzoenen gaf! Toen verstijfde ik, want dat laatste had ik een beetje te hard gezegd. Maar ik hoorde geen geluid in de woning.

'Ik heb zo'n zin in je,' zei ze. 'Jij niet?'

'Jawel.'

'Zeg het dan.'

'Ik heb ook zin in jou.'

En op dat moment hoorde ik de deur van Pallas' kamer met een knal dichtslaan.

'Je bent volslagen paranoïde, schat, je zou je eens moeten laten nakijken. Het was Nikki die belde. Voor het geval je dat nog steeds niet hebt begrepen, we waren vorig weekend bijna weer bij elkaar. Dus mag hij me om één uur 's nachts bellen als hij daar zin in heeft. Hij mag doen en laten wat hij wil, want hij is de enige jongen van wie ik ooit gehouden heb. Is dat duidelijk?'

Pallas bleef als verlamd staan. Daarna gingen haar ogen steeds wijder openstaan. Alsof ze zich afvroeg wat er met haar gebeurde, of ze gek werd of zo. Ze zat kaarsrecht, haar handen gevouwen op haar naakte, trillende knieën. Het was haar grote angst dat haar hoofd op een dag op hol zou slaan. Haar moeder had vreselijke aanvallen van paranoia, waarvoor ze haar leven lang medicijnen moest slikken. Ik nam het mezelf kwalijk dat ik haar zo aan zichzelf liet twijfelen, maar het was de enige manier. Later, als ze een beetje zou nadenken, zou ze moeten weten dat een dergelijk heftig gebaar van mijn kant wel iets moest verbergen, maar dat zouden we wel zien als het zover was.

Ik ging naar de keuken, waar ik een glas cola haalde. Ik bleef in het donker door het raam zitten kijken. In geen van de huizen die op de binnenplaats uitkwamen brandde licht. Meestal vond ik het heerlijk om de enige te zijn die op was, maar nu voelde ik het als een vlijmscherp besef van verlatenheid. Ik stapte opzij om op de bank te gaan zitten waarvan het plastic knisperde. Ik hoorde nog de stem van Inès die me duidelijk zei dat ze al de tijd had gevonden het alleen te doen door aan mij te denken... Waarvandaan had ze gebeld? Uit haar kamer, de woonkamer van haar ouders? Het lukte me niet de juiste entourage erbij te verzinnen, maar haar zag ik wel, zittend zoals op het bankje van de Pulp, terwijl ze door haar bruine lokken naar mijn mond keek en zachtjes op de binnenkant van haar lip beet. Ik zag ook Alex weer voor me, die de laatste zes maanden onophoudelijk haar blik van haar platen afwendde om haar voor de cabine te zien dansen. En toen, in de schemering van de stille keuken, boog ik voor de waarheid: in mijn hele verdomde leven was ik nog nooit zo bang geweest.

# VI
# Het wachten

## I

De volgende dag werd ik wakker op het moment dat Pallas de deur van mijn kamer openmaakte. Ondanks mijn slaperige blik zag ik onmiddellijk dat de zaken nog niet opgelost waren. Pallas die net als ik nooit voor het einde van de ochtend uit bed kwam, was nu al om kwart voor negen helemaal aangekleed en klaar om naar buiten te gaan. Ze stond roerloos op de drempel van mijn in schemering gehulde kamer en keek recht voor zich uit, in de richting van het raam, terwijl ze een dampende kop thee naar haar mond bracht en in haar andere hand het schoteltje vasthield. Zonder haar ogen van het punt voor haar af te houden, begon ze een lijst met winkels op te sommen waar ze met Alice heen zou gaan om inkopen te doen. Ze sprak verbazingwekkend kalm, alsof ze het tegen zichzelf had. Toen ze me vroeg of ik mee wilde komen, draaide ze haar hoofd niet mijn kant uit. Ook niet toen ik antwoordde dat ik niet kon. Ze ging door met kleine slokjes haar thee te drinken, die blijkbaar gloeiend heet was, omdat ze elke keer met haar tong langs haar lippen moest likken om ze af te koelen. Ik kon zien dat ze wat thee op het schoteltje had gemorst, want elke keer als ze het kopje opnam, begon het te druppelen. Toen ik zag dat die druppels rechtstreeks op mijn tapijt vielen, was ik stomverbaasd. Bij ieder ander persoon zou ik het niet eens hebben opgemerkt, maar Pallas, die er niet tegen kon als ze de as van haar sigaret niet precies midden in de asbak mikte... Het was net alsof ze haar peuk in een bord had uitgedrukt. Zo was ze niet. Zo was ze helemaal niet.

Ik had me mischien wat meer moeten inspannen om toch met

haar te gaan winkelen. Om haar te laten zien dat alles normaal was, of om haar te laten voelen dat wat er ook gebeuren mocht, het onze verhouding niet zou veranderen. Maar ik had geen keuze: ik had geen tijd gehad om het nummer van Inès te noteren. Als ze mij belde en ik niet thuis was, zou ze de hele dag de tijd hebben om zich te realiseren dat het misschien beter was om ermee te kappen. Dus deed ik net alsof ik wilde werken en Pallas knikte vaagjes met haar hoofd, zo van natuurlijk, ik begrijp het. Uiteindelijk stond ik op en ging in het halletje tegen de muur staan leunen, terwijl zij heen en weer holde om haar mobieltje, haar sleutels en haar zonnebril te pakken. Ik zon op een manier om toch nog wat geld van haar te kunnen lenen om sigaretten te kopen. Toen ze de deur opendeed, zei ik tegen haar: 'Zeg, ik weet dat ik je al een smak geld schuldig ben, maar ik ben op dit moment zo ongeveer blut, dus.' Ze knikte opnieuw en antwoordde dat ze geen cash had. Als ik wat nodig had, dan moest ik met haar meekomen naar de automaat. Ik schoot in mijn kleren en holde de trap af. Ik trof haar in de hal en zei dat zodra mijn voorschot er zou zijn, ik meteen naar de bank zou gaan en haar alles in één keer terug zou betalen. Ik voegde eraan toe dat als dat wonder ooit werkelijkheid zou worden, we dagenlang zouden gaan shoppen. 's Ochtends zouden we naar Colette gaan en 's middags zouden we de hele Etienne Marcel doen en elke keer als ik iets voor mezelf kocht, zou ik haar ook iets cadeau doen, boven op de tienduizend franc. Pallas luisterde niet, ook al knikte ze langzaam met haar hoofd. Mijn stem drong niet door tot dat vakje in haar hersens dat haar in staat stelde de betekenis van mijn woorden te begrijpen, noch om de intonatie van mijn stem, de vleiendste die ik in huis had, aan te voelen. Ik zei dat ik wilde werken, maar dat ik ook te moe was om te gaan winkelen, dat ik zin had om rustig thuis te blijven. Toen we bij de geldautomaat kwamen, vroeg ik haar ten slotte of ze wist hoe lang het geleden was dat ik een nacht goed geslapen had. Niet een paar uurtjes hier en daar, maar gewoon een hele nacht? Sinds de rave: precies een week geleden, niet meer en niet minder. Ze wierp me een merkwaardige blik toe, terwijl ze me een biljet van tweehonderd franc overhandigde. Een lege, bijna domme blik, waarin heel ver op de achtergrond te lezen was dat ze zich herinnerde dat het inderdaad precies een week geleden was dat alles nog goed ging. Dat ene, minuscule lichtpuntje in haar blik was zo intens dat ik, ontdaan door een plotseling opkomend schuldgevoel, mijn blik afwendde, maar Pallas was er al vandoor.

Eenmaal weer boven, belandde ik opnieuw in de stilte van de woning. Mijn ogen gleden over de vijftig van Nikki geleende platen die her en der over het tapijt lagen verspreid. Ik herinnerde me alles nog... Het gevoel dat ik kreeg toen ik me voor de eerste keer in de muziekkamer tegen hem aan drukte, en het overweldigende gevoel toen hij zachtjes bij me naar binnen drong. Ik herinnerde me alle verpletterende gedachten die door mijn hoofd waren geschoten, als meteorieten die het universum doorkruisen, gedachten die hier en daar in tientallen andere uiteenvielen die elders opnieuw desintegreerden, waardoor er weer nieuwe plukjes gedachten ontstonden, kleiner, maar net zo koppig. Tientallen ontploffingen die tot één grote explosie leidden, waarvan de echo vervolgens alle beelden en gevoelens onderling met elkaar verbond. Die oneindige zuivering toverde een soort zwakke, verlegen regenboog te voorschijn, maar wel eentje die een trip aankondigde zoals ik nog nooit in mijn leven had meegemaakt. Nog nooit, zolang als ik me kon herinneren. Nog nooit sinds de laatste keer dat ik een man mijn hart geschonken had... En toch voelde ik ook elke keer een golf van warmte door mijn onderbuik gaan zodra ik aan het gezicht van Inès dacht.

Ik was niet gek, zelfs niet een heel klein beetje verblind door dat lichamelijke verlangen. Ik was me er volledig van bewust dat zij wel de laatste persoon op aarde was bij wie ik in de buurt moest komen. Niet alleen mijn verstand zei dat, mijn hele lichaam voelde het, en wel net zo sterk als wanneer er een regen van zweepslagen wreed op me neer zou dalen elke keer als dat gevoel zich vormde in mijn buik. Ik wist ook, op een nog concretere manier, dat als het niet bij een simpel slippertje voor één nacht zou blijven, ik onmiddellijk alles zou verliezen. Ik zou mijn hele omgeving in duigen zien vallen: niets minder dan mijn hele emotionele landschap van de afgelopen vier jaar. Want afgezien van degenen uit onze omgeving die zich ermee zouden bemoeien omdat ze het heerlijk vonden een rol te spelen in liefdesgeschiedenissen waar ze niets van af wisten, zou het hele clubje partij kiezen voor Alex. Waren het niet eerder haar vriendinnen dan de mijne? Ik realiseerde me ineens ook dat het nog verder zou gaan: alles wat ik de laatste vier jaar beleefd had was zonder uitzondering verbonden met Alex. De muziek die ik maakte, waarnaar ik luisterde, de kleren die ik droeg, de tenten waar ik heen ging, de avontuurtjes die ik had gehad (altijd met vriendinnen van Alex, exen of toekomstige die ik net voor haar neus wegkaapte), tot aan de drugs, waarvan ik me afzijdig hield, voornamelijk om niet tegemoet te komen aan haar verlangen zich minder eenzaam te voelen als ze zichzelf de vernietiging in hielp – absoluut alles was verbonden met haar.

Maar, zo wist ik, het was nu te laat om een stap terug te doen. Als Alex Inès na een half jaar nog steeds niet gedumpt had, moest dat wel betekenen dat zij iets speciaals had. Bovendien waren Alex en ik op precies dezelfde dingen uit. Dus als het goed was voor haar, was het goed voor mij. Zo onvermijdelijk was het nu eenmaal. Ik kon de zaak niet terugspoelen, en mocht Inès van mening veranderen, dan zou ik haar net zo lang dwingen tot ze toegaf. Want ik was zo sterk tot haar aangetrokken dat het me de adem benam. Ik snakte naar haar uiteengespreide dijen, haar bezwete buik tegen de mijne, haar diepte – want ze zou vooral heel vaginaal zijn, dat moest wel, Alex kennende – en als ik ervan af moest zien, dan zou dat hetzelfde zijn als een kogel te schieten door het hoofd van iemand op wie je net stapelverliefd was geworden. Ik herinnerde me toen weer precies wat Alex had gezegd, toen ze me opbiechtte dat ze in Inès dingen van mij herkende. Ze had gezegd: 'Haar verjaardag is één dag voor de jouwe.'

Een kleine schorpioen. En ik was de grote. We zouden opstijgen naar een planeet op miljarden lichtjaren afstand. Een planeet die zelfs zo'n heftig persoon als Alex goddomme nooit zou bereiken...

Daar stond ik dus in mijn kamer, aangekleed en wel om een paar minuten over negen. Ik die sinds maanden gevangen zat in een slaapcyclus waarbij ik nooit goed uitrustte, ik stond daar en in het besef dat ik, als het me zou lukken wakker te blijven, misschien een kans had om vroeger naar bed te gaan en dat ritme te doorbreken. Maar natuurlijk haakten mijn ogen zich aan het bed vast en was het plannetje er niet opnieuw in te duiken gewoon ondenkbaar.

Ik ging naar MTV liggen kijken, met het geluid uit, en viel na een tijdje in slaap. Eerst was die licht, maar daarna dook ik abrupt weg in de diepste regionen van de slaap, daar waar de klap zo hard aankomt dat de dromen die je nog hebt verdwijnen naar een ver weg gelegen gebied, waar geen enkele herinnering meer vandaan kan komen. Toch kostte het me geen enkele moeite me op te richten om op de wekker te kijken toen de telefoon begon te rinkelen. Het was even na half elf, en het kon alleen maar Inès zijn, omdat alle anderen de instructie hadden nooit voor twaalven te bellen. Met bonzend hart luisterde ik hoe de telefoon voor de tweede keer overging, toen voor de derde keer, het zou niet slecht voor haar zijn even te moeten wachten voordat ze me kreeg, maar toen greep ik uit zwakte de hoorn vlak voordat het antwoordapparaat in werking werd gesteld. Ik mompelde met droge keel een schor 'Ja', en moest meteen de hoorn van mijn oor halen, omdat er allemaal straatrumoer doorheen knetterde.

Het was Pallas. Ze was met Alice bij Girbaut, en ze wilde weten of een zwarte jurk met kruisbanden op de rug iets voor mij zou zijn, aangezien ik me weer op het versieren van jongens wilde toeleggen. Ik antwoordde op vriendelijke toon dat ik liever wilde wachten totdat mijn voorschot er zou zijn en dat zij, als ze verstandig was, dat ook beter kon doen. Haar antwoord: 'Tja, je hebt gelijk,' stelde me gerust. Pallas had haar verhouding tot de werkelijkheid weer terug!

Mijn wang vond dankbaar het kussen weer terug, maar mijn oogleden vielen niet dicht. Het was al te warm. Alleen al aan de lome lucht die door de kieren van de luiken glipte, merkte je dat het een loodzware dag zou worden. Ik had zin in een McMorning. Ook al was het reclamefilmpje vreselijk – een stel dat elkaar alleen tijdens het ontbijt kan zien, omdat zij nachtverpleegster is en hij overdag werkt – had ik echt zin dat ontbijt eens uit te proberen, maar het lukte me nooit er voor elf uur te komen en daarna serveerden ze het niet meer. Ik had nu kunnen gaan, het was nog niet te laat, maar ik was te lui om op te staan en me weer aan te kleden. Liggend op mijn zij kon ik de wisselende beelden op MTV zien.

Die eindeloze reclame voor verzamel-cd's die je schriftelijk kon bestellen begon ronduit onuitstaanbaar te worden. Greatest Hitsboxen die drie, vier, soms zelfs vijf cd's bevatten, anthologieën die bedoeld waren om een hele periode weer te geven – fifties, sixties, seventies, eighties – of voor een speciale gelegenheid bestemd waren, muziek voor op reis, voor een romantische avond, om bij te stofzuigen of je kont bij te krabben. De intro's werden door derderangsorkestjes gespeeld, de titels stonden helemaal onderaan in beeld, verschoven en meestal verkeerd gespeld, en het geheel werd opgeluisterd door de stem van een of andere kokette lul-de-behanger die uitlegde wat voor een buitenkansje we hadden als we dit pareltje meteen zouden bestellen, uiteraard zolang de voorraad strekte. Die reclameclips duurden zeker vijf minuten en hoeveel kregen we er per uur, tien? Bovendien duurde het vaak twee of drie maanden voordat we een nieuwe te zien kregen. De eerste keer dat een nieuwe verzamel-cd wordt aangeprezen moet je nog glimlachen, de muziek roept altijd wel een of twee herinneringen op, maar de tweede keer begin je je al heftig te vervelen en de derde keer moet je meteen gaan zappen om te voorkomen dat je iets tegen het televisiescherm aan knalt. Wie kocht die rotzooi trouwens?

De telefoon begon opnieuw te rinkelen. Vijf over elf. Dit keer moest het Inès wel zijn. Ze was wel het type om pas tegen het einde van de ochtend op te staan, ritme van de middelbare scholiere die geen les meer heeft. Wederom aarzelde ik op te nemen. Mijn hart bonsde net zo hard als de eerste keer. Mijn keel was gortdroog door een gebrek aan speeksel. Ten slotte nam ik de hoorn van de haak. Het was weer Pallas. Ditmaal was ze bij Patrick Cox: zou ik ecru schoenen met parels erop willen dragen? Ik antwoordde opnieuw dat ik liever nog geen geld uitgaf, waarna ik vriendelijk tot drie keer toe 'tot vanavond' herhaalde, totdat ze ophing.

Op MTV kreeg ik nu Britney Spears voorgeschoteld in een ongeloofwaardige robot-choreografie. Het deed me aan ik weet niet meer welke Dag van de Muziek met Alex denken, toen we met de auto op Bastille probeerden te komen: op het grote podium gingen de 2B3 als bezetenen tekeer, ze sprongen de ene na de andere achterwaartse salto zonder met zingen op te houden. Zo van: een beetje beweging belet ons heus niet om te ademen...

Het rinkelen van de telefoon haalde me opnieuw uit mijn steeds lichter wordende slaap, en mijn hart bonsde dit keer misschien nog harder dan daarvoor, omdat ik wist dat het dit keer echt Inès kon zijn. Ze was hoe dan ook toch eerder het type om om twaalf uur op te staan, net als ik. Maar nee, opnieuw Pallas, die wilde weten waarom ik geen zin had naar hen toe te komen.

'Wat spook je toch uit?' schreeuwde ze boven de muziek uit die ik op de achtergrond hoorde (de 2B3?).

Ik antwoordde dat het me misschien zou lukken te bedenken wat ik wilde gaan doen als de telefoon eens een keertje ophield met rinkelen. Ik zei het een beetje grappend, behalve dat mijn stem toch wel ongeduldig moet hebben geklonken, want haar antwoord, 'Goed, dan zal ik je niet meer storen', leek toch meer op een 'Ik begrijp het, ik zal de lijn voor je vrijhouden'.

Toen de telefoon een paar seconden later opnieuw rinkelde, antwoordde ik spottend: 'Wat nu weer?', maar dit keer hoorde ik, natuurlijk, alleen de korte stilte die blijkbaar altijd aan de bijna onhoorbare stem van Inès voorafging.

'Waar zit je?' vroeg ik onmiddellijk, met mijn wijsvinger in mijn oor om niet het geringste woordje te missen.

'Rustig aan,' antwoordde ze geamuseerd. 'Ik ben bij mijn ouders. Ik moet eindexamen doen, of was je dat vergeten?'

Hoezo, vergeten? Ze had het me zelf niet gezegd en Alex had er amper over gesproken.

'O ja, dat is waar ook,' zei ik. Ik probeerde het zo relaxed mogelijk te laten klinken. 'Ik ben ook aan het werk, dus vijf minuten, niet langer.'

Een diep inhaleren van een sigaret, en vervolgens een lang uitblazen.

'Dat is grappig,' zei ze (op een iets luidere toon die waarschijnlijk vriendelijk sarcastisch bedoeld was, maar die gewoon erg onaangenaam klonk), 'je wekt niet bepaald de indruk dat je tot over je oren in de techno zit. Heeft Alex je dat niet allemaal geleerd? Is het niet zo dat je er een beetje toevallig in verzeild bent geraakt?'

Raak.

'Precies,' zei ik zo nederig mogelijk om haar belachelijk te maken. 'Zij heeft me geleerd te mixen en daarna heb ik geleerd met de apparatuur om te gaan.'

'Hmmm, ja, ja,' (afstandelijk toontje, en zo'n zachte stem dat ik, behalve mijn wijsvinger zo diep in mijn oor te stoppen dat het pijn deed, ook mijn andere oor bijna tegen de hoorn moest pletten), 'dat probeer ik nu ook' – WACHT EVEN! IK KOM ZO! – 'dat zeg ik nu ook de hele tijd tegen Alex. De platen van anderen draaien, dat is leuk voor vijf minuten.'

Nu was ze pas echt goed wakker geworden, en echt, ik was verbijsterd door die zo zachte stem, die slome, nonchalante toon.

'Ach, je moet toch wel een beetje creatief zijn om het goed te kunnen doen,' antwoordde ik, terwijl ik verrukt was over het feit dat ik haar ertoe had gebracht Alex te minachten.

'Ik moet ophangen,' mompelde ze, 'ik moet het ontbijt klaarmaken voor mijn zusje. Wil je mijn nummer hebben?'

Een deel van mij wilde dat natuurlijk maar al te graag, maar een ander deel gaf er de voorkeur aan dat zij mij bleef bellen.

'Ik heb geen pen bij de hand. Heb je een zusje?'

'En een beetje achterlijke moeder, en een vader die een echte klootzak is, maar dat vertel ik je later nog wel.'

Vanwege deze toespeling op toekomstige intieme gesprekken, die een welkome afwisseling was op de machtsstrijd die inmiddels tussen ons was uitgebroken, kon ik op mijn beurt ook niet achterblijven.

'Dat lijkt me heerlijk,' zei ik zo zachtjes mogelijk. 'Dat, en nog veel meer dingen.'

'Ik ook,' liet ze zich in een zucht ontvallen. 'Ik bel je nog.'

Ik barstte van verlangen om haar nog wat langer aan de lijn te houden, en ik moest één keer heel hard met mijn ogen knipperen om te kunnen zeggen: 'Oké, tot later.'

'Hé, wacht even... ik vind het heerlijk om je stem te horen.'

Ik hing op zonder gedag te zeggen. Ze rende. Ik gooide de bal, en zij rende erachteraan.

## 2

Ik lag op mijn rug, doornat door een koude douche die ik had genomen zonder me af te drogen, maar het hielp niets, ik droogde net zo snel weer op als onder een stralende zon. Alleen lag ik niet onder de zachte streling van de zon, dat heerlijke vuur dat kleine druppeltjes laat verdampen en hier en daar aan je kietelt als kleine vliegen die langs je benen en dijen omhoog kruipen – ik lag in een oven, en mijn huid droogde zo snel als wanneer je je handen onder zo'n warmeluchtapparaat in de toiletten van een pompstation houdt. Het enige wat je dan kunt doen, is zo stil mogelijk blijven liggen.

Ik bleef dus op mijn rug liggen, mijn hoofd wat hoger op een kussen, een lauw glas cola in mijn ene hand, de afstandsbediening van de televisie in de andere, en zonder zelfs de moeite te nemen die op te tillen, schoot ik van het ene net naar het andere. Op TFI was voor de zoveelste keer de onzichtbare man van Citroën te zien, met een stel dat langs de kant van de weg liep: aangezien zij onzichtbaar waren, hadden ze geen gezicht of nek of handen, maar ze droegen ook geen kleren. Je zag alleen de hoed van de man en de handtas van de vrouw. Ik snapte het niet, was het de bedoeling dat ze naakt waren? Ik had zin om naar een plaat te luisteren, maar had de moed niet in beweging te komen. Waardeloos dat nog nooit iemand een telescopische arm had uitgevonden die in staat was de plaat uit zijn hoes of de cd uit zijn doosje te halen. Uiteindelijk liep ik er toch op handen en voeten naartoe om *The Idiot* van Iggy, die ik van Nikki had geleend op te zetten. De telefoon beon te rinkelen. Ik was zo melig van mijn apathische toestand, en zo mijlenver verwijderd van de gedachte dat het Inès alweer kon zijn, dat ik toen ik opnam een zware grafstem à la Iggy opzette: 'Wie u ook bent, ik heb geen stofzuiger nodig en ik heb vandaag al drie Jehova's getuigen gedood.'

Een schaterlach klonk op en ik lachte ook, maar mijn hart klopte onmerkbaar harder, terwijl ik naar voren schoot om de plaat uit te zetten.

'Ben je aan het werk?' vroeg ze.

'Ja!' riep ik enthousiast, terwijl ik me op mijn matras liet vallen en mijn vinger weer in mijn oor peurde om haar beter te horen. 'Nou, hoe zit dat met je vader?' vroeg ik.

'Wat?'

'Een echte klootzak, zei je.'

'O...ja, mijn vader is dik en triest en zo vet als een oude, gecastreerde kater.'

Ik barstte opnieuw in lachen uit, maar zij lachte niet.

'Sorry,' zei ik zacht.

'Geeft niet,' zuchtte zij, 'ik zou soms alleen zo graag ergens anders zijn.'

'Mijn kamer is de beste schuilplaats ter wereld,' zei ik ondeugend, terwijl ik me op hetzelfde moment al volslagen belachelijk voelde.

'Is Pallas er dan niet?'

Haar stem was zo zacht...

'Pallas valt liever ergens anders in zwijm, dat vergemakkelijkt de ontmoetingen. Ze valt op brandweermannen!'

Ze moest er niet om lachen. En toch was het de waarheid.

'Hoe moeten we het nou aanpakken?' vroeg ze op verdrietige toon. 'Slaapt ze nooit ergens anders?'

'We vinden er wel wat op,' zei ik teder.

'Neem je me mee naar een hotel?' vroeg ze vrolijk.

Kijk eens aan. Zou het echt kunnen zijn dat Alex haar al verwende met luxe hoteltripjes zoals ze dat met mij had gedaan? Het leek er verdomd veel op. Weinig origineel, die Alex.

'Wil je dat?' vroeg ik.

'Nee,' mompelde ze. 'Ik wil je kamer zien. Je bed. Shit,' (haar stem werd nog zachter), 'mijn vader komt eraan. Ik bel je terug.'

Werkte die oude gecastreerde kater soms thuis? Op TFI lieten ze nu de worstjes van Herta zien: een klein jongetje bewerkte een stukje hout, hij maakte er een bootje van dat hij vervolgens op het water zette en waarnaar hij met een mengeling van hoop en heimwee keek toen het wegdreef. Overal bomen, rivierbedding en grind voor fabrieksworstjes in vacuümverpakking. Ik drukte mijn sigaret uit en ging op mijn zij liggen met mijn handen gevouwen onder mijn wang. Ze wilde mijn kamer zien... Maar hoe zou ze hem vinden? Ze kende de woning omdat ze vaak samen met Alex

Pallas was komen afhalen, maar ze had altijd alleen maar een snelle blik in mijn kamer geworpen vanuit de gang. Ik deed mijn deur dicht als Alex met haar kwam binnenvallen en daarna, als Alex op mijn deur klopte om gedag te zeggen, riep ik steevast dat ik geen kleurplaten of lolly's voor haar vriendinnetje had! Mijn kamer. Iedereen die wij kenden en naar wie Alex haar had meegenomen had een supergave woning of kamer...

De kamer van Julia bijvoorbeeld, die haar negentiende-eeuwse huis deelde met Alex, was zeker twee keer zo groot als de mijne en je had de indruk dat je in de gymzaal van Fame was, met zijn eindeloze parket en de hele muur bedekt met spiegels voor haar dansoefeningen. Verder was er in haar kamer niets anders behalve een matras en de gebruikelijke overlevingskist, zoals wij die noemden – televisie, bandrecorder en stereo-installatie – maar dat maakte de kamer nog niet zo onpersoonlijk en vlak als de mijne. De kamer van Eva leek op een huisje op het platteland, met de terracottategeltjes, de geurkaarsen en de tuintafel vol planten, en verder haar bed dat bedekt was met een grote hoeveelheid kussentjes, waardoor je meteen zin kreeg erin weg te duiken, heel anders dan mijn oude blauwe dekbed. De kamer van Cyril, de broer van Alex die nog bij zijn ouders woonde, leek op de villa van een dealer die rapper was geworden met al die glimmende sporttoestellen en het dikke, blauwe tapijt waarin je voeten heerlijk diep wegzonken als je naar het bed toe liep. De kamer van David, een met Alex bevriende ontwerper, en onder andere ook drugsdealer, was turquoise, met een rode lap aan het plafond, en op het rood geverfde parket stonden wel dertig wereldbollen in alle mogelijke maten, die allemaal op dezelfde lichtschakelaar waren aangesloten en die ons in verrukking brachten als we daar 's morgens vroeg na een feest heen gingen. Zijn woonkamer stond gewoon stampvol met schitterende zwarte designmeubels, zoals de woning van Mickey Rourke in *9½ Weeks*, inclusief de metalen rolgordijnen. Als je hier je blik liet ronddwalen begreep je wat het betekende geld met bakken te verdienen. En dan was er de woning van Alice in de Cité des Arts, met een helemaal in zilver uitgevoerd interieur, inclusief het parket, en met twee grote foto's van Cindy Sherman die boven het matras hingen en drie kledingrekken in de andere kamer, met bijna allemaal zwarte kleren eraan, waaronder zo'n vijftig paar schoenen stonden, ook allemaal zwart! En dan de kamer van Alex... ah, een echt puberparadijsje! Een flipperkast met de afbeelding van Freddie Mercury, snowboardplanken, metalen boekenrekken (met alle titels van Ellroy, Stephen King, Anne Rice), honderden mangavideo's, een bed breder dan twee meter veertig, waarvoor ze de lakens speciaal moest laten maken, meestal van zijde en in bordeauxrode of grijze tinten, en verder stonden er overal poppetjes en figuurtjes. De grootste reikte tot aan je heup. Van Goldorak tot Dragon Ball z, via Dark Vador, Spawn, Alien, de pop Chuckie, de Silver Surfer, een enorm masker van 'Scream' en Spiderman in alle houdingen die je je maar kunt voorstellen. Sommige spraken, of brulden of knipperden, zoals dat ene wezen uit ik weet niet meer welke film waarvan de tentakels zich uitstrekten zodra je ervoor langs liep. Als iemand van onder de dertig grote sommen geld begint te verdienen, dan besteedt hij dat geld, als zijn hoofd nog een beetje vol kinderdromen zit, aan speelgoed. Maar het mafste aan Alex' kamer was haar garderobe, die werkelijk een volledige muur in beslag nam. Een gigantische vakkenkast reikte tot aan het plafond (een vak voor de effen, gekleurde T-shirts, eentje voor de witte T-shirts, eentje voor de witte T-shirts met een motiefje enzovoort...). De stellage was nog groter dan de platenkast van Nikki, en er stond een trapje tegenaan, dat over een kleine rail liep, om ook de hoogste vakken te kunnen bereiken. In het hanggedeelte in het midden van de kast kon je zien dat er van elk kledingstuk – van de gewatteerde anorak tot aan het kleinste zomerjackje – twee of drie waren gekocht, al naargelang de verschillende kleuren waarin het model op de markt was gebracht. Om nog maar te zwijgen over haar verzameling gympen onder in de kast, of haar platenverzameling, die in de woonkamer bij de platenspeler stond, en die zeker vijf keer groter was dan de mijne.

Mijn kamer... Het enige wat indruk op Inès zou kunnen maken, waren mijn apparaten. De telefoon begon te rinkelen. Zij was het weer en ik bedacht dat vandaag niemand anders me belde. Ik dacht ook aan het feit dat Pallas nog altijd niet was teruggekeerd.

'Kun jij werken met deze hitte? Ik heb het gevoel dat mijn vingers aan de bladzijden van de boeken die ik lees blijven vastplakken.'

'Waar zit je op te blokken?'

'Ach laat maar zitten, dat is voor jou toch allemaal zo lang geleden.'

Ik wist niet zeker of ze me nu voor een ouwe taart uitmaakte of dat ze zichzelf integendeel belachelijk voelde omdat ze zo jong was.

'Zie je Alex vanavond nog?' vroeg ik, omdat ik me ineens erg down voelde.

'Weet ik nog niet. Maar als het zo is, zal ik aan je denken! Shit, wat komt ie verdomme nu weer doen? Sorry, maar ik moet ophangen.'

Dit was geen pech meer, dit was pure schorpioentjesdoortraptheid.

Beetje bij beetje begon ik me te herinneren wat ik zoal over Inès gehoord had. Ze ging naar school vlak bij haar ouders, in Versailles of daar ergens in de buurt. In het begin kwam ze alleen de weekeinden bij Alex, maar na een tijdje had Alex haar moeder overgehaald haar langer dan tot zondagavond te laten blijven, als ze tenminste beloofde er goed op toe te zien dat ze niet zou spijbelen. Ik hoorde Alex nog tegen me zeggen dat het helemaal niet zo vervelend was om zes uur 's morgens op te staan en haar naar de trein te brengen. Maar ik herinnerde me ook dat Eva aan mij en Pallas toevertrouwde dat er soms weken voorbijgingen dat Inès geen voet over de drempel van haar school zette. Alex had het eerst als haar plicht gezien om haar te stimuleren eindexamen te doen, net zoals ze mij had willen leren mixen, maar beetje bij beetje had haar egoïsme weer de overhand gekregen. Ze verzon alle mogelijke smoezen opdat we met haar mee zouden gaan om dingen te doen waar ze in haar eentje te lui voor was, of opdat we in haar kamer bleven om haar gezelschap te houden als ze zich depressief voelde omdat ze haar neus te vaak in het witte poeder had gestoken. Ik herinnerde me ook dat Pallas boos was op Alex omdat die te veel ecstasy aan Inès zou geven, terwijl ze in het begin helemaal niets gebruikte. En verder herinnerde ik mij dat Alex haar overlaadde met cadeaus. Pallas vertelde me dat toen zij thuiskwam van een middagje shoppen met haar, Alex er zelf over had lopen opscheppen. Het waren allemaal zaken waarop ook ik destijds vergast werd, alleen werden de cadeautjes steeds duurder, omdat ze tegenwoordig zoveel poen verdiende... De telefoon rinkelde, en ik wist niet goed of ik nu een diepe dankbaarheid of een sterk onbehagen voelde.

'Ik heb een paar nachten geleden zo raar gedroomd,' zei Inès, opnieuw op zo zachte toon dat ik mijn vinger weer in mijn oor moest stoppen. 'Het was die avond dat we van de Pulp, nee van de Queen terugkwamen. Ik was in een woestijn, aan de rand van een oase. Het was geen lelijke oase, hij was alleen een beetje klein en er was niet zoveel water. In de verte zag ik er een die veel groter leek, en ook veel mooier. Dus stond ik er vanuit de verte naar te kijken en ik realiseerde me dat dat was wat ik altijd gewild had. Maar ik zei tegen mezelf dat het misschien een luchtspiegeling was. Ik wist niet goed of ik het risico moest nemen erheen te gaan om de oase dan voor mijn ogen te zien verdwijnen.

Ik schraapte onzeker mijn keel.

'Ik weet niet goed wat ik ervan moet vinden,' vervolgde ze. 'Shit,' verzuchtte ze toen. 'Het is maar een grapje. Ik moet aan het werk. Tot gauw.'

Ik legde de hoorn op de haak en bleef verbijsterd achter. Probeerde ze echt datgene te laten doorschemeren wat ik dacht?

## 3

Toen de nacht kwam, raakte ik geheel uit koers, zoals in een dikke mist. Ik dommelde om de zoveel tijd in, geveld door vier Efferalgans-codeïnetabletten, die ik had geslikt vanwege een opkomende hoofdpijn. Maar had ik ze eigenlijk wel alleen daarvoor geslikt? In werkelijkheid viel ik door de bijwerking van de codeïne steeds even weg, niet genoeg om helemaal onder zeil te gaan, maar wel om mijn hoofd en ledematen aangenaam zwaar te laten worden, waardoor ze me zachtjes meenamen, zoals je oogleden die je zwaarder voelt worden als je na een stevige maaltijd in de volle zon blijft zitten. Boven de gebouwen regen zwarte stapelwolken zich aaneen. De lucht was zo zwaar dat ik behalve alle luiken van mijn ramen ook de ramen aan de andere kant van de woning had geopend, in de hoop iets als een briesje binnen te krijgen. Soms kon ik de wind horen. Hij ruiste dan door de blaadjes van de plant in de keuken, stortte zich vervolgens in de gordijnen van Pallas' kamer, maar in mijn kamer lichtte hij nauwelijks het dunne koordje op dat onder een van de luiken hing en geen zuchtje wind kwam langs mijn gezicht of bezwete lichaam strijken.

Er was niets op de televisie, maar ik kon mezelf er niet toe brengen een video op te zetten. Toch zou om het even welke film me hebben kunnen helpen uit deze lamlendige toestand te komen, die geniepig op me drukte terwijl hij me ook ontspande. Als ik het licht weer aan zou doen en muziek aan zou zetten zou het de sfeer die in de kamer hing doorbroken hebben. Die sfeer benadrukte vooral het gevoel van onwerkelijkheid waarin ik bijna kopje-onder ging. Ik voelde me alsof ik over een zachte, maar oneindige helling gleed, stukje bij beetje vooruitkomend in de nacht aangezien de wijzers op mijn digitale wekker veranderden, terwijl ik me tegelijkertijd geschorst voelde, de gevangene van een en hetzelfde, alsmaar voortdurende ogenblik. Geschorst sinds het laatste telefoontje van Inès, ruim zes uur geleden, net zoals buiten de wolken maar boven de daken van de stad bleven hangen zonder dat ze konden besluiten uiteen te spatten of over te drijven.

Waarom belde ze niet weer? Als Alex ergens stond te mixen, kon het me geen reet schelen als zij voor de cabine zou staan te dansen, maar als ze nu eens met z'n tweeën waren, in het bed van Alex bijvoorbeeld... Het was een beetje een vaag en diffuus gezichtspunt, maar van tijd tot tijd kwam het plots weer boven en bezorgde me een klotegevoel dat ik slechts met de allergrootste inspanning wist te verdrijven. Een nog mooiere oase... Ik verbood mijn hersens daar nog langer op te trippen.

Tegen een uur 's nachts maakte een knetterende donderslag mij abrupt wakker. Ik bleef zitten luisteren naar de herrie die er als een echo op volgde, de wind die een raam van het gebouw heftig deed klapperen, hoorde toen het gekletter van de regen ineens losbarsten en stond op om mijn luiken en alle andere ramen dicht te doen. In de keuken had de wind de plant omvergesmeten, overal lag aarde op de plavuizen, en in de wc stroomde de closetpot al bijna over. Toen ik de kamer van Pallas in liep, verbaasde het mij dat ze nog altijd niet thuis was. Het was toch bizar dat ze na een lange dag winkelen, zelfs al had ze niks gekocht, zich niet even thuis kwam omkleden voordat ze weer uitging.

Ik hield het tien minuten uit, op mijn buik voor MTV met het geluid uit, maar toen pakte ik de telefoon en draaide het nummer van Alex. Het antwoordapparaat werd al na twee keer rinkelen ingeschakeld en ik hing gelijk weer op (bij de nasale stem van een actrice uit de jaren veertig die zei: 'Ik heb waardeloos geslapen dus ik hoop dat het dringend is'). Ik pakte de telefoon weer om haar mobieltje te bellen, maar ik verbrak de verbinding, omdat ik me realiseerde dat ik wel een goede reden moest hebben om haar om één uur 's nachts te bellen. Maar ik hoefde toch alleen maar te beweren dat ik haar miste? Haar mobieltje ging lange tijd over, en vervolgens werd de voice-mail ingeschakeld (op dat bericht stond de stem van Alex die eerst zachtjes zong: 'Maar als je op een dag denkt dat je van me houdt' en die vervolgens als een soort varken in doodsnood begon te gillen: 'denk dan niet: o, wat een probleme, ren en ren tot het je de adem beneme, kom weer bij me terug', waarna het lied werd afgerond met een keiharde boer die tot aan de biep duurde.) Ik moest er wel even om lachen, terwijl ik de telefoon weer op het tapijt teruglegde. Alleen als ze mixte nam Alex de telefoon niet op, en toen herinnerde ik het me weer. Ze had een paar werkafspraken doorgenomen met Jessie, dus moest ze in Reims zijn. Ik herinnerde me ook dat ze had gezegd dat Inès vanwege haar examen nergens mee naartoe zou gaan. Dat stelde me onmiddellijk gerust. Maar had Inès ook niet gezegd dat ze niet zeker wist of ze haar zou zien? Reims was niet zo ver weg... Dat zou helaas maar al te goed verklaren waarom ze niet opnieuw had gebeld. Ik probeerde nog eens Alex te bellen, maar zonder resultaat.

Alex was dus al begonnen met mixen en haar mobieltje lag in de auto, of op het bed van haar hotelkamer als ze er een genomen had. Dat deed me denken aan al die keren dat ik met haar was meegegaan naar allerlei steden in Frankrijk maar ook in het buitenland... Normaal gesproken vroeg ze alleen om een hotelkamer als de afstand te groot was om meteen daarna nog naar huis terug te keren. Het was voor ons de gelegenheid om eindelijk eens flink herrie in bed te kunnen maken, want haar woning in Parijs was niet erg goed geïsoleerd. Bij die herinnering drukte ik op de herhaaltoets van de telefoon. Geen antwoord. Maar zelfs als Inès daar was en ze zouden blijven slapen, was er toch erg weinig kans dat Alex en Jessie twee aparte kamers hadden gekregen... Die konijnenhokken van de Ibis-hotels deden vooral aan goedkope wintersportlocaties denken met van die vreselijke ribfluwelen beddenspreien en die lullige tandenborstelglaasjes en hun troosteloze hangkasten met drie treurige plastic kleerhangers. Alex nam altijd eerst een bad, terwijl ik de tv uitprobeerde, verontwaardigd over de geringe keuze. Wel kabel, maar alleen twee of drie buitenlandse zenders, zoals BBC Prime (dodelijk saai, met van die eindeloze biljartpartijen, op een tafel waar zelfs geen gaten in zitten om de ballen in te laten vallen), Rai Uno (met van die vreselijke sitcoms in nog wansmakelijker decors dan AB Productions) of ZDF (met de filmset van J. T., die net zo saai en deprimerend was als *Derrick*). En behalve dat waren er alleen het eerste en tweede net, zelfs niet Canal Plus of M6. Dus logisch dat we, als we terugkwamen als Alex klaar was met werken, niets anders te doen hadden dan er zo'n beetje overal op los te neuken, in de badkamer, op het tapijt, tegen het raam, waar vandaan we het licht zagen worden boven een grauwe provinciestad, die op alle voorgaande leek. Bij die gedachte drukte ik nogmaals op de herhaaltoets.

Ik hield de hoorn niet eens meer tegen mijn oor, toen er ineens een enorme herrie uit opsteeg. Ik draaide gelijk het geluid van de televisie uit en hoorde Alex boven de muziek uit schreeuwen. Ik voelde me verplicht hetzelfde te doen, hoewel het een beetje belachelijk voelde om zo hard te schreeuwen in de stilte en eenzaamheid van mijn kamer. Ze was dus inderdaad in Reims, met Jessie, ze waren al klaar met spelen, vlak na elkaar, en het was een nachtmerrie geweest. Die boerenpummels wilden alleen maar eurodance, en verlieten telkens de dansvloer als zij iets beters op zette. Het ging zelfs zo ver dat de organisator op een gegeven moment in haar oor siste alleen nog de platen van daar te gebruiken. Ik geloofde haar onmiddellijk, want ik kon goed horen wat er gespeeld werd. Ik vroeg wie er nog meer was, maar ze begreep de vraag niet.

'Nou, ja, misschien dat je Eva hebt meegenomen of weet ik veel wie?'

'Nee, nee,' zei ze, 'alleen Jessie en ik zijn er.'

Opluchting. Ze ging door met de tent te beschrijven, zei dat de jongens allemaal witte jeans droegen en lange, naar achteren gekamde haren hadden. De meisjes droegen allemaal een jurk en hadden haar op hun benen, zoals dikke Portugese vrouwen. Ze voegde eraan toe dat iedereen haar merkwaardig aanstaarde, en omdat haar stem zo verdoofd en langdradig klonk kon ik me de schok die ze teweegbracht wel voorstellen, stoned als ze was, en met haar alienkop, de kop van een dode bijna. Ik vroeg haar wanneer ze terugkwam, maar iemand anders zei op dat moment ook iets tegen haar. Ik vroeg het nog een keer, en toen vroeg ze geïrriteerd: 'Hoezo?' 'Mwah, zomaar,' mompelde ik. Er volgde een korte stilte, als je het tenminste stilte kon noemen met die muziek die op de achtergrond dreunde. Een tijdje geleden zou ik het echt klote hebben gevonden als ze zich zou inbeelden dat ik haar miste. Ik hoorde Jessie aan haar vragen of het gelukt was om Inès te pakken te krijgen en Alex antwoordde van niet, nog steeds niet. 'Dus eh...?' zei ik weer, 'wanneer zie ik je?!' Ze antwoordde dat ze dat niet wist. Ze moesten nog op de kaart kijken hoe ver het naar Besançon was, waar ze morgen moesten spelen. Misschien gingen ze er vanaf daar wel direct naartoe in plaats van eerst langs Parijs te gaan. Het leek net alsof haar stem ineens heel raar klonk. En als ze het nu eens wist? Inès was misschien overstag gegaan en had alles bekend, of had het onderwerp aangesneden uit angst dat anders Pallas of ik het zouden doen. Ook Pallas had iets kunnen laten doorschemeren. Ze was niet echt het type om me te verraden, maar ze gedroeg zich hoe dan ook heel merkwaardig met Inès. En als Alex het wist, dan zou ze me dat niet openlijk zeggen, ze zou wachten tot ze een subtielere manier had gevonden. Dus begon ik een smoes dat het vanwege de mobiel langzamerhand wel een beetje duur begon te worden en hing ze op, zomaar, zonder me gedag of wat dan ook te zeggen, hetgeen mijn paranoia verder deed toenemen. Ik dwong mezelf te kalmeren: gezien de hoeveelheid dope die ze zo te horen had gebruikt, zou ze zich nauwelijks bewust zijn van het feit dat ze een telefoon in haar hand had.

Ik stak een sigaret op en keek naar de telefoon die ik zojuist had neergelegd. Ik was wel een volslagen idioot geweest om niet het nummer van Inès te willen hebben. Zij moest ook een mobieltje hebben, als Alex haar op dit tijdstip nog probeerde te bellen. Ik had graag willen weten waarom het haar niet lukte haar te bereiken. Zou het kunnen dat Inès zo in de war was dat ze niet met haar kon praten? Een veel mooiere oase...

## 4

Toen ik tegen twaalven wakker werd, was Pallas nog steeds niet thuis. Ergens bleef haar mobieltje maar afgaan en ik wist bijna zeker dat ze hem kon zien, en mijn nummer herkende en maar niet kon beslissen of ze me nu wel of niet wilde spreken. Dacht ik dat omdat ze de vorige dag, elke keer als ze belde, zo'n kalme indruk had gemaakt? Ik wilde net ophangen toen ik een ijskoud 'Ja?' hoorde.

'Ik ben het. Wat spook jij verdomme uit?'

'Hoezo uitspoken?'

'Je had wel even kunnen zeggen dat je niet thuis zou komen.'

'Hoezo?' vroeg ze nog altijd even koeltjes, maar nu ook een beetje wantrouwend.

'Omdat ik voor Jan Lul boodschappen heb gedaan,' loog ik, 'daarom.'

'Laat jij het soms altijd weten als je naar de Pulp gaat?'

'O, begin daar niet weer over,' verzuchtte ik moe.

'Wat wil je?'

'Niks,' antwoordde ik op net zo'n koel toontje. 'Ik wilde alleen even weten of je niets was overkomen, dat is alles.'

'Niet dus, zoals je hoort.'

'Nee, inderdaad,' mompelde ik, terwijl ik me heel erg inhield om niet tegen haar te roepen dat ik door haar geklooi een gouden kans om Inès te zien was misgelopen.

'Goed dan, fijne dag nog,' voegde ik eraan toe en hing op.

Had ze soms expres niets gezegd, zodat ik Inès hier niet kon uitnodigen?

Tien minuten later, terwijl ik met een kopje thee in kleermakerszit op bed zat, belde ik opnieuw.

'Ja, nog een keer met mij,' zei ik zo cool mogelijk. 'Ik wou alleen even weten wanneer je terugkomt, of ik opnieuw boodschappen zal doen, of zo?'

'Ik heb niks nodig,' antwoordde Pallas op volstrekt onverschillige toon.

Dat zegt niets over je mogelijke thuiskomst...

'Luister,' zei ik in alle oprechtheid, 'het spijt me dat ik van de week zo tegen je gesproken heb, werkelijk, het spijt me.'

'Ik weet het,' bracht ze eindelijk op zachte toon uit. 'Het komt niet door jou dat ik weggegaan ben, het komt door mij.'

Dat was het dus. Dat ze me met Inès had zien praten had weer van alles in haar losgemaakt. En net zoals alle andere keren als ze weer meende verliefd op me te zijn, was ze onuitstaanbaar geweest, woedend omdat ze het niet had kunnen verbergen, waarna ze afstandelijk werd, alsof het haar zogenaamd geen reet interesseerde, om ten slotte alleen maar diepbedroefd te zijn. En ik moest van elke fase getuige zijn zonder een spier te vertrekken.

'Luister,' zei ik opnieuw oprecht, 'we vergeten het, goed?'

Ze slaakte een diepe zucht.

'Wat je gisteren hebt gekocht, blijft dat goed tot morgen?'

'Waarom morgen?' vroeg ik, terwijl ik ineens veel beter luisterde.

'Ik ben nu in Honfleur.'

'Waar dan?'

'Je weet wel, in het huis van de galeriehoudster van Alice.'

Ja, dat kende ik, een waanzinnig gaaf huis met zwembad, waar zij de hele tijd werd uitgenodigd en ik nooit. Maar verdomme, sinds wanneer wist ze dat ze daar naartoe zou gaan?

'Dat had je toch wel even kunnen zeggen!'

'Hoezo?' vroeg Pallas opnieuw op wantrouwige toon.

'Nou ja, weet ik veel,' brabbelde ik, terwijl ik me realiseerde dat ik mezelf bijna verraden had. 'Ik had me zorgen kunnen maken. Nou ja, weet ik veel. En wanneer kom je terug?'

'Hoezo?' vroeg Pallas.

'O, hou toch eens op me je hoezo's, ik ben je beste vriendin, verdomme.'

'Ik weet het nog niet,' zei Pallas op een toontje waar het wantrouwen doorheen bleef klinken. 'Morgenmiddag, denk ik, omdat Alice 's avonds in Parijs moet zijn. Maar het kan ook morgenochtend zijn, of zelfs vanavond al,' waarna ze me een fijne dag toewenste en ophing.

Ze dacht zeker dat ik gek was. Niemand komt op vrijdagavond of zaterdagmorgen van een weekend thuis.

Om vier uur 's middags had Inès me nog steeds niet gebeld en ik liep te ijsberen, van de ene kamer naar de andere in de verlaten woning, verstard, wanhopig. Ik kon niet stilzitten, ik kon nergens anders aan denken. Misschien was Alex uiteindelijk toch naar huis gegaan en was Inès naar haar toe gegaan en lagen ze nu als krankzinnigen te neuken. Alex stortte zich altijd op me als ze van een feest terugkwam waar ik niet met haar naartoe had gekund. Misschien hadden ze het vannacht ook wel per telefoon gedaan, daar was Alex dol op. En misschien zou Inès vanavond met haar mee naar Besançon gaan, en misschien hadden Alex en Jessie toch ieder een kamer, en misschien zou Inès zelfs het hele weekend wel bij hen doorbrengen. Ik moest rustig worden, en daar was maar één middel voor. Niet zo'n elegant middel, maar het enige. Ik aarzelde nog enkele minuten, maar gaf er toen aan toe. Alex antwoordde al nadat haar mobiel één keer was overgegaan.

'Jezus Christus. Kan je niet meer zonder mij of zo?'

'Luister,' zei ik, 'iemand moet mijn haar knippen, het ziet er niet uit, en ik heb iets waanzinnig belangrijks vanavond. Kun je me het nummer van Inès geven?'

'Weinig kans dat ze dat voor je kan doen dit weekend. Ze zit bij haar ouders haar eindexamen voor te bereiden. Maar bel toch maar op, misschien heeft ze volgende week tijd. Hé, slettenbak, wanneer halen we onze schade in?'

'Ik weet het niet,' zei ik gniffelend, 'waar zit je?'

'In Besançon.'

'Tja, dat is dan pech voor je!'

Als je eens wist, Alex... zelfs ik durf er niet aan te denken. Tegen de muur geleund keek ik naar het nummer van Inès. Zo'n makkelijk nummer dat ik het al uit mijn hoofd kende. Ik zou wild van vreugde moeten zijn dat ik haar zo kon bellen en kon zeggen dat de weg vrij was... maar ik was helemaal niet blij, ik was bezorgd. Als ik haar zou bellen, verloor ik het overwicht, maar als ik haar niet zou bellen zou ik een geweldige kans aan me voorbij laten gaan. Ik had nog een reden om het bellen even uit te stellen. Een reden die me zei dat Inès helemaal niet 'Oké, ik kom eraan' zou antwoorden. Elke keer als ik neerhurkte om haar nummer te gaan draaien, begon mijn hart als een bezetene te bonken en hing ik op. Ik kon natuurlijk nog even wachten en zien of zij misschien uit zichzelf zou bellen, maar ik wist dat ze dat niet zou doen, of pas veel later, wanneer het voor haar al te ingewikkeld zou zijn om naar Parijs te komen. Dus hurkte ik nogmaals om dat kolerenummer te draaien, en deze keer liet ik de telefoon wel overgaan, terwijl ik bijna zin had om te kotsen, zo bang was ik.

'Hallo? Inès?'

'Nee, het is haar zusje,' zei een identieke stem.

'O, sorry, is Inès daar?'

Terwijl ze mijn naam schreeuwde – zo hard dat ik me afvroeg in wat voor soort huis ze woonden – moest ik vechten om niet toe te geven aan het heftige verlangen op te hangen.

'Hallo,' mompelde het kwijnende stemmetje.

'Gaat het goed?' vroeg ik domweg.

'Dus je hebt mijn nummer te pakken gekregen?' zei ze geamuseerd.

'Mjah, van Alex, mijn haar. Ik wou je alleen even zeggen dat Pallas dit weekend weg is.'

'Weet je het zeker?' vroeg ze nonchalant.

Nee, ik was nergens zeker van.

'Minstens tot morgenmiddag.'

'Ja, ja, maar eigenlijk weet ik het niet. Ik weet niet zeker of het een goed idee is.'

Zie je wel. Ik sloot mijn ogen en voelde de bekende prop weer in mijn keel schieten, net zo groot als toen ik naar Nikki toe was gegaan... En daarna kwamen de tranen.

'Ook goed,' zei ik zo waardig mogelijk. 'Tot kijk dan.'

'Hé, wacht even!' riep ze uit. 'Zo bedoel ik het niet!'

'Ik heb nog werk te doen, aju.'

‘Hé,’ zachter nu, ‘wacht even.’

Wachten waarop? dacht ik, terwijl ik met mijn ogen knipperde om de tranen te verjagen die mijn blik troebel maakten. Ik trok aan het verlengsnoer van de telefoon om de huiskamer binnen te lopen, want ik kon opeens niet meer in mijn eigen afschuwelijke kamer blijven zitten.

‘Ik weet niet,’ begon ze opnieuw, ‘eraan denken was heel fijn, maar om het dan ook echt te doen...’

Leunend tegen de boekenplanken van de huiskamer voelde ik woede opkomen. Wat was hier de diepere bedoeling eigenlijk van? Alleen een banaal, klote schorpioenenspelletje? Gewoon even kijken of het kleintje sterker is dan de grote? Was dat soms de bedoeling?

‘Ik zie me het nog niet met haar uitmaken.’

‘Maar wie vraagt je verdomme het met haar uit te maken? Ik heb je nooit zoiets gevraagd!’ (Ik probeerde mijn stem zachter te laten klinken.) ‘Het gaat om één nachtje, meer niet.’

‘Ik geloof dat het beter is om het hierbij te laten,’ merkte ze op.

Nou, waarom hing ze dan niet op? Ze wilde dat ik aandrong, dat was het, zodat ze me nog beter zou kunnen afwijzen. Ze kon de kolere krijgen.

‘Weet je,’ zei ik toch nog, terwijl ik naar de bank liep en op de armleuning ging zitten, ‘ik had gewoon zin om je te zien, omdat ik echt zin had om je beter te leren kennen. Waar dat precies op uit kan lopen, weet ik echt niet, maar het was oprecht. Ik dacht dat er iets tussen ons was.’

Stilte.

‘Maar uiteindelijk ben je niet anders dan ik altijd al dacht, je bent niets anders dan een aanstelster van zeventien die zich heel wat inbeeldt. Eigenlijk heb je gelijk. Ik zie ook niet meer wat we in godsnaam met zijn tweeën hadden kunnen doen. Dus maak je maar geen zorgen. De eerste de beste keer dat je me tegenkomt, zal het zijn alsof er nooit iets geweest is. Even ophangen en je bestaat niet meer.’

En omdat ze nog altijd niets zei, hing ik inderdaad op. Ik liet me op de bank glijden met de telefoon nog altijd tussen mijn knieën. Ik voelde me vernederd dat ik dit alles eruit had moeten kotsen, ze was het niet eens waard om het te horen. Maar diep vanbinnen wist ik dat het nog erger zou zijn geweest als ik het niet had gedaan. Ik zou me de rest van de tijd hebben afgevraagd of het iets zou hebben uitgemaakt als ik het wel had gedurfd. Ik nam het mezelf ook kwalijk dat ik gebeld had zonder me eerst even de tijd te gunnen om te kalmeren. Ik had haar allemaal supernegatieve signalen toegezonden en het was onvermijdelijk dat ze zich terugtrok. Maar goed, het was gebeurd. Er zat niets anders op dan een tijdje niet uit te gaan... Dat zou toch niet zo moeilijk zijn? Ik ging me weer op de jongens richten, toch? Zo was het maar net, dat hield beter stand. En bovendien, grietjes zoals zij, zo mooi en ook nog zo verdomde geil, daar waren er toch massa's van, niet dan? Er waren er zoveel dat je je alleen maar hoefde te bukken om er eentje op te rapen! De tranen schoten weer in mijn ogen en ik vouwde mezelf dubbel om mijn voorhoofd tegen de telefoon te slaan. Godverdegodver, huilde ik. De telefoon begon weer in mijn oren te rinkelen. Langzaam ging ik rechtop zitten. Zij? Wat had ze dan te zeggen? Zand erover, laten we vriendinnen worden? Geen sprake van. Maar natuurlijk pakte ik uiteindelijk toch de hoorn van de haak. Omdat je het nooit weet. Omdat je het nooit kunt weten.

'Wat is de code van je voordeur?' vroeg ze met een klein stemmetje.

Ze haalde d'r neus op. Had zij ook gehuild? Ik liet mijn hoofd achterovervallen tegen de rugleuning van de bank. De tranen droogden in mijn ogen, terwijl ik naar het plafond staarde en naar haar ademhaling luisterde.

'Wat is er aan de hand?' vroeg ik uiteindelijk op zachte toon.

'Ik denk de hele tijd aan je!' schreeuwde ze, voordat ze in huilen uitbarstte.

'Stil maar,' mompelde ik, 'ssssstttt, ik ben er voor je.'

'Over een uur,' hikte ze, 'over een uur lig ik in je armen.'

Later zou ik me nog vaak afvragen wat er gebeurd zou zijn als ik niets had gezegd. Ik zou me ook afvragen wanneer het tussen ons werkelijk begonnen was. Maar dat kon niemand weten, nietwaar? Behalve Guillaume misschien: 'Ik sta mijn plaats af als het moet.'

## VII

# Schone lakens

### I

Ik had nog niet opgehangen of ik werd zo bang als ik nog nooit in mijn leven was geweest. Ik zat op de rand van de bank, beide handen om de telefoon geklemd, en zag het tafereel voor me: ik zou voor haar open moeten doen... Ik zou de deur open moeten doen, ik die om niets bloosde en onvermijdelijk knalrood zou zijn, en er was geen enkele manier om de hal donker te maken. Het zou een zielige vertoning worden. Een hartslag van honderdduizend, haar blik niet durven kruisen, niet weten waar ik mijn handen moest laten, wat ik überhaupt met mezelf aan moest. Was er maar iemand die in mijn plaats kon opendoen... dan zou ze me aantreffen terwijl ik bezig was met het een of ander. Mijn blik viel op de videorecorder. Als ze er echt maar een uur over deed om hier te komen, had ik niet meer dan vijftig minuten.

In paniek haalde ik de stofzuiger te voorschijn. Mijn grijze tapijt zag er verschrikkelijk uit, de plafondplaten van polystyreen ook. En dan mijn oude blauwe dekbed, dat allesbehalve lustopwekkend was. Ik liet de stofzuiger los zonder hem uit te zetten om snel de kasten van de huiskamer te doorzoeken. Op de plank waar Pallas haar schone lakens opborg lag nog een stel witte. Vette zucht van opluchting, ze zou het me wel vergeven. Ik haalde het bed af en maakte het weer op, terwijl de stofzuiger in het niets aan het loeien was. Het stonk vast naar sigaretten, ik duwde de luiken open. Weinig kans dat het echt zou luchten met die hitte, maar het was beter dan niets. Ik pakte de stofzuiger weer om nog even de andere kant van het bed te doen, toen trok ik de stekker eruit en bracht hem snel weer naar de huiskamer; de kast liet ik openstaan terwijl ik terugging om mijn vuile lakens te halen. Ik raapte mijn verschillende asbakken op, die ik naar de keuken bracht, waste er twee af en droogde ze haastig af, deed toen de deur van de koelkast open en kreeg een schok: niets behalve een aangebroken colafles, een restje vispaté van Pallas en een pot jam. Shit. Als je lekker met iemand in bed ligt, heb je de hele tijd zin om te eten en te drinken. Ik had niet eens tijd om geld te lenen om een paar boodschappen te doen. Van wie trouwens? Meestal had Pallas die rol... Ik had de hele afspraak willen afzeggen, of een beetje uitstellen, maar ze was ongetwijfeld allang onderweg. Met haar in bed liggen... Ik was kilometers verwijderd van dat vooruitzicht. Ik wist alleen dat ik me verdomd slecht op mijn gemak voelde bij het idee alleen met haar te zijn. Ik ging de luiken weer dichtdoen en liet het raam openstaan. Ook al was er een kans dat ze de kamer te donker zou vinden, er was geen sprake van dat we in het volle licht zouden zitten. Wat voor muziek zou ik voor haar opzetten? Dat wat gespeeld wordt als je voor het eerst bij iemand thuiskomt is doorslaggevend. Waar zou ze naar kunnen luisteren, behalve de hardhouse van Alex? Massive, Björk, Air? Weinig risico daarmee de plank mis te slaan – je hoorde het bij iedereen – maar ook niet echt origineel. Ik kon de wekker niet zien omdat er een hoek van het dekbed overheen hing. Met mijn voet duwde ik het terug, er waren nog maar veertig minuten te gaan.

Uit de badkamerkast haalde ik alles wat binnen handbereik lag. Welk parfum? Ik gebruikte hetzelfde als Alex en van die van Pallas paste er niet één bij me, die waren te bedwelmend. Ik waste mijn haar, en in de drie minuten dat de crèmespoeling introk, bracht ik zittend in het bad een snel masker aan. Ik schoor mijn oksels en hier en daar mijn kuiten, en daarna ging ik weer staan om mijn dijen en billen in te smeren met scrubcrème. Ik zou tijd nodig hebben om me op te maken, en misschien ook om mijn nagellak te vervangen. Als de paar jurken van Pallas die mij stonden maar niet allemaal naar de stomerij waren. Op de enige jurk die ik zelf had zat ergens een vlek. Ten slotte kneep ik de tube douchegel half leeg in mijn handen, in de hoop dat de vanillegeur nog even op mijn huid zou blijven zitten, en terwijl mijn handen onder mijn borsten streken om ze omhoog te duwen en te masseren, besefte ik het plotseling: ik was bezig me mooi te maken alsof ik een kerel verwachtte... Bij die gedachte staakte ik mijn bewegingen en ging op de rand van de badkuip zitten. Ik had weer met een meisje afgesproken. Wat was er met me aan de hand? Ik had me de laatste dagen toch zo anders gevoeld... Die zekerheid dat er een bladzijde was omgeslagen was er de hele tijd geweest. Eerst als een vrolijke bevrijding die me maar bleef verbazen en toen heel gauw een vanzelfsprekendheid was geworden waaraan ik niet eens meer had hoeven denken, zo goed viel die op z'n plek. Behalve in de ogenblikken aan de telefoon met Inès. Op die momenten was ik weer... zoals daarvóór geworden? Het was echt heel vreemd om dat te beseffen, terwijl ik weer ging staan om mijn wasbeurt af te maken. Maar nog vreemder was het om te bedenken dat het een meisje van zeventien was dat ik zou zien...

Terwijl ik poedelnaakt voor de kast in de huiskamer stond en het water aan alle kanten van me af op de parketvloer droop, wist ik niet meer wat ik moest kiezen. Ik had nooit bijzonder vrouwelijke kleren gedragen als ik met een meisje was. Een deel van mij wilde met die idiote gewoonte breken, en een ander deel wilde instinctief een T-shirt en een spijkerbroek aantrekken. Het idee kwam op dat het misschien door die nieuwe vrouwelijkheid kwam dat ze de afgelopen dinsdag anders naar mij had gekeken. Maar hoe kon ik daar zeker van zijn? Met 'neutrale' dingen zou mijn gevoel helemaal niet meer kloppen met de laatste dagen, maar aan de andere kant, zou ik in een jurk niet te veel de dame uithangen voor een grietje van zeventien? Ik haalde mijn stapel T-shirts uit de kast en ging op mijn hurken zitten om ze op de grond uit te spreiden. Welke had ze me niet al heel vaak zien dragen en welke had Alex niet óók? Ik probeerde er vier, stond telkens op om mezelf in de spiegel van de kast te bekijken. Dat sloeg nergens op zonder de onderkant. Ik ging mijn 505 uit mijn kamer halen. Ik zocht naar een slipje. Geen schone. In die van Pallas zwom ik en ik wilde geen boxershorts meer aan. Wat dan? Dan maar niets, waarom ook eigenlijk niets eronder... En ik zou ook op blote voeten blijven lopen. Ik kwam terug en boog me weer over de T-shirts. Uiteindelijk was er maar één mogelijkheid: de Liquid Sky. Ze had me er vast al honderd keer in gezien en het zou haar zeker aan Alex doen denken, die dezelfde had in donkerblauw met de kleine alien in het geel, maar de mijne was veel mooier, zwart op zwart. Van alle ravers die in New York waren geweest was ik de enige die dit model had gekocht, en nu het niet meer gemaakt werd vroeg iedereen me of ik het niet wilde doorverkopen. Ik voelde me nogal stom dat ik wilde showen met zoiets onzinnigs als een collector's T-shirt, maar met Alex was het zwaar concurreren.

Ik was dus aangekleed en gewassen, mijn haar was rommelig aan het drogen – dat stond me het beste –, mijn kamer was opgeruimd en de rest van de etage ook, nu de muziek nog. En wat ik zou doen als ze zou aanbellen. Dat wilde zeggen over twintig minuten. Ik zag het moment voor me waarop ik zou moeten overgeven, zo gespannen was ik. Maar een andere oplossing diende zich aan... waarom ook niet? Ik ging terug naar de badkamer, waar ik mijn spijkerbroek uittrok; ik hield mijn T-shirt aan, dat kort genoeg was om niet nat te hoeven worden, en ik stapte in het bad. Er waren heel wat kerels die van tevoren hun ballen leegden als ze een meisje verwachtten bij wie ze bang waren dat ze te vroeg klaar zouden komen. Nou ja, goed, behalve dat het de drang om haar aan te raken zou uitstellen, zou het me ontspannen. Met mijn rug tegen de rand van het bad leunend stelde ik de temperatuur van het water in en schroefde de douchekop los. Ik had de deur van de badkamer open laten staan. Als Pallas nu terugkwam – wat veel minder dramatisch zou zijn dan als ze iets later binnen zou komen vallen – zou de aanblik haar niet teleurstellen. Ik nam ook het risico dat Inès aanbelde, en deze keer zou ik echt vuurrood zijn. Terwijl ik de slang in beide handen hield, met een vinger in de straal om hem krachtiger te maken, probeerde ik aan haar te denken. Maar er kwamen te veel verschillende beelden. Het lukte me niet er een uit te kiezen. Het was beter nergens aan te denken, verstand op nul en hup! Het water spatte toch een beetje de onderkant van mijn T-shirt nat, dat ik uiteindelijk met mijn tanden beetpakte. Na een paar minuten realiseerde ik me dat ik behoorlijk stom bezig was: orgasmes maakten me te gevoelig om het kort daarna nog eens over te doen. Maar het begon al te komen, ik had natuurlijk niet de moed ermee te stoppen, en terwijl ik het T-shirt nog steeds tussen mijn tanden hield, spande mijn lichaam zich tot het uiterste, mijn ogen gingen ten slotte dicht met het beeld van Inès' mond en het hoekje van haar lippen waar ze zachtjes op beet... Ik bleef een paar seconden uitgeteld zitten voordat ik weer op adem was, met gesloten ogen, eindelijk tot rust gekomen, leeggelopen. Misschien een beetje depri ook. Daarna probeerde ik me met moeite uit het bad te hijsen.

Ik nam zonder erbij na te denken achter de computer plaats om een sigaret te roken, en toen ik eenmaal in mijn bureaustoel zat die ik eerst de ene en dan de andere kant op liet draaien, waarbij ik me met mijn voet afzette op de grond, begreep ik dat dat de plek was waar ik moest zijn als zij zou komen. Alles wat ze over mij wist was dat ik met een plaat bezig was, ze zou me dus aantreffen terwijl ik aan het werk was. En wat de muziek betrof, dat zou mijn eigen muziek zijn, en wel het laatste stuk waaraan ik had gewerkt. Voorlopig was het nog maar in het stadium van klankopeenstapelingen, een tamelijk luchtige laag in de stijl van progressieve house zoals die niet meer gemaakt werd, met een acid-klank die uitgerekt werd volgens hetzelfde principe als de lach van Aphex Twin. Ik zou alleen even een tijdelijk ritme toevoegen, zodat het niet te vlak zou klinken voor haar oortjes. Ik zette de computer aan en terwijl hij aan het opwarmen was stelde ik een paar dingen in op de synthesizer rechts van mij. Het was gewaagd om mijn eigen muziek op te zetten, ze zou hem strontvervelend kunnen vinden. Maar als dat zo was – als ze mijn kamer niks vond en mijn kleren en de geur van mijn douchegel en mijn muziek –, zouden we elkaar dan eigenlijk wel wat te vertellen hebben? Het was net als met Nikki's platen die naast de draaitafel op de grond verspreid lagen. Die zou ik echt niet gaan verstoppen. In de geest van de meeste mensen rijmen de sixties en de seventies op hippie, en is rock iets voor ouwe lullen geworden. Maar als zij zo tegen de dingen aankeek, zou dat haar probleem zijn. Diep vanbinnen wist ik dat mijn kamer echt klasse was met mijn superprofi home-studio, en dat ik een behoorlijk leuke meid was, een meid van eenendertig met een uiterlijk dat ver uitstak boven wat ze zoal tegenkwam als ze uitging, met leuk werk en interessante ervaringen. Dus als er iemand was die zich moest afvragen wat de ander allemaal van haar zou kunnen vinden, dan was ík dat niet.

## 2

Toen de bel ging dwong ik mezelf diep adem te halen, ik drukte mijn sigaret uit, stak een andere aan die ik in de asbak legde, en ging erop af. Mijn wangen werden een beetje warm en mijn hand trilde op de klink van de deur die ik langzaam opendeed; daar stond ze in een schoudertas te woelen. Haar gezicht was aan het oog onttrokken doordat haar haren ervoor hingen. Ze richtte even haar hoofd op voor een snelle blik, zo van o hallo, wacht even, ik zoek iets. Net zo slecht op haar gemak als ik? Ondanks de hitte droeg ze een jas, driekwart, getailleerd, van donkerrode suède, die ik niet van haar kende en die iets jaren-zeventigachtigs had, waardoor ik me afvroeg of Pallas het er met iemand over had gehad dat ik weer even retro was. Eronder droeg ze een oogverblindend wit T-shirt met een V-hals, een lichtgrijze Carhartt en eenvoudige witte Nikes met rode strepen. Het geheel was niet nieuw genoeg en niet duur genoeg om deel uit te maken van de uitrusting die Alex haar had gegeven, ze had dus gekozen voor dingen die ze daarvoor al had... Ze haalde een mobieltje te voorschijn, bleef heel lang naar het schermpje staren, haalde toen haar schouders op terwijl ze het weer opborg en eindelijk een verlegen blik op mij wierp. Ze had diepzwarte ogen, zelfs in het volle licht, ik had nooit opgemerkt dat ze zo donker waren. Het doordrong haar blik van een zachte droefheid die me met tederheid overstelpte. Ik had mijn armen om haar heen willen slaan om haar vast te houden en haar willen toefluisteren dat ik er nu was. Omdat ik domweg bleef vaststellen hoe mooi ze was, en hoe jong en onschuldig, glimlachte ze ten slotte even terwijl ze een blik over mijn schouder wierp, alsof ze wilde zeggen: zal ik buiten blijven staan, of ben je van plan me binnen te laten? Er zat iets onaangenaams in die glimlach. Niet alleen iets geamuseerds, maar een soort verstrooide onverschilligheid die me deed verstijven. Ineens steeg er een onverdraaglijke vrijheid uit haar op. Vrij om over vijf minuten weer te vertrekken, als ze daar zin in had.

'Hallo,' bracht ik eindelijk uit en draaide me om, waarbij ik haar zelf de deur dicht liet doen. In mijn kamer pulseerden de bassen, de acid-klanken vervormden eindeloos en werden steeds snerpender, en terwijl ik achter de computer ging zitten bedwong ik de aandrang het geluid harder te zetten, voorbij de grens van wat nog te verdragen was. Ik zag haar van opzij op haar beurt de kamer binnenkomen en mijn ogen richtten zich onmiddellijk weer strak op het scherm.

'Ben je aan het werken?' riep ze achteloos. 'Nou oké, dan zal ik je niet al te lang ophouden! Is het jouw muziek die op staat?' vroeg ze, plotseling heel dicht achter me.

Het 'ja' dat ik stamelde ging verloren terwijl ik het geritsel waarnam van de tas die ze over haar hoofd trok, en toen de jas die ze op de grond liet vallen. Een van haar knieën kraakte toen ze waarschijnlijk bukte, ik hoorde het geklik van een aansteker die ze een paar keer probeerde, toen voelde ik hoe ze achter mij weer opstond. Met mijn ogen nog steeds strak op het scherm durfde ik zelfs niet naar de asbak te reiken. Ik zag haar blote arm langzaam mijn gezichtsveld binnenkomen en verstarde nog meer. Haar borst drukte zich zachtjes plat tegen mijn schouder, toen verscheen haar profiel, even langzaam, terwijl ze vooroverboog om mijn aansteker te pakken. Ik kon de aangename wasmiddelgeur van haar T-shirt ruiken. Haar wang bleef vlak bij de mijne terwijl ze haar sigaret aanstak. Ik hield mijn adem in, waagde zelfs geen steelse blik op haar mond. Haar borst maakte zich weer los, ik slaakte een nauwelijks hoorbare zucht toen ik voelde hoe ze wegliep, en liet een 'Shit!' ontsnappen bij het zien van mijn as die zojuist op het toetsenbord was gevallen. Ik blies het zo goed en zo kwaad als het ging weg en waagde toen een snelle blik, maar ze negeerde me volkomen. Ze stond aan het voeteneind van het bed met haar ogen naar beneden gericht, naar de tv waarvan het geluid niet aanstond. Met de sigaret in haar mondhoek stond ze in haar gebruikelijke merkwaardige houding met haar handpalmen achter op haar heupen. Eigenlijk had het wel iets, dat vogelachtige. Ze had mooie schouders in haar T-shirtje dat voor één keer niet haar navel onthulde. Brede, losse schouders, zoals van iemand die veel zwemt. Mijn buitensporige magerte en mijn bleekheid deden haar vast aan Alex denken, terwijl ze zelf daarentegen een licht gebruinde huid had en veel rondere vormen, voller, gespierder ook. Het lichaam van een gezonde griet, maar vooral heel vrouwelijk met een opvallend gewelfde rug en ronde billen. Ten slotte hief ze een hand op om haar sigaret weer te pakken en ging ze op de rand van het matras zitten. Ik keek nog naar haar terwijl ze zich voorover boog om een asbak naar zich toe te halen, toen wendde ik mijn ogen af op hetzelfde moment dat de hare weer op mij kwamen te rusten.

Ik besloot nog even door te gaan met doen alsof ik werkte. Ik wilde dat ze mij ook ongemerkt uitvoerig kon bekijken. Ik voelde trouwens dat haar ogen mij niet meer loslieten. Met mijn rechterhand op de muis klikte ik allerlei instellingen aan om de klankopbouw te veranderen. Wie er ook maar een beetje verstand van had, zou hebben gezien dat ik absoluut maar wat aanklooide. Ik drukte mijn sigaret uit en maakte van de gelegenheid gebruik om een snelle blik op haar te werpen. Toen zag ik dat ze eigenlijk de apparaten zat te bekijken. Er stond beslist droefheid in die donkere ogen die langzaam over mijn spullen gleden, onbewust van de mijne die zagen hoe ze zachtjes haar hoofd op en neer bewoog op mijn muziek, en met plezier bedacht ik dat de vergelijkingen met Alex waren begonnen. Het was misselijk om te juichen bij die gedachte, maar ik kon er niks aan doen. Alex had alles wat ik niet had. Ze was beroemd, was van alle materiële gemakken voorzien, had een sportwagen, een dagelijks leven waar ze ontzettend mee showde, met een sportleraar aan huis en de hele zooi. Ze kon Inès ook vaak mee op reis nemen, en haar onderhouden als Inès het in haar hoofd zou krijgen 'm te smeren bij haar ouders. Maar waar ik Alex het meest om benijdde, hoe onuitstaanbaar dat ook was, was dat ze weigerde zich door haar liefdesgeschiedenissen te laten kisten. Zij zou echt geen klus verknallen met de smoes dat ze in de put zat. Ze had wel wat beters te doen dan de ander hoorndol te maken met eindeloze vragen, en de heftigste scheldpartij was binnen een kwartier vergeten. Dat kon je van mij niet zeggen... Maar ik had alles wat Alex niet had. Ik had de eigenschappen van een echte musicus, terwijl Alex alleen maar een deejay bleef die ervan droomde platen uit te brengen waarvoor ze te lui was om ze zelf op te nemen, en zo iedere mogelijkheid tot een groter succes beperkte, terwijl ik daar juist alles voor in het werk stelde. Ik regelde ook de kleine dagelijkse dingen heel goed, in tegenstelling tot

Alex, die te beroerd was om een boodschap te doen of een administratief telefoontje te plegen. Dat ging zo ver dat ze altijd met andere mensen samenwoonde omdat ze liever hun de huur toeschoof dan dat ze direct met een huisbaas te maken kreeg. Maar vooral was ik veel volwassener in relaties. Ik was net zo goed in staat 'Ik hou van je' te horen als het te zeggen, omdat mijn behoefte aan een machtsverhouding uiteindelijk niet verder ging dan het voorwerk. Ik was trouw, zette mijn vriendinnetjes niet aan tot een trip, herhaalde met de nieuwe niet systematisch alles wat ik met de vorige had gedaan, en als er een probleem was, praatte ik erover. Ik praatte te veel, dat was onmiskenbaar, maar waar ik mensen alleen nog maar vermoeide, zorgde Alex er ronduit voor dat ze ziek werden, om vooral iedere vorm van communicatie te ontvluchten. Verliefd op haar worden kwam erop neer dat je in de spiraal van een machtsspel terechtkwam waarin je door frustratie en jaloezie iedere waardigheid verloor. Naast haar had ik goddomme het effect van een fontein met koel water midden in de woestijn. 'Een oase die veel...' Mijn ogen nagelden zich weer aan het computerscherm terwijl ze opstond.

Ze drukte rustig haar sigaret in mijn asbak uit, die naast het bed negeerde ze. Ik voelde haar hand voorzichtig op mijn schouder neerkomen en verstarde weer, terwijl ik mijn adem inhield. De hand oefende een lichte druk uit en trok zich, toen ik niet reageerde, terug, waarvan ik gebruik maakte om me weer op mijn apparaten te richten. De hand kwam weer terug, maar dit keer negeerde ik hem terwijl ik mijn arm opzij uitstrekte om mijn sigaretten naast de computer te pakken. Weer werd de hand teruggetrokken en ik zag haar profiel zich vooroverbuigen om de vlam van de aansteker uit te blazen. Ik wierp een blik opzij, zo van: hoe oud ben jij eigenlijk? Ik voerde allerlei denkbeeldige instellingen uit op mijn mengpaneel, en weer kwam de hand terug, iets steviger. Ik voelde de handpalm over mijn nek glijden, en toen haar gespreide vingers omhooggaan in mijn haar, dat ze zachtjes beetpakte. Ik liet haar mijn hoofd naar achteren buigen, zag hoe haar mond een beetje openging naarmate ze zich verder over mij heen boog, en vervolgens, op het laatste moment, maakte ik me voorzichtig los. Toen sloten haar armen zich om mijn hals en raakte haar wang de mijne aan, gloeiend, zodat ik mijn ogen dichtdeed. Ik voelde dat ze mijn sigaret tussen mijn vingers uit pakte. Ze deed niets anders dan mijn wang strelen met de hare, maar met mijn ogen nog steeds dicht had ik het gevoel dat ik viel, zo duizelig was ik, en op dat moment wist ik dat ik niet alleen nooit meer zou kunnen vergeten wat ze met me deed, maar ook dat als ze Alex niet binnen het uur zou verlaten, ik de meest nachtmerrieachtige fase van mijn hele leven in zou gaan. Plotseling greep ik haar polsen vast om ze opzij te schuiven. Vervolgens draaide ik me om op mijn stoel om haar recht aan te kijken. Haar mond was door de schok wijd opengegaan. Ik sloeg mijn armen over elkaar.

'Het spijt me,' zei ik op ironische toon terwijl ik haar van top tot teen monsterde, 'maar eigenlijk vind ik je helemaal niet leuk.' Ik draaide me weer om naar mijn apparatuur en bukte om wat te wroeten in een doos onder de tafel op schragen.

Ik wist wat er achter mij aan het gebeuren was, maar ik nam de tijd om weer overeind te komen. Toen ik eindelijk overeind was had ze haar jas al aangetrokken en haar schoudertas omgehangen en liep door de kamer. Ik zag haar door de deur van mijn kamer gaan en naar de voordeur lopen. Ik haalde haar in toen ze die opendeed, greep haar bij de schouder en duwde met mijn andere hand de deur dicht. Ze draaide zich langzaam om, ik liet haar los, ze sloeg haar ogen naar me op en wat ik toen zag deed me terugdeinzen tot de muur achter me.

Nooit had ik zoveel pijn in een blik gezien. Zoveel wanhoop. Een bodemloze put in al dat zwart, troebel van tranen. Haar mond bleef halfopen, smekend. Ik had graag willen praten, haar zeggen dat het nog maar een kwestie van seconden was, dat ik naar haar toe zou komen. Maar ik was niet in staat een geluid uit te brengen. Ik was kapot door die pijn die met mij te maken had en die ze me liet zien. Die ze zichzelf toestond mij te laten zien. Was ze al zo nabij dat ze wist hoezeer ik dat nodig had? Ik wist hoe dat heette, ik wist wat dat met de ander deed, maar zo zat ik nu eenmaal in elkaar. Alleen als je me zo dichtbij liet komen, kon ik daarna tot rust komen en beginnen met uitwisselen. Ik had er behoefte aan de ander zijn of haar afhankelijkheid te zien accepteren, behoefte om hem of haar pijn te doen voordat ik goed kon doen. Ze deed een stap naar voren, maar mijn handen gingen omhoog om duidelijk te maken van nee. Haar armen vielen in een machteloos gebaar neer. De tranen stroomden nu uit haar ogen, die strak op de mijne gericht waren. Ze moest begrijpen dat het belangrijk was om nog even te wachten. Wat we zouden voelen als we elkaar voor de eerste keer zouden vasthouden en zoenen, dat zouden we daarna nooit meer terugvinden. Het zou deze ene keer zijn, en het ogenblik erna zou het al iets anders zijn. De betovering van de tweede omhelzing was hoe dan ook altijd minder verbijsterend dan die van de eerste. Ik haatte die onafwendbare logica. Ik haatte ook de tijd en al die dingen die maakten dat je je ondanks alle inspanningen om in de toestand van verliefdheid te blijven nooit meer in een moment van waarheid bevond, maar in een zoektocht. Ik haatte vooral die angst die bij alles wat begon al meteen naar het einde ervan verwees.

'Ik ga dood als je me niet aanraakt,' fluisterde ze ten slotte, en veegde met de rug van haar hand haar lopende neus af.

Ik wachtte nog even terwijl ik genoot van de onuitsprekelijke opwinding die in mij opsteeg, toen opende ik langzaam mijn armen en de hare glipten er onmiddellijk tussen. Haar lichaam dat zich tegen het mijne aan drukte, paste perfect, haar schouders voegden zich precies onder de mijne, haar voorhoofd nestelde zich precies onder mijn jukbeen. De golf van dankbaarheid die me overspoelde bracht me uit mijn evenwicht, waardoor we een stapje opzij moesten doen. Haar armen klemden zich steviger om mijn middel, terwijl die van mij zich weer om haar hals sloten. 'Nooit meer,' fluisterde ze terwijl ze met haar vochtige ogen mijn wang streelde, 'nooit meer mag je zo ver uit mijn buurt blijven.' Ik stond tegen de muur geleund en mijn ogen waren aan het rollen door de achtereenvolgende golven van warmte die zich in mijn onderbuik verspreidden. Ik was ondersteboven van haar geur, een geur die even zacht en ontroerend was als die van een babyhuid. Ze hief haar hoofd op, haar lippen begonnen te bewegen, maar ik legde onmiddellijk een hand op haar mond. Ze mocht het niet nu meteen al zeggen. Ze moest zich inhouden. Zo lang mogelijk. Tot ze bijna stikte omdat ze die twee woorden voor zich moest houden. Pas dan, en niet eerder dan op dat moment, mocht ze ze zich laten ontvallen, mocht ze ze zelfs uitschreeuwen als ze wilde. Aan haar berustende blik kon ik zien dat ze het begreep, en mijn ogen antwoordden dat het voor mij net zo'n beproeving zou zijn als voor haar. Zonder mijn middel los te laten legde ze haar voorhoofd schuin tegen mijn slaap en langzaam liepen we terug naar mijn kamer. Ik hielp haar de tas weer over haar hoofd te halen, en toen haar jas uit te trekken. Ik liet haar op de rand van het bed plaatsnemen, hurkte neer om haar uit haar gympen te helpen; toen kroop ik over het matras om me achterin te installeren, ik ging op mijn rug liggen, sloeg mijn rechterarm uit en ze kwam tegen me aan liggen.

Ze lag op haar zij, bijna plat op haar buik, met haar wang in de holte van mijn schouder genesteld. Een van haar armen lag schuin over mijn borst, de andere onder haar en haar knie was opgetrokken ter hoogte van mijn dij. Ik had mijn wang tegen haar haren en beide armen om haar heen, mijn handen kwamen op haar schouder bij elkaar. Zo bleven we liggen, zonder te bewegen. We moesten even op adem komen. Mijn hart bonsde en ik kon het hare tegen mijn borst voelen. Haar ogen waren gesloten, ik keek naar een vage new-jackclip zonder hem te zien, en mijn muziek ging zachtjes op de achtergrond door. De witte lakens van Pallas roken lekker naar wasmiddel. Ik overwoog dat als ze ineens binnen zou komen zetten, ik niet eens een paniekbeweging zou maken, ik zou zo blijven liggen met beide armen om Inès heen. We waren al zo ver heen dat niemand er meer iets aan kon doen... Ja hoor, ik was weer verliefd op een meisje. Ze was de eerste sinds Alex. Alleen was het deze keer echt raak. Ik had zojuist het volmaakte gevonden. Iemand die precies zo was als ik. Die nergens anders meer behoefte aan zou hebben dan zichzelf in mijn ogen te zien. Ik had nooit gedacht dat het een veel jonger meisje was dat ik nodig had, maar eigenlijk was dat het. Haar leeftijd maakte haar vrij van alles. Alex was vast ook tot die conclusie gekomen... Datgene waarmee ze mij vervulde zou ervoor zorgen dat ik een ongelooflijke plaat ging maken. Ja, een retegoeie plaat die een smak geld zou opleveren, en dan zou de rest van de wereld voor ons openliggen... Ik bewoog voorzichtig mijn schouder die stijf werd. Ze hief haar hoofd op, omdat ze dacht dat ik mijn arm wilde terugtrekken, en liet het toen weer rusten. De blik die ik drie seconden lang had gezien, was definitief verdwenen. Ze had net zo goed compleet high kunnen zijn. Ik voelde me ook alsof ik stoned was. Haar vingers begonnen de mouwrand van mijn T-shirt te bewerken, kronkelden naar binnen en streelden tegelijkertijd mijn huid. Haar pols ging bijna onmerkbaar over mijn borst heen en weer en ik liet een zucht ontsnappen terwijl mijn bovenlichaam omhoogkwam. Haar hand ging meteen naar beneden om de onderkant van mijn T-shirt te pakken en het omhoog te trekken, en bij de aanraking van haar mond die zich weer sloot op mijn borst, liet ik gekreun ontsnappen, zo verpletterend was de golf die mijn buik deed samentrekken. Haar lichaam schoof op het mijne, waarbij haar knieën zich een weg baanden tussen mijn dijen, en ik liet nog een gekreun ontsnappen toen ik haar bekken tegen me aan voelde drukken. Haar handen gingen weer omhoog om mijn gezicht te pakken terwijl haar mond dichterbij kwam. 'Wacht,' fluisterde ik terwijl ik probeerde te glimlachen, wat waarschijnlijk niet lukte. Haar lippen sloten zich om mijn oorlel, toen gleed haar tong naar binnen en ademde ze luidruchtig uit en ik deed hetzelfde bij haar, wat haar op haar beurt een stevig gekreun ontlokte. Haar wijdopen mond hijgde, haar ogen gingen vanzelf dicht, bijna wit. Onze wangen glibberden van het speeksel, onze monden naderden elkaar om zich iedere keer verder af te wenden. De ontmoeting met de hare. Ik zou doodgaan. Mijn hersens waren volledig verstikt, ik had het gevoel dat mijn ogen uit mijn hoofd kwamen. 'Ik kan niet meer,' bracht ze ten slotte met schorre stem uit. 'Oké,' fluisterde ik terwijl ik opnieuw probeerde te glimlachen. Ik streek kort met mijn tong langs mijn lippen en sloot mijn ogen. Ik bad dat als mijn hart zou exploderen, dat van haar hetzelfde zou doen opdat ze niet achter zou blijven. Ik kon haar hortende adem onder mijn neus voelen, haar lippen waren nauwelijks een paar millimeter verwijderd, en inwendig bleef ik haar maar bedanken dat ze ons nog een paar seconden respijt gunde. Toen drukte haar mond zich zacht op de mijne, en op dat moment raakte ik de controle kwijt.

Het was alsof het bed onder me verdween. Mijn armen waren dan wel om haar hals geklemd, maar toch viel ik in de leegte. Haar tong had zich om de mijne gekromd en de aanraking met haar piercing maakte me echt gek. Er werd lucht in mijn hersenen gespoten. Door de druk werden mijn slapen en mijn keel samengeperst, mijn hart sprong uit mijn borstkas en tussen mijn dijen werd alles vloeibaar. Ik wist niet eens dat ze daar een piercing had. Ik had al een heleboel meisjes gezoend met piercings in hun tong, maar niet één had er gebruik van weten te maken, ze bleven er allemaal verlegen mee, voorzichtig, terwijl zíj mijn tong onder het bolletje liet glijden, mijn lippen eraan liet zuigen, mijn tanden eromheen liet sluiten. Ze begon de knopen van mijn spijkerbroek los te maken. 'Wacht,' hijgde ik, 'niet nu meteen.' – 'Ik kan niet, ik kan niet meer, ik kan niet meer wachten om niks.' Ik had gewild dat ik haar kon zeggen dat het uren zou duren vanwege wat ik in de douche had gedaan. Ze zou denken dat ze waardeloos was, ik zou moeten doen alsof om haar geen pijn te doen. Dat wilde ik niet, niet met haar. 'Wacht,' zei ik nog een keer, maar mijn spijkerbroek gleed tot mijn enkels, die ze een voor een optilde om hem helemaal uit te trekken. Haar vingers kropen tussen mijn dijen en lieten me een diepe zucht slaken terwijl zij glimlachend vaststelde hoe doorweekt ik was. Haar lichaam schoof weer naar boven en haar mond kwam zich weer laven aan de mijne. Ik bedacht dat als Alex of wie dan ook nu binnen zou vallen en ons met een geweer dood zou schieten, wij nooit meer van elkaar gescheiden zouden zijn. Ze hief haar hoofd op. 'Als we zouden sterven, nu, meteen, zou nooit meer iets ons kunnen scheiden.' Ik sperde mijn ogen wijd open van verbijstering terwijl haar mond zich weer pal op de mijne drukte. Ze bewoog voorzover mogelijk haar heupen heen en weer om haar broek los te krijgen en te laten zakken. Ik kreeg zin om te huilen toen ik begreep wat ze van plan was. Dat kon niet. Op die manier kon ik niet klaarkomen. Nooit. Dat werkte bij mij niet. Dat werkte bij niemand, goddorie! Ik deed mijn mond opzij om te praten maar er kwam geen enkel geluid uit. Ik zou echt moeten doen alsof, en bij die zekerheid vulden mijn ogen zich met tranen en zwierven alle kanten uit op zoek naar iets om me aan vast te klampen. Ik voelde haar stevige schaamhaar tegen het mijne drukken, dat kortgeknipt was, en ze begon zachtjes te bewegen, een soort zijwaartse draaiende beweging, langzaam maar gestaag. Haar broek hing tot net onder haar billen en ze had haar benen tussen de mijne geklemd. Tenzij haar clitoris hartstikke hoog zat, snapte ik absoluut niet hoe het bij haar zou werken. 'Waarom zo?' bracht ik ten slotte uit. 'Het is de snelste manier,' hijgde ze, 'er moet eerst wat druk van de ketel, we kunnen niet in deze toestand blijven.' Binnen een paar seconden had ze geen enkele controle meer over haar ademhaling, ze hapte naar lucht vlak bij mijn oor. Niet uitsluitend vaginaal, nee... Haar beide handen kneedden de uiteinden van mijn borsten, ze knepen erin terwijl ze ze eerst de ene en dan de andere kant op draaide, precies zoals ik Alex geleerd had bij me te doen. Het begon te komen bij mij, het kwam heel snel, samen met de pijn die steeds feller werd aan mijn tepels. Ik spreidde mijn benen zo ver mogelijk door mijn knieën op te trekken en mijn handen zakten naar beneden om haar billen te omvatten, wat haar een gekreun ontlokte. Ze was drijfnat. Haar mond slokte mijn oor op toen mijn middelvinger langzaam van achteren binnendrong. Ik had mijn vinger in de kont van een grietje van zeventien. Ik had mijn vinger in de kont van een grietje dat stapelgek op mij was en kreunde als een idioot. Ik had net tijd om haar mond te zoeken en mijn tong naar binnen te duwen waaraan ze meteen uit alle macht begon te zuigen, en toen kwam ik plotseling schokkend klaar. Zonder te stoppen met bewegen liet ze mijn borsten los om zich iets op te richten met behulp van haar ellebogen, en haar lippen bewogen zwijgend. Ik had het niet gehoord, maar ik had haar mond het zojuist zien zeggen. Zelfs al had ik verwacht dat het zou gebeuren, het bracht een ongelooflijke schok bij me teweeg. Alsof ze een vuist in mijn borst stak om mijn hart eruit te halen. Een intens gevoel van warmte, gepaard met een reusachtige leegte. De hele onmetelijkheid van het leven ineens daar geconcentreerd. Met wijd opengesperde ogen klemde ik mijn kaken op elkaar om geen rare gezichten te trekken door het wrijven dat maar doorging tegen mijn kruis, dat ondraaglijk gevoelig was geworden. Mijn handen pakten haar billen weer beet, mijn wijsvinger drong weer naar binnen en tegelijkertijd schoven háár handen haar billen nog verder van elkaar. Haar schouders kwamen los, naar achteren, haar borsten doken vlak voor mijn neus op, ondanks de dikte van het T-shirt. Met haar hoofd zo ver mogelijk in haar nek gegooid bood ze me haar hals aan waarvan de pezen uitstaken. Een van mijn handen ging weer omhoog en pakte haar nek om haar mond naar me toe te trekken. 'Ik wil dat je naar me kijkt,' hijgde ze. 'Later,' siste ik terwijl ik haar haren vastgreep en eraan trok. Ze verzette zich, ik zocht een beter houvast om harder te trekken, zo hard als ik kon, en een gloed van pure afwezigheid verspreidde zich over haar blik terwijl de pijn haar schedel moest doorboren. Zonder mijn greep te verslappen stak ik weer een vinger van mijn andere hand naar binnen, en toen nog een. 'VERDOMME IK HOU VAN JE,' schreeuwde ze en ze greep mijn gezicht met twee handen, terwijl ze haar nagels achter mijn oren zette. Haar tong drong tot mijn keel naar binnen en tegelijkertijd liet ze een geweldige schreeuw ontsnappen.

Ze bleef even uitgeteld op mij liggen. Met mijn armen om haar hals streelde ik zachtjes haar nek. Was ze met Alex ook zo geweest, meteen de eerste keer? Ten slotte richtte ze haar hoofd op. Alles aan haar was in de war. Haar ogen uiteengebarsten, glazig. Ze zou absoluut subliem zijn als ze heroïne nam... Haar lippen waren helemaal opgezet, over haar wangen liepen sporen van gedroogde tranen. Ze had nog steeds haar verrukkelijke jongemeisjessmoeltje, maar er tekende zich nu iets anders op af. Iets wat aan één kant oneindig seksueel, vochtig, bijna dierlijk zelfs was, en tegelijkertijd heel rustig. De weelde van een vrouw die zich zojuist heeft laten neuken. Er was nog steeds een schaduw van droefheid in haar blik, maar in die zo donkere blik glansde voortaan datgene wat haar vervulde en wat uit alle poriën van haar lichaam wasemde. Dat wat ze voor mij voelde. Ze begon mijn lippen te strelen met haar vingertop.

'Ik hou van je,' fluisterde ze, 'ik hou van je. Ik maak het morgen uit met haar.'

'Niet morgen,' antwoordde ik dom.

Twee dagen later zou Alex worden opgenomen om een cyste aan haar eierstokken te laten weghalen, waar ze als de dood voor was.

'Wacht tot ze weer uit het ziekenhuis is,' voegde ik eraan toe.

'O ja... dat is waar ook,' zuchtte ze.

Ze bleef voor zich uit staren.

'Ik kan me haar gezicht niet eens meer voor de geest halen.'

Op haar voorhoofd, dat gloeide van het zweet, plakten haarlokken. Ik streek ze voorzichtig weg en strekte toen mijn nek om het puntje van haar neus te zoenen.

'Ik weet dat ik pas zeventien ben,' ging ze verder terwijl ze opnieuw met haar vingertop mijn lippen begon te strelen. 'Maar ik wil bij jou blijven. Lang. Jaren. Mijn hele leven zelfs, misschien.'

Ze zweeg om een zweetdruppel van mijn slaap te likken.

'Er is iets op zijn plek gevallen,' fluisterde ze. 'Er is vanbinnen iets op zijn plek gevallen, ik voel het.'

## 3

'Ik moet je voor minstens drie minuten verlaten,' zei ik lachend.

'O ja?' zei ze ook lachend, en ze begon op mijn buik te drukken. Alex deed dat voortdurend bij me. Als je je even inhoudt komt het gevoel daarna, als je regelmatige druk uitoefent, in de buurt van een orgasme. Ik kon dat uren volhouden, maar het is iets wat je moet doen als je alleen bent, niet als je alles voorhanden hebt om eens flink uit te pakken. Ik liet haar een tijdje begaan, terwijl ik genoot van haar glimlach die iedere keer als ik mijn gezicht vertrok breder werd, toen duwde ik zachtjes haar hand weg om op te staan. Ze richtte zich tegelijk met mij op en we moesten tegen de muur leunen, we waren allebei duizelig. Op dat moment zag ik haar tatoeage, onder haar navelpiercing. 'Alex' stond er geschreven in bloedrode letters met zwarte schaduwen. Zelfde kleuren, zelfde grootte en zelfde plek, alleen de letters waren anders, rond en schuin als in een tag. Ze keek omlaag naar mijn 'Alex' en glimlachte, maar ik glimlachte helemaal niet. Alex moest haar naam ergens hebben, ik kon me alleen niet voorstellen op welke plaats aangezien ik niets had gemerkt toen ze hier was gekomen...

'Het is niets,' fluisterde Inès, 'dat wordt wel weer bedekt.'

Nou, ik zou niet weten waarmee, gezien de grootte. Ze ging met me mee naar het toilet. Ze ging naar binnen en ik glimlachte bij het idee dat ze al zover was dat ze me overal volgde. Die jaloezie die je begint te voelen ten opzichte van de intimiteit van de ander. Maar toen ze schrijlings op me ging zitten, begreep ik dat het niet alleen daarom ging. Hoe had ik dat trouwens niet kunnen zien aankomen? Wat dacht ik dat ze zes maanden lang met Alex had uitgespookt? Ze zou haar hand eronder schuiven, net als Alex, en dat was precies wat ze deed. Behalve dat ze in plaats van zich zoals Alex in allerlei bochten te wringen op zoek naar de hoek waaronder ze het het best kon zien, haar ogen strak op de mijne richtte. Ze wachtte met haar hand ertegenaan, in tegenstelling tot Alex, die hem altijd iets lager hield om het in haar handpalm op te vangen. Ik had het te vaak gedaan om ook maar enige remming te voelen, maar ik stelde me voor hoe ze het met Alex deed en dat was niet prettig. Maar goed, ik moest echt plassen, dus uiteindelijk maakte ik me los terwijl ik haar blik weerstond die zich niet afwendde. Toch vroeg ik me af of ze dat alleen maar deed om een taboe te trotseren of dat ze de betekenis van dit soort handelingen vatte. Ze was dan wel jong, en dat standje was vooral iets mentaals. Een kwestie van onderwerping voor degene die zich liet gaan, een kwestie van overheersing voor degene die haar zover kreeg. Maar het was ook weer geen machtsspelletje. Eerder een daad van vertrouwen. Zoals in staat zijn de ander je met een mes van achteren te laten benaderen, zonder eerst de zekerheid te willen hebben dat er niets gebeurt. Het was bovenal een stapje verder in het delen van intimiteit met de ander. Ik deed alsof ik me omdraaide om het wc-papier te pakken maar ik wist dat ze me tegen zou houden, en dat deed ze uiteraard, net als Alex, door mijn pols te grijpen met haar droge hand. Maar toen deed ze iets wat Alex nooit had gedaan, tenminste niet met mij: ze zoog een voor een aan de vingers van haar andere hand... Ze stond weer op, ik stond op mijn beurt op, wachtte, en het was te voorzien, ze duwde me tegen de muur en knielde voor me neer. Ze deed alsof ze mijn huid wilde bijten op de plek waar de voornaam van Alex zat. Mijn handen gingen naar beneden om haar haar te strelen terwijl haar tong langzaam de omtrek van mijn geslacht begon te likken, ervoor zorgend dat hij niet mijn nog steeds gevoelige clitoris aanraakte. Dat zou nog wat worden als ze het echt bij me zou doen... Ze stond weer op, sloeg haar armen om mijn nek, wees mijn mond aan met haar kin, ik schudde mijn hoofd en haar vochtige lippen kwamen weer zachtjes op de mijne, haar tongpiercing drukte op mijn tong. Het had geen smaak. Alleen mensen die het nog nooit gedaan hebben weten dat niet. Ze deed haar hoofd langzaam naar achteren om diep in mijn ogen te kijken.

'Ik wil met jou doen wat ik nog nooit met Alex heb gedaan.'

'Zo van, dit was een primeur!' riep ik uit.

'Zij deed het bij mij. Ik wilde het nooit.'

'En waarom niet?' vroeg ik ironisch. Ik geloofde er geen woord van.

'Weet ik niet,' antwoordde ze terwijl ze naar mijn mond keek. 'Misschien was ik er nog niet klaar voor?'

Gearmd liepen we de wc uit, we stopten hier en daar om elkaar te zoenen tegen de muur van de gang. Ze trok me mee naar de kamer van Pallas en we bleven stilstaan op de drempel. Ik vond het weer vreemd dat er sinds de vorige ochtend niets veranderd was.

'Lijkt het je wat?' vroeg ze.

'Mwah. Ik kan niet zeggen dat het me bijzonder opwindt om het in het bed van Pallas te doen.'

'Nee, mij ook niet.'

We bleven op de drempel van de huiskamer staan, waar ze de bank in ogenschouw nam en toen de parketvloer.

'En daar?' vroeg ze.

'Mwah,' zei ik weer, 'daar hebben Pallas en ik het al zo vaak gedaan.'

'O ja? Nou, daar hou je mee op, anders krijg je er spijt van. En die gozer met zijn skates, die kun je ook maar beter opgeven.'

'En jij, wat geef jij op?' vroeg ik lachend.

'Ik?' zei ze met een stem die ineens ver weg klonk.

Maar ik legde mijn hand op haar mond. Ik hoefde geen antwoord van haar, ik wist waarvan ze zou afzien. Ze trok me naar de badkamer, wierp een blik naar binnen, schudde nee met haar hoofd, en trok me uiteindelijk mee naar de keuken. Ze zette me op de plastic bank neer en liep naar het raam. Ik wist niet wie wat kon zien vanaf de andere gevels, maar wat we ook van plan waren, ze zouden er popcorn bij gaan halen. Ze kwam bij me terug en pakte mijn haar beet om mijn gezicht tegen haar tatoeage te drukken. Ik beet haar nu echt en ze trok meteen aan mijn haar om zich los te maken. Mijn mond plaatste zich op haar navel, mijn tong drong erin en duwde tegen het bolletje van haar piercing. Ze deinsde even terug waardoor ik mijn ogen opsloeg, en in de hare zag ik een zweem van onbehagen. Ja, oké, het deed haar aan Alex denken, die ook iets met navels had, maar waarom zou alleen zij maar dingen mogen doen die aan Alex deden denken? Zíj was begonnen, toch? Ik zag niet in waarom ik niet dezelfde dingen als Alex zou mogen doen. Alles wat Alex deed, had ík haar geleerd. Zij was alleen maar pervers in haar geest toen ik haar had ontmoet, wat de fysieke handeling betreft was ze aartslui en niet eens erg getalenteerd. Ik bekeek haar zwarte bos schaamhaar. Dat was zo lang dat ze al een tijd niet met Alex naar bed moest zijn geweest, Alex was te veel gewend aan kale poezen om zo'n bos nog prettig te vinden. 'Het spijt me,' zei ze zacht, 'ik heb er geen tijd voor gehad.' Ik pakte haar bij de heupen om mijn mond ernaartoe te brengen, maar ze draaide zich langzaam om naar het aanrecht. Haar handen steunden op de rand terwijl ze vooroverboog totdat haar schouders de keramiek raakten. Ze zette haar voeten ver van elkaar om haar benen te spreiden en toen opende ze met beide handen haar billen vlak voor mijn neus. Ik had Alex dat tientallen keren zien doen, maar wat ik nu zag benam me de adem. Die donkere ring die nauwelijks merkbaar leek te ademen... Ik bleef ernaar staren, en bedacht weer dat het die van een grietje van zeventien was, van een grietje dat gek op mij was en wachtte tot ik mijn tong erin zou steken. Voor één keer zou het handig zijn dat de keuken zo smal was en zou de bank ook van pas komen, ik zou comfortabel blijven zitten. Mijn handen namen de plaats in van de hare en daar ging ik. Eerst een langzame, lange haal met mijn tong die haar een gekreun ontlokte, toen nog een, en nog een, toen maakte ik mijn tong hard en stak hem er recht in. Haar hand stootte tegen mijn kin toen ze zichzelf begon te betasten. Mijn tong werd al moe, maar ik ging door. Ze legde haar vrije hand op mijn nek om me nog verder met mijn mond tussen haar billen te duwen. Haar benen knikten en ze liet mijn hoofd los om weer tegen de muur te leunen. Toen ging ik iets naar achteren om te zien wat ze deed. Ze draaide zich meteen om en klom schrijlings op me, ze ging precies op mijn borst zitten. Ze streelde zachtjes haar tatoeage, terwijl ze de huid tussen haar duim en wijsvinger plooide, alsof ze zachtjes een minuscuul pikkie aftrok, en begon toen zichzelf weer te betasten, op nog geen tien centimeter van mijn ogen. De gespreide vingers van haar linkerhand hielden haar clitoris omhoog, terwijl ze er met de middelvinger van haar andere hand snelle cirkeltjes overheen maakte. Ik strekte mijn hals om mijn mond erheen te brengen, maar haar knie zakte in mijn keel.

'O ja? Wil je dat spelletje spelen?' bracht ik uit en greep haar bij de armen om haar op de bank te laten omvallen en zette mijn knieën op haar borst, waardoor ze haar schouders niet meer kon bewegen. Ik keek naar beneden naar mijn kruis, waarbij ik een straaltje spuug liet lopen, en begon me te betasten op precies dezelfde manier als zij, met vingers die alles goed uit elkaar spreidden zodat ze niets zou missen. Ze begon onmiddellijk haar hals te strekken om te proberen bij me te komen, maar ze was te ver. Ze had mij die klotetatoeage onder m'n neus geduwd, nu zou ze de mijne vreten. Ik ging op zoek naar haar tong en trok hem aan de piercing naar buiten. Terwijl ik hem zo vasthield, liet ik er spuug op vallen en boog naar voren om haar te dwingen Alex' voornaam te likken. Ze deed het met tegenzin, met haar ogen dicht alsof ze het niet wilde zien. Toen verschoof ik een knie om hem tegen haar adamsappel te drukken.

'En dat?' vroeg ik koel, 'heb je dat ook nog nooit gedaan?'

'Wat?' hikte ze.

'Dat,' herhaalde ik terwijl ik mijn knie nog iets verder duwde.

Met ogen die plotseling vervuld waren van angst, schudde ze langzaam nee. Wilde ze per se dat ik aan Alex moest denken? Nou, ze zou op haar wenken worden bediend. Alleen probeerde Alex dat standje altijd zonder het tot een goed einde te brengen. Dus een primeur zou het worden. Mijn rechterhand verdween naar achteren tussen haar benen, de andere kwam weer tussen de mijne en ik begon me te concentreren op de druk van mijn knie op haar keel. Dit was iets wat je op de millimeter nauwkeurig moest doen. De zuurstof in haar hersenen moest verminderen, maar zonder dat ze te kort zou komen. Het moest ook geleidelijk gaan, het moest de curve van het genot volgen. Als de druk te vroeg te sterk werd, was het verpest, dan stortte de hele boel onmiddellijk in elkaar en werd het alleen nog maar onverdraaglijk. Mijn linkerhand nam uiteindelijk de plaats in van mijn knie om nauwkeuriger te werk te kunnen gaan. Ik kon het telkens voelen wanneer ze moest slikken. Haar ogen die op de mijne vergrendeld waren, weerspiegelden weer de afwezigheid die er eerder ook even in had gescholen, iets eerder, toen ik hard aan haar haar had getrokken. Ze was er niet meer bij, dat wist ik omdat ik het al een heleboel keer had ervaren, en nu ging het erom dat ze zo snel mogelijk klaarkwam, om het risico te vermijden dat de drempel waarop er nog controle was zou worden overschreden. Ik vergewiste me ervan dat ik als ik naar beneden ging toch een goede greep op haar keel zou houden en toen nam mijn tong de plaats van mijn vinger in tussen haar dijen. Ze haalde nu moeizaam adem, terwijl ze een regelmatig, schor gereutel liet ontsnappen, alsof ze last had van een astma-aanval. Haar armen die van mijn knieën waren bevrijd probeerden niet meer te bewegen, alleen haar romp ging met kleine samentrekkingen op en neer. Haar clitoris, tjokvol met bloed, was zo groot als een nagel, en stond op het punt te exploderen. In plaats van hem zachtjes te likken drukte ik er zo stevig mogelijk tegenaan om de intensiteit van wat er boven gebeurde te compenseren. Onder mijn hand begon haar adamsappel pijlsnel op en neer te gaan. Ik had omhoog willen kijken om haar te zien, maar het was nu aan het gebeuren en dat kon ik haar niet aandoen. Dus ging ik door met het volle gewicht van mijn arm op haar borst om te voorkomen dat die te veel omhoogkwam. Ik voelde hoe haar keel twee keer zo groot werd, en toen kwam haar bekken met grote kracht omhoog tegen mijn kaak terwijl een doodskreet opsteeg in de stilte. Ik kroop meteen over haar heen omhoog en nam haar gezicht in mijn handen om haar te zoenen.

'O shit,' hikte ze in mijn mond, 'o shit, o shit, wat was dat lekker! Shit, dat wil ik ook leren!'

Ik glimlachte terwijl ik haar tegen me aan klemde, toen glimlachte ik nog meer.

## 4

Ik deed mijn ogen open – ik lag op mijn buik – en zag haar naakte lichaam over me heen stappen en in de gang verdwijnen. Ik draaide mijn hoofd de andere kant op om de wekker te zoeken en mijn oog viel op een bloedvlek. Een behoorlijk grote vlek onder het hoofdkussen. Ik ging zitten, op het punt haar te roepen om te vragen of het ging, maar toen bedacht ik me. Ik moest haar niet gaan bemoederen. Gezien haar leeftijd zou ze daar wel eens de pest aan kunnen hebben, en ik wist wat dat voor gevolgen voor mij had. Ik zou van geen ophouden weten, je hoefde maar te kijken hoe het met Alex was gegaan... Ik stak een sigaret op, sloeg een kussen plat om te gaan zitten en trok het dekbed over mijn borst. De wekker gaf twaalf uur 's middags aan. Ze verscheen weer met natte haren, de lange lokken waren vanaf haar middenscheiding achter haar oren getrokken. Ik zag meteen dat er iets mis was, haar blik meed de mijne. Ze raapte haar T-shirt op en schoot het aan, evenals haar slipje, ze stak een sigaret op die ze in de asbak legde en ging toen zitten om haar broek aan te trekken. Ze had één pijp aan en stopte toen om om zich heen te kijken, alsof ze iets zocht.

'Had je een bloedneus?' vroeg ik ten slotte zacht.

'Ja,' fluisterde ze verloren, terwijl ze met haar ogen de kamer bleef doorzoeken.

Ze moest haar sokken zoeken. Ik kon ze zien, ze lagen opgerold aan de andere kant van de tv, maar ik zei niets.

'En heb je dat vaak?' ging ik even zacht verder.

'Nooit,' fluisterde ze, nog even verloren.

Ze pakte haar sigaret weer.

'Hé,' vroeg ik nog zachter, 'wat is er aan de hand?'

Ze gaf geen antwoord. Ik drukte mijn sigaret uit. Ik durfde geen beweging in haar richting te maken.

'Wat is er aan de hand?'

'Het is een teken,' fluisterde ze terwijl ze haar ogen neersloeg. 'Het is een teken dat ik hier niet zou moeten zijn. Ik heb nooit een bloedneus.'

'Wat? Wat vertel je me nou? Kom hier. Kom hier,' herhaalde ik en sloeg mijn armen open.

Ze verroerde zich niet. Ik ging langzaam weer tegen de muur zitten.

'Wat is er toch aan de hand?' vroeg ik nog eens.

'Ik weet het niet meer. Ik weet niet meer of ik bij haar weg moet. Ineens weet ik niks meer.'

'Hé,' zei ik terwijl ik mijn hand uitstak om een van de lokken die voor haar ogen hingen uit haar gezicht te strijken. 'Niemand vraagt je meteen een beslissing te nemen.'

Ze hief haar ogen naar me op, kneep ze een beetje samen, zichtbaar sceptisch, alsof ze zich afvroeg of ik serieus was of niet. Het leek bijna of ze teleurgesteld was dat ik dat kon zijn, en toen begreep ik het ineens. Smerige kloteschorpioen.

'Ik snap het,' bracht ik onverschillig uit. 'Nou oké, tot gauw.'

Ze wendde haar ogen af. Shit, ze meende wat ze net had gezegd... Ik pakte mijn T-shirt.

'Oké,' kondigde ik aan terwijl ik het aanschoot, 'ik ga douchen en als ik terugkom, ben je opgerot,' en ik stond op.

Haar hand pakte meteen de mijne. Ze hield haar ogen neergeslagen, haar haar hing ervoor.

'Wat nou weer?' vroeg ik ijzig.

De hand oefende een lichte druk uit.

'Nou?' vroeg ik weer bikkelhard terwijl ik haar hand wegduwde. 'Hou je het voor gezien? Geen probleem. Ik heb wel wat beters te doen.'

Haar hand pakte de mijne weer en kneep hard in mijn vingerkootjes. Ik liet haar los om weer naast haar te gaan zitten. Ik trok mijn knieën op, legde mijn ellebogen erop en haalde mijn handen over mijn gezicht.

'Oké, luister,' zuchtte ik. 'Als je denkt dat het beter voor je is bij haar te blijven, als je maar één ding wil, 'm hier smeren, ga dan. Maar als je daar niet zeker van bent, hou dan ogenblikkelijk je bek, anders gaan we elkaar pijn doen.'

'Je hebt gelijk,' fluisterde ze, 'het spijt me.'

Verdomme, wat een opluchting... Ze drukte haar sigaret uit en haar armen omknelden mijn middel terwijl ze haar hoofd opzij boog tegen het mijne aan.

'Wat doe je nu weer met me?' vroeg ik terwijl ik een arm om

haar schouders legde. 'Zo moeten we niet beginnen. Jij en ik zijn twee vieze stoute meiden die er wel pap van lusten. Dus we moeten ons niet laten verleiden ermee te gaan spelen, anders wordt het een verschrikking.'

'Weet ik,' antwoordde ze en hief haar hoofd op om me op mijn mondhoek te zoenen.

Ze boog zich voorover om haar tas naar zich toe te halen. Ze grabbelde erin en haalde er een wit papiertje uit. Terwijl ze bezig was het uit te vouwen, werd ik overmand door je reinste afgrijzen. Ik slaakte een nauwelijks hoorbare zucht toen ik zag dat het maar coke was. Maar toch... Wat spookte ze ermee uit? Ze graaide weer in haar tas, en haalde er deze keer een rietje van McDonald's uit. 'Wil je ook?' vroeg ze terwijl ze met haar tanden een stukje van het rietje af trok.

Of ik nu meteen wat wilde? Nee! Ik was van plan weer even te gaan slapen als ze weg was, maar bovenal gebruikte ik niet bij het wakker worden, uitzonderingen daargelaten! Ze haalde een boek van Shakespeare uit haar tas en legde het op de grond, gooide de inhoud van een pakje eroverheen, graaide nog een keer en haalde deze keer een Filofax te voorschijn waaruit ze een creditcard pakte. Ik keek hoe ze het hoopje in tweeën deelde. De vraag of ze dat van Alex had, brandde op mijn lippen. Maar het was niet eens de moeite, natuurlijk had ze het van haar.

'Gebruik je dat vaak?' vroeg ik toch, mezelf dwingend een lichte toon aan te slaan.

'Nee, nee,' zei ze zachtjes, terwijl ze zorgvuldig de laatste hand legde aan de lijntjes. 'Alleen nu even, voor mijn examen.'

De twee lijntjes die ze net had gelegd waren niet geweldig groot, maar ook niet speciaal piepklein. Ze trok haar benen onder zich op om zich over het boek te buigen. Ik keek hoe ze het uiteinde van het fijngeknabbelde rietje in haar neus stak, toen hoorde ik haar aan één stuk door snuiven terwijl het rietje langs het lijntje gleed.

'Gebruik je ook stuff?' vroeg ik terwijl ik nog wat nonchalanter wilde overkomen.

Ze richtte haar hoofd op en veegde haar neus af tussen haar duim en wijsvinger.

'Heroïne?' vroeg ze terwijl ze weer nauwelijks merkbaar haar ogen samenkneep. 'Nee, nee,' zei ze onverschillig.

'Luister, ik zeg het maar één keer: raak dat spul nooit aan, begrepen?'

'Begrepen,' antwoordde ze lichtelijk geamuseerd. 'Wil je nou wat?'

Ik schudde nee en toen ze zich weer vooroverboog naar het boek, schoof ik het met mijn voet naar me toe en raapte het op om het tussen mijn knieën te klemmen, voordat ik het rietje pakte dat ze nog steeds vasthield. Het was goeie coke, en het was wel degelijk die van Alex, dezelfde die ze voor me was gaan halen op de dag van het contract. Ze pakte het boek weer van me af en haalde haar vinger eroverheen om de paar korreltjes op te pakken die er nog op lagen en haar tandvlees ermee in te wrijven. Ik kreeg de neiging om tegen haar te zeggen dat als ze echt goed wilde trippen, ze beter kon spuiten, dat was veel lekkerder, maar ik hield me in. Ze borg het boek op en kwam schrijlings op me zitten, haar armen om mijn hals geslagen. Mijn handen pakten haar billen om haar naar mijn buik te trekken. Het puntje van haar tong lichtte voorzichtig mijn mondhoek op en drong toen verrukkelijk naar binnen op zoek naar de mijne. Mijn handen gingen omhoog om haar schouders te masseren door haar T-shirt heen, terwijl de hare langzaam een rondje om mijn oren krabbelden. Toen ging de telefoon. We verstarden allebei, met open ogen en uitgestoken tong, in afwachting van wie er zou gaan praten.

'Ja hoi, dit is Nikki. Nou er is dus iets in de Hallen, maar goed, stel je er niet te veel van voor, je zal er geen opoejasjes vinden, die vind je trouwens nergens meer. Maar goed, je kan er wel gaan kijken, ze hebben best goeie dingen. Dus ik weet niet precies het adres maar het is naast Beaubourg, in die straat met al die winkels. Je weet wel, waar die groene deur is.'

'Welke groene deur?' zei ik terwijl Inès in mijn mond giebelde.

'... en voor laarzen moet je Barracuda op Rochechouart proberen. Van buiten ziet het er oubollig uit, maar die ouwe zat er al in '71, kan je nagaan. Je hebt ze met ritssluiting en alles, nou ja, klasse kortom. Oké, verder kan je langskomen wanneer je zin hebt. Over tien dagen ga ik weer studio-opnamen maken, maar verder ben ik er gewoon. Dat was het, doei.'

We hoorden hem de hoorn op de haak leggen, of eerder proberen de hoorn op de haak te leggen, maar hij zat ernaast met een 'Shit, verdomme', en Inès barstte in lachen uit terwijl haar mond weer op de mijne kwam.

'Hoe gaan we het aanpakken?' mompelde ze tussen twee zoenen door. 'Blijf je hier wonen?'

'Goeie vraag! Daar moet ik over nadenken.'

'Het is maar de vraag of we daar tijd voor hebben,' fluisterde ze terwijl ze haar handpalmen op mijn borsten drukte. 'Het gaat binnen de kortste keren knallen.'

'Weet ik,' zei ik, met mijn hand onder haar T-shirt om die van haar te zoeken.

'Als ik mijn eindexamen heb gehaald,' ging ze door terwijl ze haar armen omhoogdeed om haar T-shirt uit te trekken, 'kopen mijn ouders een etage voor me. Ik zou er in september een nemen samen met Alex.'

Alex die de voordelen van het samen met anderen huren zou opgeven om alleen met haar te gaan wonen? Ik bracht haar borsten bij elkaar om er een lange haal met mijn tong tussen te geven.

'Daarna,' ging ze verder, met het puntje van mijn tong tussen twee vingers om eraan te zuigen, 'hm... daarna word ik geacht te gaan studeren... hm... maar ik zou liever... ik zou liever wat gaan reizen.'

'Waarheen dan?' vroeg ik terwijl ik mijn duimen onder het elastiek van haar slipje schoof.

'Hm... weet ik niet,' zei ze en wrong zich in bochten om zich van haar slipje te ontdoen dat ze wegslingerde voordat ze zich weer tegen mij aan drukte. 'Hm... San Francisco?'

Wat had Alex haar nog meer over mij verteld? Ik liet een gelukzalige zucht ontsnappen, zo geil was ze.

'Hm... we zouden... naar New York en... aah... dan per auto doorreizen.'

'Ik heb geen rijbewijs,' zei ik en begon zachtjes heen en weer te wrijven over haar clitoris.

'Oooaaah... kan ik.... kan ik wel halen.'

'Wat voor auto?'

'Een... o jezus... een Buick... aaah... Wit, hij moet wit zijn om... oooaaah... om aan te komen in de baai van San...'

'Oké, wit.'

'Dan haal ik... oooaaah, dan haal ik mijn eindexamen en jij... o jezus... en jij... jij maakt haast... ooo... met je plaat... en daarna... daarna gaan we ervandoor... iets langzamer, anders kom ik klaar.'

'En tot die tijd?' vroeg ik en ging helemaal niet langzamer.

'Tot die tijd... hm... tot die tijd bel ik je ieder uur.'

Tot die tijd, bedacht ik, zouden we ons vooral klein maken. Héél klein.

## 5

Daar zat Pallas voor me op de rand van het matras waar ik in de rotzooi van het dekbed lag, in kamerjas. Ze móést het wel merken. Ik had het natte haar van iemand die net zijn hoofd onder water heeft gehouden, ik had te veel kleur op mijn wangen en te stralende ogen, maar bovenal had ik bloedrode lippen, opgezwollen van de hele nacht zoenen met Inès. En bovendien moest het met die hitte absoluut naar seks ruiken als je van buiten kwam. Maar Pallas zag niets, terwijl ze zwaarmoedig over haar weekend aan zee vertelde. Alice zat weer midden in een periode van boulimia, ze had zich de hele tijd lopen volproppen met magere kwark die ze meteen weer uitkotste (eigenaardig, zoals ze alleen maar buitensporig veel at van dingen waarvan ze in theorie niet het risico liep aan te komen – een boulimia met een anorexialogica). En ook al had het haar goed gedaan om lange tijd in het zwembad te zwemmen, Pallas was eigenlijk liever hier gebleven om met mij video's te kijken. Ze vroeg of ik eraan had gedacht om *Friends* voor haar op te nemen. Ik bracht een hand naar mijn mond om duidelijk te maken van niet. Ze trok haar schouders op en zei dat ze spit voelde opkomen. Ze liep op te hoge hakken, het was niets nieuws, merkte ik vriendelijk op. Ik zei dat ik lakens van haar had geleend totdat ik de mijne naar de wasserette zou brengen. Het was de eerste keer dat dat gebeurde, maar dat leek ze niet te beseffen. Gelukkig had ik eraan gedacht het onderlaken om te draaien zodat de bloedvlek aan het voeteneind zat. Ze leunde op haar ellebogen en ik zag het moment al voor me dat ze me om een hoofdkussen zou vragen, ze zou absoluut de geur van Inès herkennen.

'Het spijt me zo,' zei ze ten slotte.

'Het geeft niet,' antwoordde ik terwijl ik haar in mijn armen nam.

Ze sloeg haar armen om mijn middel en boog haar hoofd tegen mijn schouder, ik prees mezelf gelukkig dat ik tenminste de moeite had genomen mijn gezicht te wassen...!

'Ik zou niet willen dat je denkt dat je niet naar anderen mag kijken,' zei ze terwijl ze zich voorzichtig losmaakte. 'Ik ben niet meer verliefd op je, weet je dat?'

'Ik weet het,' zei ik en pakte haar handen.

'Het is alleen dat ik op die momenten het gevoel heb dat we geen vriendinnen meer zijn. Dat we geen tijd meer samen zullen hebben. En Inès is als een zusje voor me. Dus zelfs al weet ik nu dat ik me van alles in mijn hoofd heb gehaald, op het moment zelf was het verschrikkelijk. Behalve dat ik dacht dat ik jullie allebei zou kwijtraken, ik weet niet wat ik ermee te maken had, maar alleen al het idee dat jullie samen waren kon er bij mij niet in. Vat het vooral niet verkeerd op, hè, het is gewoon zo dat ze voor mij heilig is, dat kleintje. Ze is zo schattig. Ik vermoed dat Alex niet alleen maar haar hand vasthoudt, ik weet dat ze geschift is en zo, maar ze is hartstikke tot rust gekomen sinds ze met haar is, terwijl jij... Je moet het echt niet verkeerd opvatten, hè, maar als ik me voorstelde dat jij het met haar deed, ik zweer het je, dan moest ik bijna kotsen.'

# VIII

# Een ansichtkaart van de Notre-Dame

## I

Op zondagochtend kon ik me geen seconde terugtrekken om Inès te bellen. Ten slotte belde ik Jessie om voor te stellen haar cd terug te brengen die ik eindelijk had beluisterd. Ze zat onder de coke, was nog niet naar bed geweest sinds de Pulp, waar ze de hele nacht had gemixt. Ze zei dat ik als de sodemieter moest komen, dat ze me heftige dingen zou laten horen, en dat we daarna gewoon bij Tintin, de tatoeagejongen, langs konden gaan, die aan de draak op Julia's rug zou beginnen. Jessies huis was in de buurt en Tintin ook. Het was perfect. Ik zou bij haar kunnen bellen en waarschijnlijk nog een keer bij Tintin. Wat ik niet had voorzien was dat Pallas per se mee wilde.

Op straat dwong ik mezelf bij de les te blijven, en gaf enthousiast antwoord op de stortvloed van vragen die ze op me afvuurde over mijn plaat, maar diep van binnen baalde ik. Als we 'normale' vriendinnen waren geweest had ik verdomme met mijn eigen telefoon kunnen bellen. Of haar mobieltje kunnen lenen, zonder dat het een probleem was dat ik verderop ging staan om te praten, zonder bang te zijn dat het nummer in het geheugen bleef staan. Ja, als de dingen duidelijker waren geweest, zou ik deze waanzin aan het delen zijn met mijn zogenaamde beste vriendin... Lukte het Inès te studeren, of deed ze net als ik voortdurend haar ogen dicht om zich scènes voor de geest te halen die telkens een golf van warmte in haar buik veroorzaakten? En hoe ging het met Alex, die ze ongetwijfeld aan de telefoon had gehad?

Jessie logeerde bij drie jongens totdat ze een eigen plek zou hebben gevonden. De deur kwam uit op een brede gang die als huiskamer was ingericht. Verderop, achterin, was een Amerikaanse keuken met bar, en aan de linkerkant begon een gang met drie kamers. Jessie sliep in de huiskamer. Een vorm van gezamenlijk huren zoals je ravers dat bij bosjes zag doen, zonder persoonlijke spullen in de gemeenschappelijke gedeelten, alleen het gebruikelijke overlevingspakket direct op de vloerbedekking, met stapels cd's en video's, een paar aanplakbiljetten op de muren (Global Tekno, Soma, Magic Garden), een paar tijdschriften (*Crash*, *Coda*, *Tribeca*, *Self Service*, *Wad*, *Technikart*, *Nova*) en twee banken met in het midden een salontafel voor als er vrienden langskwamen. Natuurlijk waren er ook de gebruikelijke futuristische details, zoals het flesje Paic Excel-afwasmiddel met zijn fantastische feloranje geconcentreerde vloeistof, de knalrode doos Extra, en ook de grijsgemetalliseerde blikjes stimulerende drankjes. Een standaard-techno-etage, kortom.

Pallas en ik zaten aan tafel met thee en croissants die we onderweg hadden gekocht, terwijl Jessie in de keuken zat te telefoneren. No way dat ik met de draadloze telefoon kon verdwijnen zonder dat Pallas zich van alles zou afvragen. Bij Tintin zou ik ook niet kunnen bellen... Jessie liep te ijsberen – eigenaardig, dat fenomeen dat je wel móést ijsberen met een draadloze telefoon – haar blote bovenlichaam in een zwarte Plassier-beha met bijpassende slip die je uit haar superstrakke APC-spijkerbroek zag steken. Ze straalde absoluut een bijzondere mengeling uit: aan één kant brutaal en sexy en aan de andere kant een jonge meid die om het minste of geringste enthousiast raakte, en hartstikke professioneel was in haar werk. Ze sprak met haar agent, dezelfde die Alex had... Alex was al niet gewend de bons te krijgen, maar Inès kwijtraken, met wie het nog serieuzer was dan met mij, en dan nog vanwege mij... Mijn blik viel op de stapel elpees van Jessie die op een rij aan de kant stonden. Ik moest niet vergeten die van Nikki terug te brengen. De zondag daarvoor was ik om deze tijd in zijn muziekkamer 'Gimme Shelter' aan het spelen... en nu zat ik hier met mijn hoofd te schudden op Aphex Twin die in een kleine oplage op cd werd gezet. Ik was ook weer in T-shirt en op gympen. Het kon niet waar zijn dat wat me een week eerder was overkomen alweer voorbij was... Toch had ik nog steeds zin om weer op zoek te gaan naar een fluwelen jasje en laarzen. Ik had misschien gewoon geen zin meer om alleen maar dát te dragen. Met muziek was het net zo. Alles wat ik wilde was dat Inès er was, vlak bij me, het maakte niet uit waar, of wat we deden, als we maar niet meer uit elkaar gingen...

'Wat is dit nu weer?' riep Pallas uit.

'Hè?' zei ik, terwijl ik rechtop ging zitten om nog een croissant te pakken die ik in tweeën sneed.

'Er zijn allemaal bladzijden aan elkaar gelijmd!'

Ik keek naar de drie of vier tijdschriften die op haar schoot en naast haar opengeslagen lagen. Jessie kwam naar ons toe en legde haar hand op de hoorn van de telefoon.

'Dat doet Bruno,' zei ze. 'Hij houdt niet van advertenties, en omdat hij ervan baalt om die telkens tegen te komen als hij iets wil bekijken, plakt hij de bladzijden met plakband aan elkaar.'

Pallas sloeg haar ogen op naar het plafond, maar ik moest erom lachen. Iedereen had wel een verborgen tic. Nikki kocht altijd alles tweedehands omdat hij niet wilde dat spullen bij hem thuis bezorgd werden. Alex moest altijd weten hoeveel uur ze nog had om te slapen, zo graag sliep ze. Eva kon nooit meer dansen zonder haar rugzak sinds de aanwezigheid daarvan haar op een nacht had gered van een rampzalige acidtrip waarbij ze de grond onder haar voeten niet meer voelde. Ik had een heleboel tics, en één hele fraaie: me in de stront werken zodra ik de kans kreeg...

'Shit,' zei Jessie terwijl ze ophing. 'Op sommige dagen heb ik zin om m'n onderbroek over mijn hoofd te trekken en me in de Seine te storten!'

Ze raapte een zwart T-shirt op dat ze aantrok en waarop in van het bloed druipende letters Reservoir Dogs prijkte.

'Je hebt gelijk,' antwoordde ik terwijl ze zich naast me neer liet vallen om grote zwarte Reeboks te pakken. 'Er zijn wel twaalf miljoen mensen die erin schijten!'

Jessie haalde haar hand door mijn haren om ze in de war te brengen en lachte luid. Pallas glimlachte bij wijze van goedkeuring, blij dat we goed met elkaar konden opschieten, want ze had het al een tijdje over haar, maar ze was toch ook lichtelijk geïrriteerd.

'Hé, even serieus,' zei Jessie, terwijl ze opstond en aan haar T-shirt trok waarin haar borsten op granaten leken, 'wat betekent voor jullie volwassen zijn? Ik word gek van mijn vader als hij zegt dat deejay niet iets voor volwassenen is.'

'Volwassen zijn?' zei Pallas terwijl ze een tijdschrift dichtsloeg (om tijd te winnen?).

'Volwassen zijn,' zei ik terwijl ik op mijn beurt opstond, 'is in staat zijn je maaltijd af te sluiten met iets hartigs, auto kunnen rijden en een horloge dragen dat precies op tijd loopt.'

Pallas wierp me een blik toe van: en wij weten dat jij geen van die drie dingen kan!

'Hé,' begon Jessie weer, 'vinden jullie niet dat de smaak van Coca-Cola is veranderd?'

'Het was lekkerder in glazen flessen,' antwoordde ik, en wachtte op Pallas' instemming.

Maar Pallas negeerde ons. Ze was inmiddels ook opgestaan en streek haar rok glad, met een zucht van ergernis om de hond die op zijn achterpoten ging staan toen hij doorhad dat we naar buiten zouden gaan.

'Precies!' zei Jessie en ging weer zitten. 'Hun plastic flessen zijn echt shit, als je er 's morgens een open hebt gemaakt is het 's avonds al flut. Nee nee, ik heb je niet geroepen' (tegen de hond).

'Ja,' vervolgde ik en ging ook weer zitten. 'En is het je opgevallen dat ze altijd keihard zijn zolang ze dicht zijn, en als je ze eenmaal open hebt gemaakt worden ze zo slap dat je alles onderkliedert!'

'Precies!' riep Jessie nog een keer terwijl ze opstond. 'Dat is om ons te dwingen de hele tijd nieuwe te kopen!'

'En is het je opgevallen,' ging ik verder terwijl ik ook weer opstond, 'dat ze nooit in die kleine supermarkttasjes passen, je weet wel, die tasjes die je gebruikt als vuilniszakken.'

'Shit, ja!' zei Jessie, die weer ging zitten. 'Coca-Cola zal wel een bonus krijgen om flessen te maken die te groot zijn zodat wij gedwongen worden echte vuilniszakken te gebruiken!'

We hadden zo nog uren door kunnen gaan, met de hond die opsprong omdat hij ons steeds maar weer zag gaan zitten en opstaan, maar het zwijgen van Pallas werd beklemmend, dus gingen we op weg.

## 2

Tintin was natuurlijk gesloten op zondag, we moesten aankloppen en Eva verscheen achter de glazen deur.

'Hè, jíj hier?' vroeg Jessie stomverbaasd.

Zonder licht en zonder de vreemde vogels die er normaal gesproken rondhingen, was de wachtkamer waarvan de muren bedekt waren met posters van happenings, een dooie boel, nog treuriger door het grijs van de lucht buiten.

'Ik ben voor de bijl gegaan,' zei Eva en lichtte de onderkant van haar trui op om een pleister te laten zien.

'Wat heb je laten maken?' vroeg Jessie. 'Flut, hou op!'

'Wat denk je...'

'Godskolere,' siste Jessie tussen haar tanden.

'Nee, heb je het gedaan?' voegde Pallas eraan toe.

'Wat dan?' vroeg ik, jaloers omdat ik niet in het geheim deelde.

Eva deed een lampje op de toonbank aan, hield de onderkant van haar trui met haar kin vast en begon voorzichtig de pleister los te trekken. Die bedekte een deel van de panter die ze al op haar heup had, een zwarte panter van zo'n twaalf centimeter die naar buiten sprong. Toen zagen we heel wazig 'Gayle' te voorschijn komen onder de dikke laag vaseline, zwarte letters die naar achteren kleiner werden, alsof ze uit de wijdopen bek van het beest sprongen. Het was fantastisch.

'Godskolere,' herhaalde Jessie.

'Ja, het is hartstikke mooi,' stelde Pallas eveneens vast.

'Nou, en?' vroeg Eva aan mij.

Ik knikte afwezig.

'Voel je vooral niet verplicht,' zei Eva terwijl ze de pleister weer dichtplakte.

Omdat ze in de gaten had dat ik haar aanstaarde, dacht ze vast dat ik de balen had omdat haar affaire met haar Engelse steeds serieuzer werd, maar dat was het helemaal niet: ik, die voortaan ernstige twijfels had bij het idee om voornamen van mensen te tatoeëren, ik besefte dat ik ernaar snakte om ergens op mijn lichaam de naam van Inès te laten schrijven...

Eva deed de lamp uit en we volgden haar op de voet naar het

gangetje dat naar achteren leidde, daar waar Tintin zijn hol had en waar je het continue geknetter van het apparaat hoorde.

'Hé,' zei ze terwijl ze zich tot mij wendde, 'wat zegt een blondje telkens als ze een bananenschil op de stoep ziet liggen? Verdorie, straks val ik weer!'

Ik vond het een leuke gewoonte dat ze zich altijd tot mij richtte als ze een mop over blondjes vertelde, als om te laten zien dat ik voor haar ondanks alles meetelde. Ik had haar graag kunnen zeggen dat ik eindelijk in staat zou zijn de 'eenvoudige' vriendschap te waarderen die ze me bood.

'Wauw, een hele club!' riep Tintin uit toen hij ons zag opduiken. 'Godverdorie, meiden, dat is aardig van jullie, ik maak een prijsje voor vier!'

Hij zat wijdbeens op zijn stoel op wieltjes, zo ver voorovergebogen dat hij met zijn volle gewicht op Julia's rug drukte, die zelf omgekeerd op een stoel voorover zat met een kussen tussen haar borst en de stoelleuning geklemd. Met haar armen over elkaar glimlachte ze terwijl wij haar om de beurt zoenden, maar je kon zien dat haar glimlach verkrampt bleef en dat haar vingers die ze onder het kussen had verstopt stevig in het overtrek knepen. In het licht van het omgebogen lampje dat boven hen hing mengde de zwarte inkt zich met het bloed tot purper. Het licht liet ook het zweet glinsteren op de gladde schedel van Tintin, die zijn tong had uitgestoken. Hij stopte even om ieder van ons zijn wang toe te steken. Te zien aan de viltstiftschets zou de draak de hele rug in beslag nemen en zou de staart eindigen in Julia's bilspleet. Het zou ongelofelijk zijn, maar het zou maanden duren voordat ze hem kon laten zien. Dat was een van de redenen, samen met de poen, die me ervan weerhielden me aan zo'n groot geval te wagen. Als er een manier was om in één keer een hele rug te laten tatoeëren, zou ik hetzelfde motief nemen als Crying Freeman, met de staart van het beest die zich naar beneden om een dij slingert. Maar nu vroeg ik me ineens af op welke plek ik Inès zou kunnen laten tatoeëren, met wat voor soort typografie, en – vooral – of ik eerst zou afwachten of zij bereid was om het ook te doen, of dat ik haar te snel af zou zijn.

'Heb je toevallig een telefoonkaart?' fluisterde ik tegen Jessie.

‘Nee,’ fluisterde ze terug, ‘maar ik geef je mijn mobieltje wel even als je wilt.’

‘Wat heb je nodig?’ vroeg Tintin terwijl hij zijn hoofd ophief.

En ik hoopte nog wel onopgemerkt te blijven.

‘Niks, ik moet alleen even bellen.’

‘Nou, bel daar dan even,’ antwoordde hij en wees met zijn kin naar de wachtkamer.

Ik aarzelde en bedankte. Toen ik weer de gang in liep voelde ik de blik van Pallas in mijn rug. Als haar vader maar niet opnam, anders zou ik moeten vragen of ik haar kon spreken en dan zouden ze me wel eens kunnen horen. Toen ik het nummer draaide voelde ik een zweem van angst. Waarom, bij het idee dat ze misschien van mening was veranderd...?

‘Hé,’ zei ik zacht toen ik haar stem hoorde. ‘Heb je lekker gedroomd?’

‘Je moet me niet meer bellen,’ antwoordde ze geeuwend. ‘Waar ben je, ik heb geprobeerd je te bellen.’

‘In jouw naam zitten evenveel letters als in die van Alex.’

‘...O, zou je dat doen?’

‘Heb je haar gesproken?’

‘Ze wil dat ik vanavond bij haar kom slapen, maar ik kan niet, ik moet nog hartstikke veel leren, ik ga er morgenochtend rechtstreeks heen. Serieus, zou je dat doen?’

‘Waar ga je rechtstreeks heen?’

‘Nou, naar het ziekenhuis.’

‘O ja,’ zuchtte ik, ‘dat is waar ook.’

‘Hé serieus,’ fluisterde ze, ‘zou je dat voor míj doen?’

‘Aan het werk jij, ik moet geen luiwammes.’

Toen ik weer in de andere kamer kwam waren ze allemaal aan het gillen van de lach.

‘Die gozer!’ brulde Tintin, ‘de enige manier waarop hij zijn vrouw aan het schreeuwen krijgt is als hij zich aftrekt en daarna zijn lul aan de gordijnen afveegt! En schreeuwen kan ze! Godverdomme, als dat wijf lacht, dan lijkt het wel een klankkast met die enorme neusvleugels van d’r!’

Ik keek Pallas vragend aan om erachter te komen over wie ze het hadden, maar ze glimlachte en gebaarde dat ze geen flauw idee had. Ik haalde mijn sigaretten te voorschijn en liep naar haar toe om haar er een aan te bieden. Ze vroeg niet eens wie ik was gaan bellen. Ik had er alles voor gegeven om haar onmiddellijk alles te vertellen. Dat en het feit dat ik Inès zou laten tatoeëren. Maar het was niet het goede moment, dus ik ging gewoon aan haar voeten zitten en richtte mijn ogen strak op het profiel van Tintin.

Het was de eerste keer dat ik op een sluitingsdag kwam. Het decor bleef hetzelfde met de figuurtjes van superhelden die aan alle kanten oprezen, de planken vol boeken en tijdschriften met tatoeages, de stickers van tatoeëerders uit de hele wereld en het aquarium van Esmeralda, de grote harige vogelspin die Tintin er af en toe voor de lol uit haalde om te zien hoe de meisjes zich gillend uit de voeten maakten. De rust deed merkwaardig aan vergeleken bij het gebruikelijke circus. Tintin, die samen met Luc tatoeëerde, en de twee andere jongens die aan de voorkant werkten, deden de hele dag niets anders dan van de ene kamer naar de andere dingen naar elkaar schreeuwen terwijl de muziek dreunde, er onophoudelijk met konten werd gedraaid en er voortdurend vrienden langskwamen. Zodra er een onbekende de deur binnenkwam begonnen ze hem spontaan af te bekken, en als het meisjes waren, ging het alle perken te buiten. Wij lieten ons ook altijd streng onder handen nemen. Op den duur had je je buik vol van die grove, schuine kloteopmerkingen en het was onmogelijk om er weer weg te gaan zonder stoned of straalbezopen te zijn, maar je kreeg altijd een heerlijk delirium als je bij Tintin langsging. Je zag hem ook vaak in de Pulp waar hij graag naar Alex kwam luisteren. Hij kon dan hele nachten potten achter van het zuiverste water aan zitten, die 'm zaten te knijpen terwijl hij zich bescheurde van het lachen. Daarbij had hij een krankzinnig lachje, een soort nattig tsi-tsi als het getjilp van een vogel, ontiegelijk aanstekelijk, dat een merkwaardig contrast vormde met zijn spiermassa. Als hij vond dat de stemming inzakte, begon hij 'mijn auto' te schreeuwen, en dan trok hij zijn T-shirt omhoog om zijn buik te laten zien waar inderdaad in vette gotische letters 'MIJN AUTO' op stond. Hij had trouwens een leuke auto, het laatste model Mercedes coupé cabriolet, een zwarte. Hij had iets uitsloverigs met zijn zonnebrilletje dat hij altijd halverwege zijn voorhoofd zette, alle beroemdheden die hij tatoeëerde en het feit dat hij overal op de foto stond, maar als je hem kende, was het gewoon een gulle vent die het leuk vond je erbij te halen om lol met hem te maken. Wat mij aan hem fascineerde was de elegantie die bezit nam van zijn gebaren als hij aan het werk ging. Er zat een behoorlijke kracht in de greep waarmee hij met zijn ene hand een arm pakte om de huid goed strak te trekken, maar de andere hand hield het apparaat vast alsof het een uiterst kwetsbare veer was. De manier waarop hij schoonmaakspul verstoof, of een tissue gebruikte om te deppen en dan weer verder te gaan, dat stroomde allemaal over van een oneindige verfijndheid.

Ja, het was de grootste lomperik die we kenden, maar als hij begon te doen waar hij goed in was, werd het goddomme een prins. Net zoals wanneer Nikki zijn gitaar pakte. Zoals wanneer Alex een plaat stilzette. Zoals wanneer Inès in een kamer rondliep...?

## 3

Eenmaal terug bij Jessie, waar we allemaal naartoe gingen behalve Julia die zich de hele middag zou laten tatoeëren, nam Jessie me apart in de keuken.

'Wie is het?' vroeg ze.

Ik sperde mijn ogen wijd open ten teken van verbazing.

'Hou op,' fluisterde ze, 'het is zo duidelijk als wat.'

'Ik kan het niet zeggen.'

'Oké, ik snap het.'

'Wat snap je?'

'Het is iemand die al met iemand is.'

Ik stond op het punt antwoord te geven, maar Jessie ging terug naar de anderen die op de banken waren gaan zitten.

'We gaan sigaretten kopen,' riep ze in het rond, 'heeft iemand nog iets nodig?'

En voordat ik kon protesteren deed ze de deur weer open, naar de hond gebarend dat hij moest blijven liggen. Ik hoefde me niet om te draaien om te weten dat Pallas me met haar blik volgde.

Jessie ging een verdieping lager op de trap zitten. Ik ging ook zitten, maar voelde dat wat er ook gezegd zou worden, het niet per se een goed idee zou zijn.

'Oké,' zei ze. 'Je hoeft er niet met mij over te praten, maar het lijkt erop dat je er behoefte aan hebt je hart te luchten, dus ik zeg alleen maar dat als je wilt, je je gang kan gaan.'

Ik zuchtte en nam de sigaret aan die ze me aanbood.

'Het is het mokkel van iemand die ik goed ken, klopt dat?'

Ik knikte langzaam.

'Ze heeft je beloofd dat ze weggaat bij haar vriendin, klopt dat?'

Ik knikte weer, alsof het feit dat ik niet hardop antwoord gaf de schade kon beperken. Jessie zuchtte op haar beurt.

'Weet je,' ging ze verder, 'zelfs als je iemand die ik erg aardig vind besodemietert, zou ik je niet kunnen veroordelen, dit soort dingen gebeurt de hele tijd. Dus als je hartstikke verliefd bent, moet je ervoor gaan.'

'Ja, het is geweldig. Het is zelfs te mooi om waar te zijn. Het is alleen wel erg dichtbij.'

'Oké, ik weet wie het is.'

'Wie dan?' vroeg ik terwijl ik mijn adem inhield, heen en weer geslingerd tussen angst en de opluchting bij het idee dat ik het eindelijk met iemand zou kunnen delen.

'Nou, als het heel dichtbij is, is het het mokkel van Alex.'

Ik sperde mijn ogen wijd open, om te doen alsof het niet waar was, maar mijn glimlach kreeg de overhand.

'Shit, je houdt je bek,' fluisterde ik meteen. 'Zweer dat je je bek houdt...'

'Ik zal je iets zeggen: ik zal tegen niemand iets zeggen, want hoe minder ik me met andermans zaken bemoei, hoe beter het voor me is, maar ik hoop dat jullie het wel netjes aanpakken, want Alex is hartstikke verslingerd aan Inès.'

'Weet ik,' zuchtte ik, 'ik moet er de hele tijd aan denken.'

'Ik moet je toch iets zeggen. Inès zit achter iedereen aan. Mij, Eva, Pallas. Zo is ze nu eenmaal. Dus probeer er een beetje achter te komen welke kant het op gaat voordat je met haar in zee gaat.'

'Hoezo zit ze achter iedereen aan?'

'Nou joh, die griet is hartstikke vals. Niemand wil me geloven, maar ik kan haar niet uitstaan. Dus kijk uit, ik vind je erg aardig en ik zou het ontzettend klote vinden als je erin tuint.'

Ik bleef even een andere kant op kijken terwijl ik naar mijn biologische klok luisterde om te zien of er iets in werking trad. Maar alles bleef op zijn plaats zitten. Geen paniekaanval. Alleen een stemmetje dat rustig zei: laat toch zitten, Jessie zal wel een keer achter haar aan hebben gezeten en een blauwtje hebben gelopen.

'Shit,' ging Jessie verder, 'het wordt hoe dan ook een puinhoop... Je weet dat ze op het punt staan te vertrekken.'

'Hoezo?'

'Nou, naar het zuiden. Alex vertrekt donderdag om in Montpellier te mixen en Inès gaat na haar eindexamen naar haar toe. Alex moet alleen even terugkomen voor het Muziekfeest en de Gay Pride, maar verder blijven ze er de hele zomer. Er zijn allerlei evenementen, we zijn van plan een huisje te huren met Eva, Gayle, Julia, kortom iedereen, zelfs het zusje van Inès zal erbij zijn.'

'Nou, ik ben bang dat het niet echt zo zal gaan,' waagde ik voorzichtig. Ik werd zenuwachtig van die opgefokte toon van Jessie.

'Ja, maar wacht even! Het zal hartstikke moeilijk worden om met Alex te werken als ze in de put zit! En bovendien gaat ze er over vier dagen vandoor, dus ik weet niet wanneer jullie van plan zijn het haar te vertellen, maar jullie kunnen maar beter een beslissing nemen, want ze is nu bezig het geld voor het huisje op te sturen!'

Ik had zin om Jessie te antwoorden dat ik niet alleen ziek werd van al die dingen die ze me vertelde en die ik niet wist, maar dat ze me ook niet zo onder druk moest zetten. Maar ik had de moed niet om ruzie met haar te maken, terwijl zij de enige was met wie ik het allemaal kon delen. Het was mijn eigen schuld, ik had er nooit over moeten beginnen. Ik moest gewoon vertrouwen hebben. Vertrouwen, verdomme.

## 4

Ik schrok wakker van de telefoon. Ik strekte meteen mijn hand uit om op te nemen terwijl mijn ogen de wekker zochten: vijf over negen.

'Hallo,' zei het stemmetje. 'Je sliep, hè? Ik weet dat het hartstikke vroeg is, maar ik wilde je stem horen.'

'Wacht even.'

Ik stond op, schoot mijn kamerjas aan en stak mijn hoofd om de deur. De kamer van Pallas, waarvan de deur wijd openstond, was nog in duisternis gehuld. Ik probeerde de mijne een beetje dicht te duwen, maar hij begon meteen te kraken.

'Wacht even,' herhaalde ik terwijl ik een sigaret opstak, en ging toen aan de andere kant van de kamer zitten. 'Hallo, liefje,' fluisterde ik, 'hoe is het?'

'Het gaat,' zei ze op sombere toon.

'Waar ben je, zijn jullie al in het ziekenhuis?'

'Ja,' zuchtte ze, 'ik ben maar een kop koffie gaan drinken. Ik weet niet wat ze heeft. Ze blijft maar aan me klitten. Ik zweer het je, ze is pathetisch. In ieder geval ga ik...'

De verbinding werd verbroken. Met een zucht hing ik op. Wat ze heeft, dacht ik, is dat ze voelt dat er iets aan de hand is, en ik voel dat jij haar als een stuk stront gaat behandelen... Ik bleef zitten terwijl ik de telefoon ronddraaide, in de hoop een knop te ontdekken die nog nooit had bestaan en waarmee je het gerinkel zachter kon zetten. Het was een beetje laat om me zorgen te maken over wat er van Alex terecht zou komen in het hele verhaal, maar toch... En verder, die toon van haar, dat lege, dat deprimeerde me voor de rest van de dag. Het was duidelijk dat ze jong was, je gaat niet met iemand mee naar het ziekenhuis om er vervolgens niet bij te zijn. De telefoon ging weer.

'Sorry,' zei ze vermoeid, 'ik had niet genoeg munten.'

'Heb je je mobiel dan niet?'

'Die ben ik vergeten, we zijn hartstikke laat weggegaan.'

'Aha... dus uiteindelijk heb je daar geslapen?'

'Nou... ze kwam me halen, ze zei dat ik anders nooit op tijd op zou staan. Ik moet even koffie drinken, ik bel je later terug.'

Ik bleef naar de hoorn kijken die ik net had opgehangen. Ik had het een beetje koud gekregen. Ik deed de kamerjas uit, legde hem over de telefoon om het gerinkel te smoren en kleedde me aan. In de keuken zette ik water op, waarbij ik probeerde zo weinig mogelijk lawaai te maken, en toen ging ik op de rand van de bank zitten. Ik zag ons daar weer zitten, twee dagen eerder, en ik wilde niet dat de beelden bleven komen. Gisteravond... Alex zou zeker wat rust moeten nemen en het was echt iets voor haar om met het oog daarop het onderste uit de kan te hebben gehaald. Een helse nacht neuken en Inès wachtte misschien om me dat op een andere manier mee te delen dan per telefoon. Of het helemaal niet te zeggen. Dat was ook wel weer zo: als ik in haar schoenen stond, zou ik niet het risico nemen om een beginnende affaire op het spel te zetten door dat soort dingen op te biechten. Ik zag het die dag echt niet zitten, maar dan ook helemaal niet.

'Sorry,' zei het stemmetje, 'ik wilde niet zo tegen je praten.'

'Luister, liefje, je moet er weer heen en je moet echt heel aardig zijn.'

'Ja,' zuchtte ze. 'Maar het is idioot om maar te blijven rondhangen, ik ben er al niet meer bij met mijn hoofd. Bovendien moet ik in ieder geval vanavond bij haar blijven en ik heb mijn schoolboeken niet eens bij me.'

'Wanneer is het ook alweer?'

'Nu donderdag al. Donderdag en vrijdag. Bovendien komt ze er niet voor twaalf uur uit, wat moet ik in godsnaam al die tijd doen?'

'Stuur mij maar een ansichtkaart.'

'Meen je dat?' zei ze teder. 'Wil je dat?'

'Luister, wat ik je wilde vragen... gisteravond...'

'We hebben alleen maar gezoend.'

'...'

'Ik had geen keus, het was dat of anders zou ze net zo lang aan m'n kop hebben gezeurd tot ik zou gaan praten. Vind je het heel erg?'

Alex en vragen stellen?

'Wat zou je doen als ik zou zeggen dat ik met Pallas had gezoend?' vroeg ik ironisch. 'Zou je dat heel erg vinden?'

'Ik haat je,' liet ze zich ontvallen, en hing plotseling op.

Dat vond ik heel even leuk, maar ik had het beeld van haar met Alex voor ogen... Na een tijdje ging de telefoon weer.

'Heb je dat gedaan?' vroeg ze weer.

'Nee. Maar jij wel. Dus weet je wat, bel me maar terug als je het allemaal geregeld hebt. Als je het ooit regelt.'

'Shit, je denkt dat ik het niet met haar uitmaak, hè? Ik ga er meteen heen, als je wilt, ik ga er nu gelijk heen!'

'...Stop. Kalm maar. Ik neem terug wat ik heb gezegd.'

'Ik ben stapelgek op je. Ik ga dood als je me in de steek laat.'

'Sst,' zei ik kortademig. 'Kalm maar. Het is allemaal in orde.'

'Ik heb je je ansichtkaart gestuurd,' fluisterde ze. 'Maar verwacht geen prachtige kaart.'

'Ik verwacht alleen maar dat ik zie wat voor handschrift je hebt. Goed, ik moet ophangen, liefje, Pallas staat op.'

Eigenlijk had ik alleen maar haar mobiel over horen gaan. Ik stak een sigaret op, spitste mijn oren maar hoorde slechts het gemompel van haar stem. Ik wachtte tot ze weer ophing, en kwam toen in haar deuropening staan. Ze rekte zich uit in de duisternis van de dichte gordijnen.

'Heb je zin om vanavond samen te eten?' vroeg ik glimlachend, en zwaaide met mijn hand om te voorkomen dat de rook van mijn sigaret haar kamer binnen kwam.

'Weet ik niet,' antwoordde ze droevig. 'Ik moet weg, Alice wacht op me. Denk je dat jij er tegen twee uur zou kunnen zijn om open te doen voor Donna?'

'Donna?'

'Om de schilderijen op te hangen, voor de vernissage zondag, ben je dat alweer vergeten?'

Ze zuchtte alsof ze zei: ja, jij vergeet op dit moment sowieso alles.

'Hoor eens...' begon ik te zeggen.

'Ik kom te laat,' kapte ze me vriendelijk af, 'is acht uur goed?'

5

De Donna in kwestie belde klokslag twee uur aan. Niet gek, die meid. Een knappe Canadese met kort geblondeerd haar en hele slimme oogjes. We zagen haar bijna nooit omdat ze alleen maar werkte – zo hard dat de paar mensen in haar omgeving pas 's nachts iets van haar hoorden, het enige moment waarop ze stopte om haar telefoon van de haak te nemen en een rondje in de echte wereld te maken –, maar het kwam van tijd tot tijd toch ook voor dat ze zich in de disco liet zien. Dan stond ze even tegen de bar geleund om een glaasje te drinken, onveranderlijk gekleed in een lange jas van zwart, olieachtig leer die ze droeg met Duitse laarzen, een volledig afgedragen spijkerbroek en T-shirts in een maat voor twaalfjarigen, met slogans die nog beter waren dan die Alex en ik konden bedenken (die van die dag was 'I want to be plastic'), het geheel soms luister bijgezet door een SM-petje dat ze zo diep over haar hoofd had getrokken dat je haar ogen niet meer kon zien. Ze bleef zo lang als nodig was om haar glas naar binnen te werken en smeerde 'm dan weer. Niemand was goed genoeg voor haar. Mij trok ze niet aan – te mager –, maar we hadden vriendinnen kunnen zijn, we waren even streng en ambitieus in ons werk. Alleen kon het haar, hoe vreemd het ook mag lijken, geen bal schelen dat ze niet een hele zooi vriendinnen had. Ze bleef in haar hoekje zitten zonder iemand ooit iets te vragen.

Ze hing haar spullen dus zwijgend op in de huiskamer, terwijl ik haar op de rand van de bank bezig zag. Ze maakte allerlei hallucinerende dingen – boeken die gingen praten als je ze opensloeg, kussens die schreeuwden als je ze verplaatste, stoelen die trilden als je erop ging zitten – maar haar grote succes, dat binnenkort op verschillende plekken in depot zou worden genomen, waren haar magische pillen. Ze werden per twee of drie stuks in de vorm van tabletten of capsules aangeboden in kleine zakjes van transparant plastic ter grootte van een pakje sigaretten, versierd met superkitscherige etiketten die uitlegden waarvoor je ze kon gebruiken: pillen om topmodel te worden, om gespierder te worden, behaarder, vaginaler, om beter te worden met je tong of om zwanger te raken – ieder model dreef vrolijk de spot met de meiden uit de scene. Deze keer ging het om een serie die 'fame pills' heette (pillen om beroemd te worden). Er waren zo'n twintig verschillende: fame pills voor kunstenaars, acteurs, rocksterren, voetballers, basketballers, enzovoort. Op ieder etiket stond het hoofd van een beroemdheid met een zinnetje als 'Word net zo beroemd als de grote lul van Dennis Rodman'.

Zij was niet het type dat alle activiteiten staakte omdat ze net verliefd was geworden... maar mijn stijl was het wel en toen mijn telefoon ging rende ik erheen om op te nemen. Alleen was het Pallas die wilde weten of Donna er al was en of alles goed ging.

Toen ze tegen achten thuiskwam had ik wat bij de Chinees gehaald. Ze bleef rechtop op mijn bed zitten terwijl we wachtten tot het opgewarmd was. Op MTV was de Dope Show van Marilyn Manson, een programma waarbij we normaal gesproken overeind kwamen om te dansen en luid mee te zingen. Nu schudde ze nauwelijks met haar hoofd.

'Heb je gezien dat het helemaal verfranst?' zei ze zonder haar ogen van het scherm te halen. 'Het is volslagen idioot, we keken juist naar MTV om Engels te horen. Ik geloof dat je met me wilt praten,' voegde ze eraan toe, haar ogen nog steeds strak op de tv gericht.

'Ik geloof het wel, ja,' antwoordde ik zacht.

Ze zette het geluid van de tv af en wendde zich tot mij. Ik bood haar een sigaret aan die ik voor haar aanstak, pakte er een voor mezelf en propte het kussen in mijn rug.

'Om te beginnen,' begon ik, 'wil ik dat je weet dat ik echt dol op je ben en dat ik je al die tijd echt heb gemist, het was ontzettend zwaar.'

Ze knikte traag.

'Nou ja, goed. We hebben elkaar een keer gezien... toen jij in Honfleur was... en we dachten dat het daarbij zou blijven... en toen...'

'Alsjeblieft,' onderbrak ze me vriendelijk, 'geef me niet alle details, vertel me gewoon wat er aan de hand is.'

'Sorry. Oké... nou, ze gaat weg bij Alex. Zo dus.'

Er was geen woede en geen angst in haar blik die de mijne niet losliet. Alleen verdriet.

'Heb je nu een hekel aan me?' vroeg ik onmiddellijk.

'Ik wist het, weet je. Ik wist het meteen.'

'Luister,' ging ik verder terwijl ik mijn sigaret in de asbak legde om haar handen te pakken. 'Ik ben erg op jou gesteld. En Inès ook. Dus je raakt geen van ons beiden kwijt, er verandert niets.'

Ze haalde diep adem en trok toen langzaam haar handen terug.

'Mijn God,' zei ze, 'ik geloof dat je niet beseft wat het allemaal teweegbrengt.'

'O jawel,' antwoordde ik met een zucht. 'Zeg me de waarheid: heb je een hekel aan me?'

'Natuurlijk niet,' zei ze berustend. 'Ik hou te veel van jullie allebei om een hekel aan jullie te hebben.'

'Het spijt me dat ik het niet eerder heb gezegd. Ik wist niet hoe ik het moest aanpakken...'

'Weet ik,' antwoordde ze in een poging om te glimlachen. Een beetje droevig, maar oprecht. Ik kwam dichterbij om mijn armen om haar hals te slaan en toen kwamen de tranen. Van vreugde. Van dankbaarheid. Van opluchting.

Later lag ik in haar armen voor de tv. We zaten te kijken naar *Face/Off*, die ik was gaan halen, en we hingen tegen elkaar aan zoals we lang niet hadden gedaan, ik op mijn zij tegen haar aan, zoals Inès tegen mij aan had gelegen. Met een verstrooide hand streelde ze zachtjes mijn haar. Nu en dan hield de hand op en voelde ik dat ze voor zich uit staarde, maar over het geheel genomen was ze erg enthousiast over de verrichtingen van Travolta en Nicolas Cage die in elkaars huid waren gekropen. Ik volgde de film ook, maar ik kon me er bij tijd en wijle niet van weerhouden me af te vragen wat er allemaal bij Alex aan het gebeuren was. Ze kon zo aandoenlijk overkomen als ze ziek was. Ik was niet bang dat Inès ervoor zou bezwijken, het zou haar zelfs eerder irriteren, in aanmerking genomen wat ze eerder had gezegd, maar ik dacht aan alles wat ze zou moeten doen om de schijn op te houden. Er was geen gevaar dat Alex na haar operatie zin had om flink tekeer te gaan, maar als ze gewoon zin kreeg om zich met Inès bezig te houden, wat zou ze dan doen? Zou ik het haar werkelijk kwalijk mogen nemen als ze zich niet verzette om rust te hebben? En zou ze écht doen alsof? Zelfs als je geen zin in iemand hebt, komt er als het goed wordt gedaan geheid een moment dat het uiteindelijk prettig wordt. In het half jaar dat ze samen waren had Alex vast en zeker ontdekt wat ze moest doen om haar meteen op te geilen.

'Wat is er?' vroeg Pallas terwijl ze de film in de pauzestand zette.

Ik ging rechtop zitten.
'Ik word er gek van dat ik niet weet wat daar gebeurt. Ik heb zin om te bellen. Denk je dat ik dat kan doen, zo van even horen hoe het met haar is?'
Pallas zuchtte.
'Ik neem aan dat dat is wat je zou hebben gedaan als alles normaal was geweest.'
'Precies,' antwoordde ik en pakte de telefoon. 'Je kan de film wel weer aanzetten,' zei ik terwijl ik het nummer intoetste, en ik stond op om bij het raam te gaan staan.
'Alex? Ja, ik ben het. Ik wilde gewoon even weten hoe het is gegaan in het ziekenhuis.'
'Heel goed,' zei ze met een heel klein stemmetje.
'Deed het niet te veel pijn?'
'Nee, nu trekt het een beetje,' antwoordde ze met een stem die absoluut ver weg klonk. 'Die klootzakken wilden me geen morfine geven.'
'Volgende keer!' plaagde ik. 'Oké, is er iemand om voor je te zorgen? Is Inès bij je?'
'Ja, ja, die is er.'
'Oké, heel goed, nou, rust dan maar uit.'
Ik hing weer op. Voelde ik me beter? Dat is precies de vraag die Pallas stelde, en ik glimlachte om duidelijk te maken van niet.
'Kom hier,' ze ze en trommelde op de plek die ik had verlaten.
Ik kwam weer naast haar liggen en wikkelde mijn vingers in de onderkant van haar T-shirt. Haar hand begon mijn haar weer te strelen. Ik snakte ernaar haar te vragen hoe het zat met dat verhaal over Inès die achter iedereen aan zat, maar ik kon het niet. Van wie zou ik het hebben gehoord?
'Ben je bang dat ze met elkaar naar bed gaan?' vroeg Pallas ten slotte. 'Is dat het? Weet je, Alex is vast niet in vorm.'
'Ik weet het,' zuchtte ik, 'maar ik moet er steeds aan denken.'
'Zou het je opluchten om het te doen?' vroeg ze.
Ik richtte mijn hoofd op om haar aan te kijken. Zou het me opluchten, alleen maar om me minder rot te voelen, op een niveau van gelijkheid, als je dat kan zeggen? Waarschijnlijk wel... Maar Pallas was er ook nog... we moesten toch afscheid nemen na alles

wat we samen hadden doorgemaakt. Ik schraapte mijn keel.

'Luister,' zei ik, 'ik weet niet wat ik ervan moet denken, maar één ding is zeker. Je weet dat ik ontzettend trouw ben, dus als jij en ik het nog een laatste keer moeten doen, nou, dan is het vanavond, neem ik aan. Nou ja, of een van de komende dagen, want daarna kan ik het niet meer, weet je wel.'

Toen begonnen we te zoenen, heel teder, en daarna gingen we vrijen. Het was de eerste keer dat het zo zacht was. Echt uit liefde, bijna. Kortom, een afscheid. Een paar keer voelde ik tranen opkomen, als ik bedacht dat Inès misselijk zou worden als ze me zag. Maar ergens had ik geen keus. Het was alleen door het zelf ook te doen dat ik het zou kunnen verteren dat zíj het had gedaan. En dan nog. Laten we zeggen dat ik het haar daardoor niet dermate kwalijk zou nemen dat ik het uit zou maken. En trouwens, als ze niets had gedaan, nou ja, pech gehad. Met al die veronderstellingen bleven er nog genoeg dingen over die je je af kon vragen.

## 6

Toch zette ik de wekker om negen uur, om vóór Pallas de post van beneden te halen. Het was goed dat we het nog een keer gedaan hadden, daardoor waren we echt tot rust gekomen ten opzichte van elkaar. Nu wenste ze me toe dat ik gelukkig was.

De kaart was er inderdaad. Een afbeelding van de Notre-Dame. Ik wachtte met lezen tot ik weer boven was en met een sigaret op bed lag:

*Ik ben hier vijf maanden geleden getrouwd, vol plannen en dromen... en vandaag luister ik nog maar met een half oor naar haar, ik kus haar zonder overtuiging, geen zin meer in haar. Ik voel alleen nog maar een soort tederheid, vermengd met medelijden. Ik voel me net die serial killer die bij wijze van sadistisch spelletje vriendelijk zijn hulp aanbiedt aan een man met pech langs de weg en hem een paar minuten later een kogel door zijn hoofd jaagt, terwijl jij niet ver ervandaan het tafereel met een verrekijker gadeslaat en weet dat ik naar je toe zal komen. Ik ben op een dwaalspoor.*

*Wat heb je met me gedaan? Ik begrijp het niet...*

Ze was alleen vergeten haar naam te zetten. Eerst had ik geen mening over de inhoud, behalve dat het er ernstig verliefd uitzag en dat dat me met vreugde vervulde. Ik vond het slim bekeken dat het de Notre-Dame was, gezien de betekenis die het monument voor mij had. Ik zei ook bij mezelf dat Alex haar waarschijnlijk *Killer on the road* van Ellroy had laten lezen, dat ze aan al haar vriendinnetjes gaf. Toch vroeg ik me af hoe Alex had kunnen 'trouwen' zonder dat ik ervan wist, en vooral hoe ze dat had kunnen doen terwijl ze altijd de draak stak met de meiden die het erover hadden. Zou het trouwens misschien zo zijn dat de keuze voor de plek van haar afkomstig was, een soort perverse knipoog naar de achting die ik ervoor had?

Bij de derde of vierde keer dat ik het las drong tot me door wat Inès had geschreven. Het was natuurlijk beïnvloed door het boek, en nooit zou zij in staat zijn geweest zoiets te doen, maar toch... Het bezorgde me geen verdriet om Alex, want die hield wel van dit soort perversiteit. Ik was verdrietig om mezelf, bij het idee dat Inès zo'n kaart op een dag naar iemand anders zou kunnen sturen en het over mij zou hebben...

Halverwege de ochtend ging de telefoon. Het was Jessie maar.

'Luister, doe ermee wat je wilt, maar ik wou je zeggen dat ik gisteravond bij Alex langs ben geweest om te zien hoe het ging en zo, en die meiden klitten aan elkaar. Heel normaal, kortom. Dus ik vraag me af of...'

'Ik heb net een kaart gekregen.'

'Wat staat erop?'

'Er staat op dat ze 'm smeert.'

'O. Nou, dan weet ik het ook niet. Ze is nog valser dan ik dacht. Want heus, als je haar gisteren had gezien... Nou ja, goed. Maar dit moet je ook nog weten: Alex is op dit moment hoteldebotel van een ander mokkel, dus misschien heeft Inès het gedaan om haar een hak te zetten.'

'Wie is het?'

'Doet er niet toe. Nou ja, kortom, dit wou ik je zeggen, want ik heb al gezegd dat ik je echt heel aardig vind en ik zou het klote vinden als je erin tuinde. Oké, tot later.'

Wie was het? Nee, het kon niet waar zijn. Niet vóór die ansichtkaart, en ook nu niet. Jessie moest er ogenblikkelijk mee ophouden. Pallas verscheen in de deuropening, met lodderige ogen van de slaap. De telefoon ging weer.

'Ik ben het. Ik ben net thuis, mijn vader zeurt aan m'n kop, het gaat helemaal niet goed, ik kan niet eens rustig mijn examen voorbereiden, dus ik pak mijn schoolboeken en kom naar je toe. Ik weet dat Pallas er waarschijnlijk is, maar in ieder geval weet binnenkort toch iedereen het, dus ik zie niet in waarom we onszelf te kort zouden doen.'

'Ik snap het. Kan je over tien minuten terugbellen, liefje?' en ik hing op.

'Wat is er aan de hand?' vroeg Pallas. 'Was dat Inès?'

'Ze wil komen.'

'Hier? Nu?'

'Tja, ze kan thuis niet werken, ze moet zich voorbereiden op haar examen.'

'O nee, schat, dat kan niet, daar is het te vroeg voor.'

Ik slaakte een zucht.

'Ik begrijp het,' zei ik, 'maar ik kan toch geen nee tegen haar zeggen.'

'Wel waar, je zegt gewoon nee, dat is alles.'

'Maar wil je dat we elkaar zien of hoe zit dat?'

'Weet ik veel, je zoekt het maar uit. Neem haar dan mee naar een hotel met je voorschot.'

'Hou op...'

'Hou jíj op! Als ze nu komt, blijft ze vanavond, en morgen ben ik jarig, voor het geval je dat was vergeten, en ik heb zin om rustig thuis te blijven!'

Ik was het inderdaad vergeten. De telefoon ging weer.

'Laat me komen, het is al vier nachten, ik kan niet meer.'

'Oké, kom maar.'

Pallas stond op. De deur van haar kamer knalde dicht. Ik klopte aan, ze schreeuwde: 'ROT OP!' Ik draaide de deurknop om, deed de deur een beetje open en trok net op tijd mijn hoofd terug om hem niet tegen m'n harses te krijgen. Ik bleef in de gang tegen de muur leunen. De deur ging weer open en ik zag Pallas, aangekleed. Ik probeerde haar bij de schouder te pakken terwijl ze naar de huiskamer liep, maar ze maakte zich ruw los. Ze schoot een jasje aan. Ik probeerde haar weer aan te raken terwijl ze de voordeur opendeed, maar ze maakte zich weer los. Ik liep de overloop op, riep haar en kreeg weer een 'ROT OP!' naar mijn hoofd terwijl zij de trap af vloog.

## IX

# Bloed op de lakens (toets een *)

### 1

'Lots of pretty, pretty ones, they wanna get you high,' fluisterde ze in mijn oor, 'but all the pretty, pretty ones, they leave you low, and blow your mind. We're all stars now, in the Dope Show...' Dat nummer had ze onderweg steeds opnieuw opgezet. Net zoals Alex altijd 'Mister Self Destruct' van NIN opzette. Ongetwijfeld hadden ze zich het afgelopen halfjaar seksueel uitgeleefd op Marilyn Manson. Maar waar ik een beetje moeite mee had, was om het met een plastic ding te doen. Ze danste voorzichtig op me terwijl ze steeds dieper in me binnendrong. Het was ontegenzeglijk lekker waar het langs gleed, maar het haalde het niet bij het gevoel van echtheid dat ik met Nikki had beleefd. Het kon me geen moer schelen om dat nooit meer mee te maken, als ze alleen mijn teen maar had vastgehouden was het al genoeg geweest. Nou ja, bijna dan. Van haar had ik het zelfs niet erg gevonden een ongeneeslijke vorm van kanker op te lopen, zoals Kenneth Branagh tegen Charlize Theron zei in *Celebrity*. Wat ik wel lullig vond, was dat zij dat gevoel van echtheid ook niet zou kennen. En afgezien van de mentale kick deed dit haar waarschijnlijk al niet veel. Ze mocht het ding dan perfect weten te gebruiken, dubbele voorbinddildo's doen het nooit zoals ze zouden moeten. Je moet wel als een krankzinnige met je heupen tekeergaan, wil het kleinste deel, dat bij degene die het draagt naar binnen gaat, ook maar een beetje in het tegenritme met de ander bewegen. Maar goed, hierna zou zij aan de beurt zijn en ik wist bij voorbaat dat mijn hoofd ervan zou ontploffen. Een grietje van zeventien nemen met dat ding... Waar ik ook compleet wild van zou worden, was dat ze alles onder het bloed zou spatten. Ik zou helemaal lijp worden als ik het bloed op haar lichaam zou zien, alsof ik degene was die haar had verwond, terwijl haar blik om meer vroeg, nog meer en nog meer... Het enige wat ik vreemd vond was dat ze zich er zo weinig zorgen over maakte dat ze drie keer in één maand ongesteld was... Ze bewoog verdomd goed voor een meid die nog nooit echt was geneukt. Wel een beetje deprimerend om te bedenken dat ze het op deze manier voor het eerst had gedaan. Met een dildo. Met Alex. Maar ik neem aan dat als ik in Alex' schoenen had gestaan mijn hersens ook zouden smelten... 'Heb je al eens ketamine geprobeerd?' murmelde ze voordat ze een van mijn armen optilde om een lange lik onder mijn oksel te geven. 'Mijn beste vriendin weet hoe ze eraan moet komen. Stel je eens voor hoe het moet zijn om met dat spul te neuken...' Ik stelde me vooral voor hoe geweldig zij zou zijn met een vent. Wat zou er gebeuren op de dag dat ze in de verleiding zou komen? Het zou niet eerlijk zijn om het haar niet te gunnen... 'Ik zou graag willen dat je me een bouwpakketje van een Buick geeft,' zei ze en hield op in mijn buik te bewegen. 'Dan doe ik iedere dag een stukje en als hij eenmaal af is, geverfd en al, is dat het teken dat we weg moeten gaan. Denk je dat ik hier vaak kan komen, met Pallas? Ik zou een huis willen met uitzicht op het strand, net als in *Melrose*. Met een koelkast die een ijsblokjesautomaat heeft. En ook...'

'Hé,' zei ik lachtend, 'wil je even afmaken waar je mee begonnen bent?' 'Sorry, dat komt gewoon doordat ik het gevoel heb dat ik je in geen eeuwen heb gezien. Ik heb je zoveel dingen te zeggen, te vertellen. Het is iedere dag weer zo duidelijk dat ik jóú wil zien als ik mijn ogen opendoe. Het is zo duidelijk dat jíj degene bent op wie ik heb gewacht. Ik ga dood als jij mijn naam tatoeëert, en ik ga die van jou laten tatoeëren...' en ze begroef haar gezicht in mijn hals terwijl ze weer zachtjes begon te bewegen. Ik geloof dat het de eerste keer was dat iemand het zo kalm, zonder wilde bewegingen, met me deed. Ik wist niet of ik het net zo lekker vond, maar op dat moment ging het heel goed samen met de rest, met de muziek die niet al te hard stond en het licht van de lantaarnpalen dat door de open luiken naar binnen viel. Het was rustig. Zo zou het ook zijn bij de ramen met uitzicht op de baai van

San Francisco. Het goed met iemand hebben kwam uiteindelijk misschien wel daarop neer: rust. ‘Hé,’ zei ze terwijl ze haar hoofd weer oprichtte. ‘Je liegt niet, hè?’ ‘Hoezo?’ ‘Nou, je houdt toch echt van me?’ Ik glimlachte. ‘Waarom, lieg jij dan tegen mij?’ Haar ogen bleven lange tijd op mij rusten – zoveel dingen die verborgen waren in al dat donker –, toen nam ze mijn gezicht in haar handen: ‘Hoe zou ik tegen je kunnen liegen als je zo naar me kijkt?’ en ze begon weer te bewegen. Deze keer heftiger, dieper, met haar handen die onder mijn billen schoven om ze beet te pakken, en mijn armen smolten samen om haar nek, terwijl mijn hart overliep van geluk en ik mijn hele ziel in haar mond liet verdwijnen.

2

Ik werd wakker van de zon die de kamer binnen kwam. Inès lag nog steeds in mijn armen, met haar wang op de mijne en een knie op mijn dij. Minuscule stofjes zweefden rond, gevangen in een lichtstraal. Het leven kon nu ophouden, bedacht ik. Zo zouden we kunnen blijven liggen, gestold in dit moment. Alleen maar een infuus van welbehagen, zoals wanneer je eenmaal bent neergeploft met waanzinnig goeie dope, en naar de wolken kijkt die langzaam langs de hemel drijven en glimlacht naar alles om je heen wat mooi en fantastisch is geworden. Ik probeerde mijn schouder een beetje te bewegen en toen deed zij haar ogen open. ‘Ik hou van je,’ fluisterde ze meteen en ze begroef haar gezicht nog dieper in mijn hals. Ik verstevigde de greep van mijn armen, ze rook lekker naar slaap. ‘Heb je honger?’ vroeg ik zacht, terwijl ik haar haar streelde. ‘Hmmm,’ zei ze. Ze richtte haar hoofd op en haar mond kwam weer op de mijne. Ze had zulke fluwelige, zachte lippen, ik werd helemaal gek als ik ze tegen de mijne voelde. ‘Heb je lekker geslapen, baby?’ fluisterde ze, en haar lichaam schoof over het mijne om de sigaretten te pakken. Het was vreemd om zo’n jong meisje een sigaret te zien opsteken bij het wakker worden, maar wat kon ik ertegen inbrengen, ik wou er zelf ook een. Ze rolde op haar rug om de rook uit te blazen, en toen ik haar alleen maar geamuseerd bleef opnemen, en geen toenadering zocht, kwam ze weer dicht tegen me aan liggen.

‘O, dit vind ik te gek,’ zei ze terwijl ze haar hoofd oprichtte.

Op de tv die nog steeds zonder geluid aan stond maakte Britney Spears Power-Rangers-sprongen.

‘Ik weet dat het waardeloos is, maar soms vind ik waardeloze dingen wel leuk!’

Ik pakte de afstandsbediening om het geluid aan te zetten, en antwoordde niet dat ik zelf een zwak had voor Céline Dion, ik keek wel linker uit...

‘Ik moet naar huis,’ zuchtte ze, ‘ik doe niks als ik hier blijf.’

‘Heb je je schoolboeken niet bij je?’ vroeg ik en klemde de sigaret in mijn mondhoek om het dekbed over ons heen te trekken.

‘Ik doe niks!’ herhaalde ze en klom over me heen om mijn armen over elkaar te leggen, mijn sigaret waarvan de rook in mijn ogen prikte negerend. ‘Als je me wilt helpen,’ voegde ze eraan toe terwijl ze haar wang tegen mijn borst vlijde, ‘moet je me dwingen om op te staan, ik kan dit bed niet uit komen.’

Ik nam een laatste haal aan mijn sigaret voordat ik hem uitdrukte, duwde haar voorzichtig weg om te gaan staan en strekte mijn hand naar haar uit.

Naast elkaar kleedden we ons aan.

‘Leuk hemd is dat,’ zei ze toen ze me Nikki’s hemd zag oprapen dat ergens opgefrommeld lag. ‘Ik vind jaren-zeventigspullen wel leuk.’

Ik glimlachte begrijpend. Er zat absoluut iets onweerstaanbaars in die rare vogelhouding van haar, terwijl ze met haar handen op haar onderrug om zich heen keek om er zeker van te zijn dat ze niets vergat. Iets verschrikkelijk gedecideerds en trots, en tegelijkertijd leek ze nog zo’n kind. Ik kon er niet over uit dat ze voor mij was. Op die leeftijd heb je eerder de neiging om vrij te willen zijn dan je zo te binden... Hoe lang dacht ze dat we bij elkaar zouden blijven? Zelf had ik het niet kunnen zeggen. Ik wist alleen dat ik hetzelfde gevoel had als met Alex: de behoefte dat het zo lang mogelijk zou duren en dat het mijn laatste affaire zou zijn, dat ik daarna in een auto zou belanden die van de weg af raakte... Dat waren Alex en ik van plan. Een paar jaar waanzinnig cool leven –

erkenning, geld, dope en passie zoveel we wilden –, en dat daarna alles in één keer eindigde, zodat er geen tijd zou zijn om in verval te raken, lelijk te worden, weer banaal te worden. En dan, terwijl de auto in de sloot zou belanden, vertraagd zoals in *Les choses de la vie*, zouden we die laatste paar jaar aan ons voorbij zien trekken en tegen elkaar zeggen dat het cool was, waanzinnig cool, dank je wel... Ja, dat overkwam me met haar weer. Ik wist alleen niet of ik wilde dat zij ook in die auto zou zitten of niet. Gezien haar leeftijd had ze toch nog dingen te doen, te beleven... Ik legde het dekbed over het laken dat doorweekt was van het bloed. Ze had niet alleen alles ondergespat, ze had er ook mijn keel, gezicht en mond mee volgesmeerd, terwijl ze huilde en zei dat we een manier moesten vinden om samen een kind te krijgen...

'Geef je me je mobiele nummer?' vroeg ik.

'O ja. En weet je wat, er moet hier een stoel komen, zodat ik kan lezen terwijl jij aan het werk bent.'

Ze hurkte neer voor haar tas, haalde er een Filofax uit, krabbelde het nummer neer, scheurde de pagina eruit en legde die naast de computer.

'Zeg me dat ik weg moet gaan,' smeekte ze terwijl ze weer tegen me aan kwam staan.

We dwaalden af tot de muur en ze hield weer mijn gezicht in haar handen om me te zoenen. Alsof ze telkens bang was dat mijn mond zich zou afwenden. Misschien zou ze ook wél in de auto zitten. Helaas *zag* ze eruit alsof ze tot het eind met me mee zou gaan.

Ze smolt letterlijk toen ze *zag* dat ik mijn spijkerjack opraapte om haar naar de metro te brengen: 'Waar was je sinds ik geboren ben...?'

Haar hand pakte als vanzelfsprekend de mijne toen we het gebouw uit liepen. Het was de eerste keer dat ik op straat hand in hand met een meisje liep. Na een paar meter schoof ze haar arm onder de mijne en ten slotte stopte ze om me te zoenen. Dat had ik wel eens eerder gedaan, vaak zelfs, maar ik geneerde me altijd, terwijl het me nu geen moer kon schelen. Toen we weer verdergingen, viel het me op dat de mensen die we tegenkwamen hun hoofd omdraaiden, maar ze glimlachten allemaal. Ach ja, twee mooie, smoorverliefde meiden, wat hadden ze daar nou op aan kunnen merken? Zo liepen we de hele weg verder, de avenue Parmentier die we helemaal volgden tot de place Voltaire, waar ze de metro zou nemen. We stonden de hele tijd stil om te zoenen, om elkaar lachend dingen in het oor te fluisteren, en dan gingen we weer verder, arm in arm, teruglachend naar de mensen die ons aanstaarden.

Voor het metroloket gingen we zonder aarzelen tegen de muur staan om nog een keer te zoenen. Dit keer durfde ik niet te veel naar de caissière te kijken, het ging toch wel een beetje te ver, nu Inès' handen zachtjes mijn borsten masseerden, die niet eens aan het oog werden onttrokken door mijn spijkerjack.

'Ik hou van jou,' fluisterde ze toen ze eindelijk haar mond van de mijne losmaakte.

Ik zag hoe ze het kaartje van haar abonnement door de controle haalde en door het draaihek liep. Ze straalde. Toen bleef ze staan, naar mij omgedraaid, terwijl ze gezichten trok om duidelijk te maken dat ze geen zin had om weg te gaan. Ik wist niet waar wij terecht zouden komen, in San Francisco of een armoedig dienstbodenkamertje op de Place des Fêtes, maar het was in ieder geval begonnen.

## 3

Thuis trof ik Pallas aan die net terug was. Ze liep van de bank in de huiskamer naar de kast om haar aankopen op te bergen.

'Hallo,' zei ik verlegen, 'gefeliciteerd.'

Ze keek omhoog, zo van: ja hoor!

'Hoor eens,' begon ik, 'wat vanavond betreft... ik denk niet dat... ik denk niet dat ik naar de Pulp kan komen. Nou ja, je snapt het wel, het zou niet goed zijn om te doen alsof er niets aan de hand is met Alex. Dat zou hypocriet zijn...'

Pallas zei niets terug en ging door met opruimen.

'En eh... Inès zei dat ik tegen je moest zeggen dat ze ook niet kan komen.'

'Pardon?' ontplofte Pallas.

'Ze doet eindexamen,' ging ik voorzichtig verder, 'ze heeft bijna geen tijd meer om het voor te bereiden.'

'Nou, ze heeft anders wél tijd gevonden om hier met jou uit haar dak te gaan!'

'Ze doet morgen eindexamen.'

Pallas knalde de kastdeuren dicht en liep toen naar haar kamer waarvan ze de deur ook dichtknalde.

Ik bleef achter en keek naar de lege tassen op de bank. Een van Gucci, een van Prada en een derde van de Shop. Pallas' deur ging weer open en ze plantte zich op de drempel van de huiskamer.

'Denk je echt dat het niemand zal opvallen dat jullie er niet zijn?' vroeg ze met haar handen op haar heupen.

'Weet ik veel... Iedereen weet dat Inès voor haar eindexamen zit, en wat mij betreft kan je gewoon zeggen dat we ruzie hebben gehad. Ze geloven je heus wel,' voegde ik er met een verlegen glimlach aan toe.

'Ja zeker!' riep Pallas uit. 'Ik weet niet wat voor spelletje jullie aan het spelen zijn, maar het is echt ziek.'

'Hoezo?'

'Nou, dat grietje dat maar met Alex naar bed blijft gaan terwijl ze het zogenaamd uit zal maken.'

'Pardon?'

'Alex had het vandaag alleen maar daarover, dat het uiteindelijk voordelen heeft om naar het ziekenhuis te gaan, want aangezien ze zwak was, heeft ze zich drie uur lang laten beffen voordat Inès haar klaar liet komen.'

'Nou, ze liegt,' zuchtte ik.

'Dat zullen we nog wel zien!'

'Ze heeft tegen je gelogen, zeg ik je.'

'En wáárom zou ze liegen?'

'Weet ik veel! Omdat ze het gewoon niet meer doen en ze bang is! Wat weet ik ervan! Maar jij bent een teringwijf dat je me dat in m'n gezicht zegt! Je doet het gewoon om me op stang te jagen, het is walgelijk!' En daarop liep ik mijn kamer in en knalde de deur dicht.

Ik draaide onmiddellijk het mobiele nummer van Inès, in de hoop dat ze hem niet had uitgezet in de metro. Hij ging over.

'Ik ben het. Hoor eens, Alex vertelt aan iedereen dat jullie gisteren de hele nacht hebben gevreeën.'

'Nou, dat liegt ze.'

'En wáárom zou ze liegen?'

'Dat weet ík toch niet... misschien gewoon omdat we het niet meer doen... Ik kan je niet goed horen, ik bel je terug als ik thuis ben.'

Binnen een uur belde ze terug en ze was echt schattig. Ze zei dat ze het begreep, dat ze echt verschrikkelijk zou hebben gebaald als ze had gehoord dat ik bijvoorbeeld weer met Pallas naar bed was geweest... Ze klonk een beetje mat, maar ik dacht dat dat kwam door de stress voor de volgende dag. Haar examen begon om acht uur en zou tot het eind van de middag duren. Ze zei dat ze vlak voordat ze naar bed ging weer zou bellen, en anders in ieder geval de volgende ochtend voordat ze wegging, zodat ik haar moed kon inspreken.

'Ik kan niet wachten,' zei ze nog voordat ze ophing, 'ik kan niet wachten totdat alles eindelijk voorbij is en we niets anders meer hoeven te doen dan tegen elkaar aan te hangen. Nou ja, volgens mij komt het er eerder op neer dat ik in de stoel zit te kijken hoe jij werkt!'

4

Toen ik tegen elven wakker werd, was ik een beetje teleurgesteld dat Inès niet had gebeld voordat ze naar haar examen ging. Temeer omdat ze de avond daarvoor ook niet had gebeld. Maar goed, ze zou er wel behoefte aan hebben zich te concentreren. Ik stond op om het mobiele nummer te pakken. Natuurlijk kreeg ik de voicemail, het was de eerste keer dat ik die hoorde en ik herkende DJ Rush die Jessie op de rave had gedraaid, 'I wanna fuck you all night'. Ik vond het een beetje vreemd om dat op haar voicemail terug te horen. Als Alex hem ook had, hadden ze er vast van alles en nog wat op gedaan... Maar ik verzamelde al mijn enthousiasme om haar te zeggen dat ze moest doorzetten, en ik voegde eraan toe dat als het voorschot er eenmaal was, ik waanzinnig zou uitkijken dat ik niet te veel zou uitgeven aan nieuwe apparatuur, zodat er nog wat overbleef om rustig aan te kunnen doen. Toen ik ophing toetste ik meteen het nummer van de spraakcomputer van mijn bank in. Zomaar, om te kijken. 'Toets een sterretje.' Ja ja, toets een sterretje om te horen dat je nog vijftien piek hebt. En shit, daar was het: 'HET SALDO VAN UW REKENING WAS VANOCHTEND HONDERDDUIZEND TWEEËNVEERTIG FRANC.'

'PALLAS!' riep ik meteen toen ik ophing. 'PALLAS!'

Ik stormde de gang op om op haar deur te kloppen. Geen antwoord. Toen ik me herinnerde dat ze waarschijnlijk retelaat thuis was gekomen van haar verjaardag, draaide ik de deurknop zo zacht mogelijk om. De kamer baadde in het licht, het bed was onbeslapen. Ik ging terug naar mijn kamer om haar mobiel te bellen. Hij ging even over en toen werd de voicemail ingeschakeld.

'Verdomme, ik weet niet waar je bent, maar je moet wakker worden! Ik heb mijn voorschot binnen! Ik heb mijn voorschot ontvangen! Dus ik ren naar de bank en bel je weer uit een cel om te kijken waar we kunnen afspreken!'

Toen belde ik weer naar Inès' mobieltje: 'Het is zover! We zijn rijk! Bel me zodra je klaar bent, dan kom ik je met een limousine ophalen!'

Toen belde ik naar Jessie, maar kreeg het antwoordapparaat, en ik hing op om haar mobiel te bellen, maar daar kreeg ik ook de voicemail. 'Shit, Jessie, ik heb mijn voorschot! Ik kan een G4 kopen!'

Toen belde ik naar Eva's huis, want in de winkel mocht ze geen telefoontjes ontvangen: 'Shit, ik heb mijn voorschot! Ik zal je provisie omhoog laten gaan, houden die stomme zakken tenminste hun bek eens!'

Ik brandde natuurlijk van verlangen om Alex te bellen, maar dat kon ik niet doen, dat wist ik ook wel. Ik toetste weer het nummer van Pallas in en deze keer nam ze op, ijzig.

'Heb je mijn bericht gekregen?' vroeg ik. Ik kon er niet bij dat ze zo'n toon aansloeg terwijl ze op de hoogte was van het nieuws.

'Ja,' zei ze, 'dat werd tijd.'

Ik ging er niet op in.

'Waar zien we elkaar dan?'

'We zien elkaar niet, ik kom later wel langs.'

'Wanneer dan?'

'Later, zeg ik je toch.'

'Nou goed, dan ren ik naar de bank.'

In de taxi die me naar de bank bracht, was ik perplex over het feit dat Pallas helemaal niet had gereageerd. Ik herinnerde me hoe hysterisch ze werd aan de telefoon toen ik haar had verteld dat ik eindelijk het contract had ontvangen... Ze nam het me vast echt kwalijk dat ik niet naar de Pulp was gekomen, maar als ze de bankbiljetten zou zien zou alles in orde komen. Na de bank zou ik Nikki bellen om het precieze adres van die winkel van hem bij Beaubourg te vragen, ik zou eindelijk mijn seventies-spullen hebben!

Het was echt mijn geluksdag. Ik vond een zwartfluwelen getailleerd jasje met een split van achteren, en een schitterende paarse blouse, precies strak genoeg. Ik zag er ook nog een paar die te groot waren maar die Inès misschien zouden passen, alleen was het beter dat ze zelf iets uitkoos. Daarna kwam ik terecht bij een andere tweedehandszaak, die zo te zien net open was en nog meer seventies was, en daar vond ik een paar ongelooflijke laarzen van exact mijn maat. Geen Annelio & Davide, maar net zo gaaf, met een rits en hakken van tien centimeter – meer moest ik niet hebben, anders werd ik te groot. En toen ik tot slot langs een antiekzaakje in de rue du Temple liep, zag ik iets waar ik nog het meest warm voor liep: een clubfauteuiltje voor Inès.

Nu stond ik op straat, en ondanks mijn tassen en mijn stoel had ik zin om overal heen te gaan. Naar de Fnac om een hele zooi platen te kopen voor Inès, en daarna de hele rue Etienne Marcel. Maar daarvoor moest ik op Pallas wachten. Dan zou ik zeker bij Colette terechtkomen, maar voor één keer had ik het geld ervoor!

## 5

Het lichtje van mijn antwoordapparaat gaf aan dat er één bericht was. Ik liet mijn tassen vallen om er op mijn knieën voor te gaan zitten, ik drukte op 'rewind', en toen ik zag dat het een lang bericht was, drukte ik op 'play' om alvast te horen wie het was: '...wat je ook doet,' zei Inès' stem, 'ik neem aan...' Ik drukte op stop. Het is zover, ze heeft het uitgemaakt met Alex... Ik staarde voor me uit, me afvragend of ik het eng vond, maar nee, het vervulde me juist met een enorm gevoel van opluchting. Ik trok mijn spijkerjack uit en stak een sigaret op voordat ik het bericht terugspoelde naar het begin.

'Hallo, dit is Inès. Oké, nou, ik heb een paar keer geprobeerd te bellen, maar je bent er niet... Dus, het is zo dat... nou ja, ik hou van je, ik geloof dat ik dat niet kan ontkennen... maar het is zo dat ik ook van Alex hou... ergens... ik weet niet... en ik kan niet... en dat ik liever heb dat we elkaar niet meer zien... dat we niet meer bellen.. niks... Het spijt me... ik denk dat ik ook een vreselijke tijd zal doormaken... maar ik kan het niet... Ik kan het niet, ik kan niet, ik kan niet... Ik ben wel een lafbek, ik ben wat je maar wil... ik ben zelfs een stomme trut, absoluut, ergens, maar ik kan het niet, en... nou ja... Dus die kaart, doe er maar mee wat je wil, je kan hem laten zien, of je laat hem niet zien, wat je ook doet, ik neem aan... Zo dus... het spijt me dat ik dit op een antwoordapparaat inspreek... maar het moest eruit... En ik denk dat je nooit meer met me wil praten en dat nou ja... en dat oké, maar...' en toen werd het afgebroken.

Natuurlijk toetste ik meteen het nummer van haar mobiele telefoon in. Hij ging over. Mijn hart sprong op in mijn borstkas. Ze antwoordde met een heel klein stemmetje.

'Ik ben het, hang alsjeblieft niet op.'

'Luister...'

'Meende je wat je allemaal hebt gezegd?'

'Ja, dat weet je heus wel. Ik moet ophangen, ik heb nog een examen dat zo begint.'

'Inès, ik smeek je.'

'Ik moet er nu heen.'

'Verdomme, maar ik heb net mijn voorschot gekregen!'

'Kusje.'

Ik probeerde haar meteen weer te bellen maar ze had hem op de voicemail gezet. Ik wilde net iets zeggen toen de voordeur openging. Ik hing weer op om op te staan. Daar stond Pallas met haar tassen.

'Ze heeft het uitgemaakt,' bracht ik uit terwijl ik in snikken uitbarstte.

Pallas stond in de deuropening met een vreemde uitdrukking op haar gezicht.

'Ze heeft het uitgemaakt,' herhaalde ik terwijl ik naar haar toe liep en mijn armen om haar heen sloeg.

Uiteindelijk kroop een van haar handen omhoog langs mijn rug, maar ik liep onmiddellijk weg. De kamer was niet groot genoeg om erin te verdwijnen. Ik moest overgeven. Ik wilde het niet geloven, maar ik wist dat wat er gebeurde definitief was.

'Blijft dat zo doorgaan?' zei de ijzige stem van Pallas ineens.

Wezenloos draaide ik me om. Een grijns van louter minachting krulde haar mondhoeken op.

'Nee, want dit kan gewoon niet,' voegde ze eraan toe.

Ik veegde langzaam mijn ogen af met de rug van mijn hand.

'Mag ik alsjeblieft nog vijf minuten verliefd zijn?' vroeg ik verbijsterd.

'Hou toch op, je denkt echt dat de mensen niet goed bij hun hoofd zijn.'

'Pardon?'

'Je weet toch best dat jullie niet verliefd waren!'

'O nee? En wat waren we dán?'

'Jullie waren toch helemaal niets! Ze was echt niet van plan bij Alex weg te gaan om jou! Kom nou toch, moet je jezelf zien! Je bent niet bekend, je hebt geen rooie cent – nou ja, je hebt dat voorschot, maar het is nog maar de vraag hoe je daaraan bent gekomen –, je muziek is waardeloos en zelf ben je belachelijk met je jaren-zeventigrevival voor een habbekrats!'

Ze stond me gewoon uit te lachen.

'Echt,' ging ze verder, 'Alex heeft geld, een auto, guest lists, een sportleraar aan huis, een huis in het zuiden! Kijk naar jezelf! Zou jij iemand als zij verlaten voor iemand als jij? Zielenpoot, ik heb echt medelijden met je!'

'En dít dan?' zei ik en zwaaide met de ansichtkaart voor haar neus.

'Ja ja,' bromde Pallas en duwde hem weg met haar hand. 'Ze heeft me verteld over die passage uit het boek die ze heeft overgeschreven.'

'Wat? Heb je haar gesproken?'

'Ja natuurlijk, ik heb haar zelfs gezien! Ik was jarig, weet je nog! Dacht je dat ze me niet zou feliciteren alleen om jou een plezier te doen?'

Het was niet waar, het was geen passage van Ellroy, het was alleen maar van dezelfde strekking. Ik vouwde de kaart dubbel en stak hem in mijn kontzak.

'We zijn badpakken voor haar gaan zoeken voor de vakantie! Alex gaat in Montpellier mixen met Aphex Twin, je dacht toch niet dat ze dat zou laten lopen? En weet je wat ze zegt? Ze zegt dat je gestoord bent, dat je hebt geprobeerd haar te wurgen en dat ze sowieso de hele tijd moest doen alsof, zo slecht ben je! Ik moest ook doen alsof, wat dacht je?'

Ik deed mijn mond open, ontdekte dat ik geen woord kon uitbrengen en deed hem weer dicht. Terwijl ik langs Pallas liep, haalde ik tienduizend franc uit mijn zak en liet het bundeltje voor haar voeten neervallen.

## 6

'Wat is er toch gebeurd?' herhaalde ik. Ik zat rechtop op de bank bij Jessie, een waas van tranen voor mijn ogen.

'Ik weet het niet,' zuchtte Jessie. 'Alles wat ik weet is dat ze gisteravond ruzie hadden aan de telefoon, en dat Alex het uit heeft gemaakt. Dus misschien zit Inès in de put?'

'Wat was de aanleiding dan?' vroeg ik en haalde mijn neus op.

'Dat weet ik niet zo goed, maar in ieder geval wist Alex van jullie tweeën. Toen Inès eergisteravond bij jou was, kreeg Alex haar moeder aan de telefoon en die zei dat ze bij ene Louise was gaan logeren. Er zijn geen tienduizend Louises.'

'Maar waarom heb je me dat niet eerder verteld?'

'Ik wist het pas vandaag. In ieder geval heeft Alex wraak genomen door dat mokkel te versieren op wie ze kickte.'

'Hè?'

'Nu staan ze gewoon weer quitte.'

'En weet Inès ervan?'

'Weet ik niet. Maar het is niet aan jou om het tegen haar te zeggen.'

'Dat ga ik wel doen!' antwoordde ik terwijl ik opstond.

'Stop!' zei Jessie en strekte haar arm uit om me tegen te houden. 'Ik had het niet tegen je moeten zeggen.'

'Verdomme, je begrijpt het niet, hè! Inès is weggegaan omdat ze denkt dat ze nog steeds van Alex houdt, maar als ze hierachter komt...'

'Nee,' antwoordde Jessie meteen, 'dat zal geen bal uitmaken. Oké, moet je horen, als je alles wilt weten: Alex zegt dat ze dit vanaf het begin heeft zien aankomen en dat het haar goed uitkwam dat Inès het met jou zou aanleggen, want zo zou zij die ander kunnen versieren. Alleen begon Inès haar de keel uit te hangen toen ze de indruk wekte dat het serieus was en zo, dus Alex heeft gedaan alsof ze het uitmaakte om haar tot bedaren te brengen.'

'Maar sinds wanneer weet je dat?' vroeg ik, bijna naar adem happend.

Jessie slaakte een lange zucht.

'Hoor eens, ik heb geprobeerd je te waarschuwen, maar je wilde nergens van weten. Inès is niet de kleine heilige die jij denkt. Ze draait zwaar op coke op dit moment, de afgelopen maand zat ze iedere dag aan de heroïne.'

Vol afschuw sloeg ik mijn ogen op.

'Ach ja,' zuchtte Jessie, 'ze is met Alex, hè, dat is niet voor niets. Die twee hebben elkaar wel gevonden.'

# X

# Steribox en McMorning

## I

Toen ik met opgetrokken knieën wakker werd op de bank van Jessie, was de pijn er al. Het was lang geleden dat het me was overkomen, maar als je het één keer hebt meegemaakt, vergeet je het nooit meer. Die pijn was er al nog voor ik mijn ogen opendeed. Hij verdween niet in de loop van de nacht en werd ook niet minder. Hij ging gewoon samen met het lichaam en de hersens in de pauzestand, en achtte het vervolgens zijn plicht om eerder dan die twee weer tot leven te komen om me er meteen bij het wakker worden aan te herinneren hoe de zaak ervoor stond. Er was geen manier om eraan te ontsnappen. Ik kreeg zelfs niet een paar seconden respijt. Waar ik ook zou indommelen, zodra ik mijn ogen opendeed op een bed, een bank, in een kamer waar Inès niet was, zouden de tranen opwellen en de knoop weer in mijn keel gaan zitten. Mijn hele lichaam zou beginnen te schreeuwen en in de spiraal van het gemis terugkeren, terwijl de dag nog maar net was begonnen. In een volgende fase – een week, misschien twee – zouden mijn uitgeputte hersens erin slagen die eerste aanval heel even te pareren met een paar bewegingen, een paar gedachten, voordat het me weer zou overmeesteren. Voorlopig hoefde ik mijn ogen nauwelijks open te doen of ik was me er al van bewust dat de pijn er nog was. Hij was er echt en zou blijven komen. Het was niet zozeer de pijn zelf die angstaanjagend was, als wel de paniek. Die onmetelijke duizeling waardoor de afwezigheid, in een fractie van een seconde, muren vaneen deed wijken en de bodem onder je voeten deed wegvallen, terwijl het gemis alles opslokte, tot en met het laatste ademstootje. Ik ging zitten om mijn gympen te pakken, en veegde met mijn hand mijn wangen af.

'Goeiemorgen,' zei een mannenstem achter me.

Ik draaide mijn hoofd iets om en ontdekte een kaalgeschoren jongen met een rood T-shirt van het label Prozak.

'Jessie is croissants halen, ze komt zo weer boven.'

'Bedankt,' mompelde ik en haalde mijn neus op.

Ik schoot mijn gympen aan, strikte de veters vast en stond op, terwijl ik mijn sigaretten en zonnebril opraapte.

'Wacht je niet op haar?' vroeg de jongen, verbaasd dat hij me mijn spijkerjack zag aantrekken.

'Zeg maar dat ik terugkom, ik ben zo terug.'

Buiten miezerde het. Ik zette mijn zonnebril op, keek in beide richtingen de straat af, maar Jessie was nergens te bekennen. Ik aarzelde niet over wat ik van plan was, ik vroeg me alleen af waar ik heen zou gaan. Bij de dealer van Alex kon ik niet zonder haar komen aanzetten. Op het fantastische oude adresje van Nikki bij Goncourt zou ik nog steeds terecht kunnen maar dan moest ik een dag van tevoren waarschuwen. En die kerel naar wie ik de laatste keer was gegaan, achter Beaubourg, had altijd alleen maar smerig bruin. Maar goed, het was vlakbij en ik kende zijn nummer nog uit mijn hoofd. Soms hebben dealers zulke makkelijk te onthouden nummers dat je je afvraagt of ze geen deal met de telefoonmaatschappijen hebben gesloten.

De beste telefooncel was die bij de dierenfontein. De ramen van de dealer keken erop uit en de open gordijnen waren het teken dat het veilig was je aanwezigheid kenbaar te maken. Er stonden vier mensen in de rij. Op iemands pols ontcijferde ik de tijd: kwart voor elf, en ik besloot om eerst een McMorning te gaan halen, nu de gelegenheid zich eens een keer voordeed! McDonald's is de beste plek van de wereld om naartoe te gaan als je honger hebt, alleen weet inmiddels iedereen dat: of het nu tien uur 's ochtends of vier uur 's middags is, er staan altijd onwaarschijnlijke rijen. Het was pas tien voor elf toen ik de deur openduwde van de McDonald's op de place Saint-Opportune, maar de enige twee geopende kassa's werden al bestormd door zo'n dertig types in gele regenkleding die met elkaar aan het overleggen waren, in het Duits of zoiets. Ik voorzag dat ze minstens tien minuten nodig zouden hebben. Ik glipte naar voren naar de caissière, een blondine met een ordinair pruilmondje, en vroeg vriendelijk of ik even voor mocht gaan, ik wist wat ik wilde en het zou maar heel even duren. 'O nee, mevrouw,' zei ze, 'al die mensen zijn voor u.' Dank je wel, trut, dat had ik nog niet gezien. Nu ik eenmaal mijn mond had opengedaan, kwam ik terug in de werkelijkheid die me omringde en werd ik bestookt door allerlei beelden; ik moest de hele tijd mijn wangen afvegen, en door de knoop die mijn keel weer totaal in beslag had genomen had ik helemaal geen trek meer. Toen ik eindelijk aan de beurt was, glimlachte die trut niet eens ter compensatie. Ik weet niet of het de zonnebril was die haar irriteerde of gewoon de veronderstelling dat ik al vakantie had terwijl zij de hele maand juli en augustus in die vette baklucht zou staan sloven, maar er kon goddomme geen goeiemorgen of iets van af. Ze stond alleen maar op mijn bestelling te wachten alsof ze straalbezopen was. Ik bestelde een zoete McMorning met een cola in plaats van iets warms. Ze draaide zich om naar de keuken: 'Hé Momo, het is toch te laat voor de McMornings?' 'Ja, die doen we niet meer.'

Ik haalde diep adem.

'Hoor eens, ik kom al maandenlang iedere keer te laat, en nu was ik een keer op tijd, het komt gewoon omdat ik tien minuten in de rij moest staan.'

'Ja, nou ja, mevrouw, ik kan er ook niks aan doen.'

'Heeft u *Falling Down* gezien?'

Ze keek me volslagen debiel aan.

'Nou, als je die gezien had, had je wel beter geweten,' mompelde ik en maakte rechtsomkeert.

Buiten miezerde het nog steeds. Ze zou het zich wel herinneren, ja, Michael Douglas die dreigde zijn patroonhouder leeg te schieten op het meisje dat hem geen ontbijt wilde serveren omdat het één over elf was... Als ik dezelfde uitrusting had gehad als hij, zou ik niet hebben geaarzeld. Wat was het nou voor moeite de hele dag McMornings te serveren als wij daar gewoon zin in hadden? In een goot sloeg een heel klein hondje wanhopig zijn ogen op naar zijn bazin terwijl hij moeizaam een grote gele drol draaide. Ik zei bij mezelf dat dat nou een 'hondenleven' moest zijn: geel schijten waar iedereen bij is zonder de mogelijkheid te hebben een tablet op te lossen om je maag te verlichten. De eerste apotheek een eindje verderop liet ik nog even links liggen. Als ik de outfit van die goeie ouwe Michael had gehad, had ik ook niet geaarzeld om de etalages van alle apotheken in het land die weigeren Steribox te verkopen, te verbouwen. Waar was het goed voor om een setje voor de ideale junk te maken als negen van de tien apotheken weigerden het in voorraad te nemen? Het was net als met insulinespuiten die per stuk werden verkocht. Waarom voelden ze zich altijd verplicht te treuzelen voordat ze je die gaven, waarbij ze soms zelfs zover gingen dat ze naar achteren liepen om de indruk te wekken dat ze de smerissen belden? Wie dachten ze te ontmoedigen? Ze waren alleen maar tijd aan het verspillen. Slechte psychologische tactiek bovendien: hoe minder je een junk aan z'n kop zeurt, hoe minder je de zenuwpees die in hem sluimert wakker maakt. De apotheek waar ik naar binnen stapte ging zover dat ze doosjes Néocodion per drie stuks leverden. Echte solidariteit, of geen andere keus gezien de mafketels die in de buurt rondhingen? In ieder geval was het cool van ze. Ik voelde me altijd een beetje lullig als ik hardop om een Steribox moest vragen waar andere klanten bij stonden, ook al kenden die het meestal niet. Deze apotheker was jong en deed de doos in een tasje; dat was weer eens wat anders dan degenen die het over de toonbank schoven alsof ze bang waren vieze handen te krijgen.

Toen ik weer bij de telefooncel bij de fontein kwam, stond er geen rij meer, binnen waren alleen twee dikke meisjes. Vreemde gasten, die telefooncelbellers. Sommigen zag je de ene na de andere advertentie in de kolommen van een eindeloze krantenpagina bellen en zelfs de tijd nemen om aan een sandwich te beginnen voordat ze eindelijk ophingen. Wonderlijk dat er nooit moorden werden gepleegd in de wereld van de telefooncellen. Je zou een soort speciale militie moeten hebben, of een hijskraan die vasthaakte aan het dak van de cel, die op zou tillen en die klootzak van een beller over de stoep zou sleuren opdat hij zich flink zou schamen voor alle voorbijgangers om dan in een loods te belanden waar een tribunaal zitting hield ter inprenting van het collectieve geweten, waarbij akelige beelden à la *Clockwork Orange* werden vertoond. De twee in de telefooncel, Engelsen aan hun accent te horen, waren van het tussenras, ze hadden geen haast om eruit te komen maar lachten uitgebreid naar me om zich te verontschuldigen. Zij deden geen advertentiekolommen, maar hun complete adresboekje. Ze praatten om beurten en herhaalden hetzelfde bij iedere nieuwe gesprekspartner: 'We zijn in Parijs! Ja, Parijs in Frankrijk! En we staan voor een fontein met een olifant! Ja, een olifant met een slurf! Nee, het regent! En jullie, wat voor weer is het bij jullie?' Kom op, meiden, dacht ik terwijl ik toch ook moest glimlachen, koop ansichtkaarten en hoepel op... Ten slotte ging ik terug naar de rue Saint-Denis, op zoek naar een sjaaltje om mijn arm af te binden.

De dealer wist niet meer wie ik was. Ik probeerde uit de telefooncel te komen zodat hij me vanuit zijn raam kon zien. Hij was vooral stomverbaasd dat ik hem op dat nummer belde. Het duurde even voordat ik doorhad dat hij sinds een jaar net als iedereen een mobiele telefoon had, en dat die lijn waarschijnlijk alleen nog maar gebruikt werd door zijn moeder die hem een keer per maand belde om te zien of hij niets nodig had. Het is vervelend om met een dealer over de telefoon te praten, vooral als je hem al lang niet hebt gesproken en niet weet welke nieuwe code hij gebruikt.

'Snap je,' herhaalde ik, 'ik dacht bij mezelf dat ik wel even een uurtje bij je langs kon komen.'

'Een uur?'

'Ja, inderdaad, gewoon een uur.'

'Een uur?'

'Ja, een uur.'

'Wil je een uur lang hier komen?'

'Ja, een uur. Niet een kwartier, niet een half uur, een uur.'

'O, een uur...'

Oké? Een gram? Snap je hem, druiloor?

In zijn huiskamer zat al een meisje op de bank. Een fletse blondine à la Gwyneth Paltrow, van het slag jonge mannequin die net is aangekomen uit haar geboorteland Estland, bleek en onnozel als een kalf dat uit de stal komt. Terwijl ik naast haar zat te wachten, vroeg ik me af of die vent haar de vorige avond in de disco had opgepikt, of dat ze via haar agent aan zijn adres was gekomen, tegelijk met de lijst *go and sees* voor overdag... Haar ogen waren strak op MCM gericht, waarop 'Dieu m'a donné la foi' van Ophélie Winter te zien was. Goddank was het niet Britney Spears – dat viel nog mee –, maar het meisje bewoog zacht haar hoofd op en neer op het ritme terwijl ze nog zachter de woorden meeneuriede. Het was zo surrealistisch haar op die kokette choreografie te zien trippen dat ik de neiging kreeg om 'Ophélia! Don't worria!' te roepen. De dealer maakte me duidelijk dat ik naar de andere kamer moest komen. Normaal gesproken betekende dat dat je een betere dienstverlening kreeg dan de anderen, maar nu was het waarschijnlijk gewoon iets flirterigs, een abnormale reactie van die stomme eikel die door een frisse meid even vergat wie hij was, namelijk een drugsverkoper bij wie je alleen maar langskwam om drugs te kopen. Ik had me trouwens beledigd kunnen voelen omdat hij bij mij niet eens probeerde zich beter voor te doen, maar ik straalde te veel noodgeval uit, ik was maar een doorzichtig wezen dat om haar dosis kwam bedelen. Ik zei dat ik het spul wilde zien voordat ik betaalde. Hij antwoordde dat ik strontvervelend was, dat hij geen tijd had, maar toch begon hij het pakje open te maken. Mooi bruin bruin, geen twijfel mogelijk.

'Oké,' zei ik, 'ik koop een kwart gram van je om het uit te proberen en als het goeie is, neem ik een gram.'

'Ik doe niet aan kwart grammen,' antwoordde hij koel.

'Nou oké, jammer dan, tot ziens,' riep ik en deed alsof ik ervandoor ging.

'Oké, goed,' kwam eruit, 'maar dan moet je naar de badkamer en niet blijven hangen.'

Wat dacht-ie wel niet? Dat ik van plan was hier een overdosis te nemen?

Ik ging in kleermakerszit op de tegelvloer zitten, met mijn rug tegen de badkuip en handen die een beetje trilden. Maar met die handelingen is het net als met fietsen, je verleert ze niet, je zit heel even te klooien en dan valt alles op zijn plek. Ik moest naar de wc, door de gebruikelijke opwinding vermengd met angst toen ik de geur rook van de poeder die warm werd. De Steribox was absoluut de uitvinding van de eeuw: twee spuiten, twee flesjes gedistilleerd water en twee alcoholkompressen om schoon te maken, als bij een mooie, helemaal cleane bloedafname, alleen nu zat er iets nieuws bij: nog een vacuümzakje waarop 'Stericup' stond en waarin een lepeltje bleek te zitten. Maar niet zomaar een lepeltje. Een piepklein roestvrijstalen bakje dat je bijna zou verwarren met een campingketeltje. Ik las de instructies op het plastic en toen begon ik gewoon te hallucineren: door de dop van de spuit te halen en die vast te maken aan de lepel kreeg je een handvat om te voorkomen dat je je brandde! Er was ook een nieuw vierkant stukje watten om 'het bloeden te stelpen'. Ze waren niet goed bij hun hoofd, we speelden niet met poppen... 'Steribox 2' heette het. Nou, kijk eens aan, zelfs Steribox kende generaties. Het was waardeloos, dat ding, het doosje was zo groot dat je sowieso alles naar je zakken moest overhevelen. En wat had het trouwens voor zin om er één kapotje in te stoppen terwijl de rest allemaal dubbel was? Had je maar tijd om één keer te neuken voordat je doodging? Met een handige beweging wond ik de sjaal om mijn arm en zette mijn zonnebril op mijn voorhoofd om te zien wat ik deed. Met de uiteinden van de sjaal tussen mijn tanden geklemd prikte ik in een mooie blauwe ader in de vouw van mijn arm. Het stak een beetje maar God wat was het lekker. Het zweet drupte in mijn ogen. Ik liet een beetje bloed opkomen om er zeker van te zijn dat ik in de ader zat, maakte toen de sjaal los en begon te spuiten. 'Hoe zou ik tegen je kunnen liegen als je zo naar me kijkt?' De hele afgelopen maand aan de heroïne... het kon niet waar zijn, het was iets wat mijn hersens weigerden te registreren. Ik trok mijn arm in en liet mijn hoofd naar achteren leunen tegen de badkuip. De golf van warmte verspreidde zich. Ik stak een sigaret op, en met langzame, rustige bewegingen begon ik de spullen op te rapen die tussen mijn benen op de grond verspreid lagen.

2

Hoe lang ik bij Jessie ook op de deur klopte, ik hoorde heus wel dat er binnen geen enkel geluid was. Ik wilde niet terug naar huis. Misschien had ik op het moment zelf niet geweten hoe te reageren, maar nu ik niet meer in schoktoestand verkeerde, voelde ik onversneden geweld opkomen, een onbedwingbare neiging om het hoofd van Pallas tegen een muur te knallen. De grote stenen traptreden strekten hun armen naar me uit. Stevig en omhullend riepen ze zachtjes mijn lichaam, dat niets liever wilde dan zich klein maken. Dat deed ik dus, ik kroop weg in een hoekje van de op één na laatste tree en sloeg mijn armen om mijn knieën om mijn kin erop te laten rusten. Ik was er trots op dat ik Inès nog niet had gebeld. Ik wist dat ik dat uiteindelijk wel zou doen, maar ik deed mijn best om dat moment zo ver mogelijk voor me uit te schuiven. Als er een kans van één op de miljoen was dat ze me miste, moest ik die niet verknallen door onophoudelijk te bellen. Toch zou ik, verloren in de onmetelijkheid van dat trappenhuis, alles hebben gegeven om haar stem te horen. Om haar tegen me te horen zeggen: rustig maar, ik ga erover nadenken. Alleen dat zou me al met een wonderbaarlijke kracht vervullen, met een soort rust die haar misschien aan het twijfelen zou brengen. En wie weet, als ik het lang genoeg volhield zou ze misschien ten slotte aanbellen en zeggen het gaat niet, ik kan niet zonder jou... Ik zou er alles voor hebben gegeven. Mijn honderdduizend franc, mijn apparatuur, mijn platen, alles. Mijn hand ging werktuiglijk omhoog om de knoop van de zak van mijn spijkerjack los te maken. Ik wist dat het een beroerde wending betekende als ik ook al hier op een trap ging spuiten, alsof ik tien jaar terug was in de tijd, maar wat kon ik eraan doen? Alles wat ik kon doen was regelmatig een nieuw laagje aanbrengen en onderwijl een beetje kracht opdoen om de zaak het hoofd te bieden. Ik had nog genoeg over, uiteindelijk had ik twee gram genomen. Het ergste, bedacht ik terwijl ik het spul verwarmde en ondertussen luisterde naar de stilte in het gebouw, was dat als er iemand te voorschijn zou komen die zei dat hij iets had waardoor je helemaal niet meer hoefde te denken, ik misschien niet nee zou hebben gezegd... En dat maakte me woedend, terwijl het trappenhuis in de mist vervaagde. Omdat het tussen ons om het leven ging. Leven zoals we daar nog nooit de gelegenheid voor hadden gehad. De hele afgelopen maand aan de heroïne...

Inès verscheen, ze kwam de trap op met één hand aan de leuning. In de andere had ze een grote bloem. 'Kijk,' zei ze terwijl ze naast me ging zitten, 'het is een iris.' Terwijl ik de stengel voorzichtig aanpakte, voelde ik meteen het sap langzaam opstijgen, die oneindig kleine trillingen van plantaardige energie. 'Kijk,' zei ze weer terwijl ze haar handen om de mijne sloot. De bovenste knopjes waren zo wit als heel dun porselein, nauwelijks zichtbaar geaderd in de lengte. Ik kon die nerven niet met mijn vinger voelen, maar door mijn lippen er voorzichtig naar toe te brengen en ze aan te raken kon ik het heerlijk subtiele reliëf gewaarworden. 'Kijk,' ging Inès verder, terwijl ze met een vinger de onderste bloemblaadjes aanwees die zich naar opzij openvouwden. Ze waren van een kleur blauw die naar paars neigde en bestonden uit nerven die zo dicht op elkaar lagen dat het wel een microvacht leek, net als de textuur van de vleugels van een vlinder. De bloembodem bestond uit getijgerde blaadjes, en in het midden torenden de geslachtsknoppen omhoog. 'Kijk,' vervolgde Inès, terwijl ze mijn vinger pakte zodat ik ze kon volgen. Ze waren bijna doorzichtig, hun kern als het ware bedekt met bevroren, berijpte haren. 'Deze bloem,' fluisterde Inès terwijl ze mijn handen weer met de hare omvatte, 'is precies wat jij en ik samen voelen: de absolute schoonheid,' en ze bracht hem langzaam naar mijn gezicht zodat ik eraan kon ruiken. Normaal gesproken geven irissen een soort groene, frisse, subtiele geur af, die naarmate je iets dieper inademt zoet wordt, en vervolgens steeds zoeter wordt, als een vrucht die uit elkaar is gebarsten, tot hij je neus intens verzadigt. Maar deze had geen geur. Zelfs niet van kunststof. Want dat was hij plotseling geworden toen alleen mijn handen er nog maar waren om hem vast te houden: een plastic bloem. Inès, die nog steeds naast me zat, keek nu ergens anders heen, naar de ramen die baadden in het licht. Ik bracht mijn vingers dichterbij om haar wang te strelen, maar haar huid begon te smelten, droop dik, wit en stroperig naar beneden, net als verf die je in een emmer giet. Toen ik mijn ogen opendeed zag ik een hijgende hond die me overal likte.

'Flut, hou op! Waar was je naartoe? Zit je hier al lang?'

Ik legde onopvallend mijn jasje tussen mijn voeten om de spullen te bedekken die er nog steeds slingerden en stopte alles weer in mijn zak terwijl Jessie de deur opendeed en me met moeite overeind hielp om me op mijn beurt naar binnen te laten gaan.

‘Ik ben naar een nieuwe platenzaak geweest,’ riep Jessie terwijl ze naar de keuken liep, ‘en de verkoper had er echt geen bal verstand van. Ik had zin om tegen hem te zeggen: flikker toch op, eikel, ga toch naar de Fnac naar de aanbiedingen van de week luisteren!’

Ik liet me op een van de banken vallen en zette mijn zonnebril af om hem schoon te vegen met de onderkant van mijn T-shirt.

‘Pak maar als je wilt,’ zei Jessie en wees naar de salontafel waarop een blad stond met croissants en potten jam.

‘Ik heb geen honger,’ antwoordde ik en vouwde de poten van mijn bril om hem op tafel te leggen.

Jessie boog zich voorover om me goed in de ogen te kijken.

‘Aha, ja, oké...’ zei ze. ‘Jezus, jij begint vroeg. Het is toch wel goeie?’

Ik keek haar met een vragende, verraste blik aan. Kijk aan, nog een die gebruikt...

‘Kan ik nog even blijven?’ vroeg ik.

‘Je kan zo lang blijven als je wilt,’ antwoordde ze en glimlachte naar me; ze leek oprecht bedroefd.

‘En eh... kan ik hier bellen?’

‘Ze is er niet,’ zuchtte Jessie, ‘ze doet nu eindexamen.’

Haar eindexamen, dat is waar ook...

‘Shit, ik kom er niet uit, ik kom er verdomme niet uit!’ en ik drukte mijn handpalmen tegen mijn oogleden.

Jessie ging zitten.

‘Wel waar,’ zei ze en begon energiek mijn rug te masseren. ‘We vinden wel een andere voor je, een echt snoezepoesje, eentje alleen maar voor jou.’

Maar ik wil geen andere! had ik zin om te schreeuwen. Alleen waren dat dingen die je wel heel hard kon denken, maar niet kon zeggen tegen een meisje van vijfentwintig als je zelf de eenendertig gepasseerd was.

’Kan ik de badkamer gebruiken?’ vroeg ik en haalde mijn neus op.

‘Wil je niet even wachten voordat je weer begint?’

Ik schudde nee.

‘Nou, ga dan maar,’ zuchtte Jessie, ‘maar laat de deur open.’

Ik vond het heel vreemd om te zien dat ze zich zorgen maakte dat ik een overdosis of zo zou nemen. Maar niet omdat ze bezorgdheid toonde terwijl we elkaar nog zo slecht kenden. Nee, wat me schokte was dat als ze geweigerd had, ik ergens anders heen zou zijn gegaan, dat was alles. Niets of niemand had nog greep op mij. En dat joeg me de stuipen op het lijf.

## 3

'Hoe voel je je?'

'Klote,' antwoordde ik terwijl ik moeizaam opstond.

Toen ik merkte dat ik nog steeds bij Jessie was, kwamen de tranen weer. De videorecorder gaf 17.35 uur aan. Ik had bijna de hele middag op de bank geslapen en zou daarmee zijn doorgegaan als de deur niet was dichtgeknald.

'Kijk, dit heb ik te pakken gekregen,' zei Jessie terwijl ze een cassette in de videorecorder schoof. 'Het is een mix die ik voor MCM heb gemaakt, hij was afgelopen weekend op tv, die stomme klootzakken hebben me niet eens gewaarschuwd. Heb jij het toevallig gezien?'

Ik schudde nee terwijl ik me uitrekte. Toen stak ik een sigaret op en begon mijn spullen, die duidelijk zichtbaar op de salontafel slingerden, bij elkaar te rapen. Jessie deed alsof ze het niet zag. Op het scherm verscheen haar silhouet dat over draaitafels gebogen was in de studio's van MCM. Techno uit Detroit, zoals gewoonlijk, maar de visuals die zich aaneen begonnen te rijgen waren ronduit bullshit. Armzalige fluorescerende computergestuurde beelden die rond haar negatief geprojecteerde lichaam kronkelden, met zoomeffecten in het ritme van de muziek en idiote slowmotionopnamen van haar handen die bezig waren de platen stil te zetten. Het was een beetje 'we versieren het schilderij wat voor u, anders zal u het wel strontvervelend vinden'. Als ze het strontvervelend vonden, waarom maakten ze zichzelf dan het leven zuur door deejays te filmen? Het was vreemd, die muziek. Ik hoefde maar een ritme boven de 110 te horen en ik kreeg zin om uit te gaan. Me aankleden voor een spiegel, in een danstent belanden, een snel rondje maken om iedereen dag te zeggen en dan ertegenaan. Me gewoon tegen de cabine plakken en me mee laten slepen... Zou ik hetzelfde kunnen zeggen van een nummer van de Stones? Neuh, 'Gimme shelter'... daarvan kreeg ik zin om over straat te lopen met een groepje jongens in fantastische kleren... Net zo goed. Maar anders. Moest je echt kiezen?

'Kan ik even bellen?' vroeg ik.

'Moet je horen, ik heb een voorstel: we gaan naar een film kijken, en als je over twee uur nog steeds zin hebt om te bellen, nou dan doe je dat.'

'Wat maakt dat voor verschil?'

'Hoor eens, ze is nog niet eens thuis, en anders komt ze daar net aan en dan baalt ze.'

Ik keek een andere kant op.

'Nee, echt,' ging Jessie verder terwijl ze neerhurkte voor een flight-case waaruit ze platen begon te halen, 'ik heb haar net gezien en geloof me, je zou haar uit je hoofd moeten zetten.'

'Heb je haar gezien?'

'Ja,' vervolgde Jessie terwijl ze onder in de flight-case wroette voordat ze de platen er weer in deed. 'Ze heeft me gebeld om koffie te gaan drinken, het was hier vlakbij, haar examen.'

Hier vlakbij... Jessie plofte weer neer op de andere bank. Ze vouwde een pakje open dat ze op de salontafel legde om haar creditcard uit haar zak te halen. Ik keek hoe ze twee lijntjes uitlegde en zich vooroverboog om ze achter elkaar naar binnen te snuiven. Ik zag Inès weer op de rand van mijn bed zitten met haar coke. De hele afgelopen maand aan de heroïne...

'Zoals Alex zou zeggen,' zei Jessie terwijl ze zich met de rug van haar hand afveegde, 'één lijntje: gevaar; twee lijntjes: veiligheid!'

'Gebruik je vaak?' vroeg ik, en was het ineens spuugzat.

'Neuh, gewoon zo af en toe. Om te ontspannen, als ik goed gemixt heb, of zomaar, om me lekker te voelen met jou, weet je wel.'

'Heeft ze het over mij gehad?'

'Wie, Inès? Ja...'

'Wat zei ze? Wat heeft ze verdomme gezegd?'

'Ze zei dat ze er even in geloofd heeft, omdat ze het te gek vond wat jij allemaal tegen haar zei, maar dat ze zich daarna eigenlijk heeft gerealiseerd dat ze dat van Alex wilde horen, en niet van jou.'

'Heeft ze dat echt gezegd?'

'Ja, maar wind je niet op. Het is alleen maar omdat ze niet voor een sloerie wil doorgaan. Want je begrijpt dat ik haar zonder blikken of blozen heb verteld wat ik van haar manier van doen vond.'

'Maar wacht even, dat is geen slecht teken...'

'Wat een slecht teken is, is dat ze verdomme een enorme dildo is gaan kopen om met Alex uit haar dak te gaan.'

Ik raapte mijn spijkerjack op om op te staan.

'Ga je naar de badkamer?' vroeg Jessie. 'Hoeft niet, hoor, mij kan het niet schelen.'

Natuurlijk hoefde het niet, maar ik wilde haar niet meer zien. Ik had er genoeg van dat ze zo meedogenloos tegen me sprak. Dat ik me bij haar voelde alsof ik vier en een half was.

Terwijl ik op de wc-pot zat, stroomden de tranen uit mijn ogen, die ik dichtdeed om de naald beter naar binnen te voelen gaan. De tranen kwamen steeds als ze daar zin in hadden en ik wist niet eens meer waarom ik huilde. Ik wist niet meer of het om Inès was, om alles wat nog maar net begonnen was – Pallas, en alles – en nu al naar de kloten ging, of om wat ik aan het doen was, voor de vijfde of zesde keer op een dag, dat wil zeggen veel te vaak. Ik wist niet veel meer in ieder geval, zo kapot was ik van binnen, en stoned, en uitgeput doordat ik alles tegelijk voelde. Ik wist alleen maar dat Inès nog steeds bestond. Dat ze nog steeds een leven leidde en deel uitmaakte van dat van anderen, van Jessie, die haar had gezien, misschien zelfs in het café hiertegenover terwijl ik hier was, zes verdiepingen hoger, en naar haar snakte. Hier, in een flat waar ik geen enkel aanknopingspunt had, niets wat als waarschuwing kon dienen voor de afgrond die me aanzoog – niets behalve de dubbelgevouwen ansichtkaart die ik in de kontzak van mijn spijkerbroek voelde –, zodat er niets anders op zat dan door te gaan met het vullen van de lepel.

Ik was even buiten bewustzijn in de badkamer, wat me op een onvervalste grote bek van Jessie kwam te staan: 'Godverdomme, dit is toch niet te geloven! Je bent hartstikke ziek! Weet je wel dat je me de stuipen op het lijf hebt gejaagd?' – 'Het is niets,' antwoordde ik, 'ik was gewoon in slaap gevallen.' – 'Ja, nou, dat doe je dus nooit meer, en ik meen het! Godverdomme, wat ontzettend stom van je dat je het zover laat komen! Ik zweer het je, als je zou zien hoe het dat wijf geen reet kan schelen, hoe ze zegt dat je in bed alles net als Alex doet maar dan duizend keer minder goed! Shit, reageer toch eens, verdomme!' Maar ik kon alleen maar lachen, ja, ik kon alleen maar lachen als ik bedacht dat Onze Lieve Heer daarboven echt een klootzak was om me te dwingen al die dingen aan te horen waarvoor mijn schouders niet sterk genoeg waren...

## 4

'Hé, wakker worden. Kom op, wakker worden.'

Ik deed een oog open. Het was klaarlichte dag, ik lag nog steeds op mijn buik op de bank, het was Jessie die over me heen boog om mijn schouder aan te raken, en wat ik op mijn rug voelde trappelen was de hond die op me klom.

'Kom op,' herhaalde Jessie, 'sta op, we gaan je spullen kopen. Flut, af...' en ze ging op de andere bank zitten.

De hond ging van de bank af en ik richtte me met moeite op om te gaan zitten. Ik keek even de kamer rond en daar begonnen de tranen te prikken.

'Mijn wát?' zei ik terwijl ik verbijsterd vaststelde dat de klok van de video pas 10.03 uur aangaf.

'Je G4 en al die dingen. Je moet niet zo in een depressie blijven hangen. Flut, flikker op.'

'Ik zat niet in een depressie,' zei ik terwijl ik de hond wegduwde die op mijn voeten probeerde te gaan zitten. 'Ik sliep...'

'Dat zei ik toch. Hier,' voegde Jessie eraan toe en wees naar de tafel waarop twee koppen koffie stonden te dampen.

'Ik drink geen koffie,' antwoordde ik terwijl ik mijn neus ophaalde.

'Nou, je kan anders wel een bakkie gebruiken,' was haar repliek, en ze stak een sigaret op voordat ze het pakje en de aansteker naar me toe gooide.

'O ja?' zei ik geamuseerd.
'Ja.'
'O.'
'Ja.'
'Hou je smoel toch.' En ik glimlachte even.

Ik had het gevoel dat ik in die film zat waarin die kerel elke dag opstaat en het steeds dezelfde dag is die weer opnieuw begint. Ik stak een sigaret op en duwde de hond weg die mijn kuiten plette.

'Nou dan,' begon Jessie en boog zich naar de tafel om haar kopje neer te zetten. Ze nam een viltstift en toen een tijdschrift. Ze scheurde de hoek af van een pagina waar niet zoveel op stond. 'We gaan dus die G4 voor je kopen en dat wordt helemaal te gek. Flut, ga opzij. En als je dan Cubase hebt wordt het echt waanzinnig, want daar zit alles in, alle ritmeboxen die je maar wilt, alle synthesizers!'

Dat wíst ik allemaal.

'Nou, de G4 is ongeveer vijftienduizend franc – FLUT, AF, VERDOMME! – En dan heb je nog een scherm nodig. Ik raad je aan om een... Hé, je moet het wel zeggen als ik je verveel!'

Ik herinnerde me nu vaag tegen Jessie te hebben gezegd dat ik van plan was met het voorschot een hoop spullen te kopen. Ik vond het prettig dat ze er zoveel energie in stopte. Nee, echt, dat vond ik prettig. Het was alleen niet helemaal het moment... Maar alsof ze mijn gedachten las: 'Ja, je moet nu weer opkrabbelen, het is mooi geweest.'

Goddank was Jessie een voorstander van taxi's, en wel van taxi's die je voor de deur komen ophalen. Toen we de place de la République overstaken vroeg ik aan de chauffeur om te stoppen bij McDonald's. Jessie zei hem er geen aandacht aan te besteden. 'Shit, het is tien over half elf!' schreeuwde ik uit. 'Het is de eerste keer dat ik de gelegenheid heb om de McMorning uit te proberen, verdomme!' Jessie zuchtte en zei tegen de chauffeur dat hij moest stoppen (waarom luisterde hij trouwens naar háár?). Ik rende erheen en ook weer terug. Ik wist niet eens hoe ik op mijn benen moest blijven staan, zozeer was ik de kluts kwijt. Toen ik weer in de taxi stapte, was ik bezweet en totaal uitgeput, maar ik viel onmiddellijk aan. Ik begon met hartig. 'Nou goed,' pakte Jessie de draad weer op en las op wat er op haar stukje papier stond. 'De G4, het scherm, de Vocoder, de microfoon, de Mini Moog, de Prophet 5... Weet je zeker dat je weer synthesizers wilt kopen? Want alles zit toch al in Cubase.' Ik veegde mijn mond met een servetje af en ging verder met zoet. Het was niet slecht. Niet echt wat ik dacht – een beetje droog en het zag er niet zo lekker uit als op de affiches – maar ik had verrekte honger. 'Goed,' ging Jessie verder, 'je weet toch zeker dat je aan Cubase kan komen? Want met alle plug-ins loopt het wel in de zestigduizend, dus het verbaast me toch wel dat iemand bereid is dat helemaal voor nop aan je weg te geven.' Ik dronk langdurig cola om alles wat ik net naar binnen had gestouwd te laten zakken. 'Want anders kan ik die gozer die ík ken...' Het was hartstikke mooi weer, maar al veel te warm. De lucht was zwaar ondanks de naar beneden gedraaide raampjes. De geur van uitlaten. De geur van de hond die aan Jessies voeten met zijn tong uit zijn bek lag te hijgen en op haar spijkerbroek kwijlde terwijl hij met schele ogen naar de verpakkingen keek die nog steeds op mijn schoot lagen. De chauffeur reageerde niet meteen toen ik riep dat hij moest stoppen, en ik dacht echt even dat ik zijn stoel zou overschilderen. Ik had nog net tijd om het portier te openen en het kwam eruit vlak voor een vrouw die stond te wachten tot ze kon oversteken. Toen ik ten slotte mijn hoofd weer oprichtte, wilde ik een verontschuldiging stamelen, maar ik zag haar met grote passen wegbenen. 'Ik wist dat het slecht zou vallen,' zuchtte Jessie en reikte me een Kleenex aan. 'Nee, het is de koffie,' en we reden weer weg. 'Oké, Cubase dus...' begon Jessie weer. Ik zorgde dat ik niet naar de hond keek die maar bleef kwijlen, en de chauffeur hield een oogje in het zeil via de achteruitkijkspiegel, waarschijnlijk bang dat ik opnieuw zou beginnen en dan over zijn bank heen.

## 5

We gingen direct naar Backstage, place Pigalle, de beste plek voor wat ik nodig had, maar we waren nog niet binnen of ik werd duizelig. Te hoog plafond, te veel eindeloze gangpaden, te veel verschil tussen de airco en de gloeiende hitte buiten. En de zaterdagse mensenmassa waarvoor we voortdurend opzij moesten om al die armen vol pakketten langs te laten. En Jessie die tegen de hond schreeuwde dat hij rustig moest blijven. Ten slotte vonden we een verkoper die meteen al doorhad dat hij knettergek van ons zou worden, of tenminste dat hij knettergek zou worden van Jessie, want als ik daar nog een minuut langer zou blijven, zou ik flauwvallen. Dus ik gaf Jessie mijn creditcard en mijn code en ik kreeg de hond. Die klootzak trok als de ziekte terwijl ik probeerde terug te lopen. Het leek wel of de mensen expres in de weg bleven staan. Ik voelde mijn benen hoe langer hoe minder, ik had het zelfs warm in mijn keel, ik moest weer kotsen, geen twijfel mogelijk. De laatste meters die me van de hal scheidden rende ik bijna, en ik verwelkomde dankbaar de lichtvlek die de zon naar binnen wierp. Ik bleef even op het trottoir staan om op adem te komen en ging toen de hal weer binnen om tegen een muur te leunen. Honden gehoorzamen alleen in films, en deze kon het niet verrekken dat hij bij mij was, hij wilde zijn bazin, en terwijl hij zich verzette trok hij aan de riem om te proberen vooruit te komen. Ten slotte schoof ik langs de muur om op mijn hurken te gaan zitten, en ik duwde op de kont van de hond tot hij ook ging zitten. Hij ademde als een jakhals, zijn bek wijdopen vlak voor mijn gezicht. Tegenover me verhief zich de reusachtige robot die de bezoekers verwelkomde. Minstens drie meter, de Silver Surfer volgens Gotlib of de cyberversie van de *Denker* van Rodin – waardeloze futuristische troep. We hadden het gehad over een oude Buick, een witte Buick om in de baai van San Francisco te belanden... en die hond trok maar aan zijn riem, en ik drukte mijn vrije hand maar op mijn gezicht om te voorkomen dat het in stukken zou vliegen. Op straat... wat was ze mooi, op straat, toen ze aan mijn arm hing. 'Je denkt dat ik het niet met haar uitmaak, hè? Ik ga er meteen heen, als je wilt, ik ga er nu gelijk heen!' Waarom had ik haar niet laten gaan? Op het laatst sprong de hond op, de riem glipte meteen uit mijn hand. Ik kwam haastig overeind, maar eigenlijk kon het wel, hij rende Jessie tegemoet die eindelijk terugkwam met de verkoper, allebei tot aan hun kin beladen met dozen en plastic tassen. Die vent legde alles voor mijn voeten neer en ging weg zonder een woord te zeggen. Jessie had er vast voor gezorgd dat hij voor de rest van de maand ontzettend de balen had. 'Ja ja, ik ben er weer,' herhaalde ze tegen de hond die om haar heen sprong terwijl zij bukte om de pakketten neer te leggen. Het dons van haar schedel en haar voorhoofd glommen van het zweet. Ze stak haar pols in de riem van de hond, haalde uit haar zak mijn creditcard te voorschijn, gaf hem me terug en zette haar handen op haar heupen om uit te blazen. Behalve de G4, het scherm, het toetsenbord, de Vocoder en de microfoon waren er een hoop handboeken maar vooral een enorme hoeveelheid kabels. De verwarmingsketel uit *Brazil*, wanneer die als een idioot tekeergaat en de buizen beginnen te ademen en er een enorme kolerezooi van maken... Jessie zei dat we nu naar de rue de Douai gingen om te proberen de Moog en de Prophet 5 op de kop te tikken. Ik maakte duidelijk dat het voor mij nu ophield.

'Maar het is hier vlakbij!' schreeuwde Jessie.

'Verdomme, ik weet heel goed waar de rue de Douai is! Daar kocht mijn vriend al zijn gitaren!'

Jessie liep naar buiten de stoep op, hield haar hand op, er stopte een taxi met gierende remmen en ik gaf me noodgedwongen gewonnen.

Die klootzak van die andere winkel zou zich vast voor z'n kop slaan, want in de eerste winkel waar we binnenkwamen stuitten we meteen op een Prophet 5, en in de tweede vonden we de Moog. In totaal had ik, ondanks al het gepingel van Jessie, achtenveertigduizend zevenhonderdveertig franc uitgegeven en ik was verstijfd. In de laatste taxi, die ons naar huis bracht, hield Jessie eindelijk haar mond. Ze streelde zachtjes haar hond die tussen haar voeten lag te hijgen. Ik zag de trottoirs aan me voorbijtrekken en kon er niet bij dat ik al dat geld in één keer had laten wegglippen.

Thuis troffen we Pallas aan, die aardig was tegen Jessie maar meedeelde dat ze niet kon blijven omdat ze allergisch was voor hondenhaar. Ik drong aan en zei dat we de deur van mijn kamer dicht zouden doen, maar Pallas wilde er niets van weten.

'Dat meen je niet!' ontplofte ik. 'Wil je soms ook nog dat ik je toestemming vraag om thuis te komen?'

Pallas wierp me een donkere blik toe, zo van: trut, dat je zo tegen me praat waar Jessie bij is, en verdween toen in haar kamer. Bij wijze van antwoord ging ik mijn eigen kamer in en wachtte tot Jessie op haar beurt binnenkwam voordat ik de deur keihard dichtknalde. Het lichtje van mijn antwoordapparaat gaf aan dat er niet één bericht was.

'Sfeerfol Wonen 2000?' fluisterde Jessie.

'Even serieus, je blijft gewoon hier,' zei ik tegen haar.

Ze grijnsde.

'Nah, ik hoef niet zo nodig.'

'Nou goed, dan ga ik samen met jou weg.'

'Wil je niet blijven om dit allemaal te installeren?'

Ze wierp een blik op al mijn spullen, die nog steeds aan stonden, en ik wist wat ze voelde: behalve dat ze geen woning had waar ze haar apparatuur kon stallen, die voorlopig in het zuiden bleef, had ze nog niet de helft van al deze spullen. Ik ging naar de huiskamer waar Pallas voor de open kasten stond. Geen woord terwijl ik tussen mijn T-shirts graaide. Ook geen woord toen ze constateerde dat ik er een aantrok dat zij me had gegeven. Een felblauw T-shirtje met oranje randen langs de hals en mouwen – in het midden stond '17' met vette oranjefluwelen cijfers. Ik bleef met neergeslagen ogen staan terwijl ik met mijn vinger de cijfers gladstreek. Inès' leeftijd... En Pallas knalde de kastdeur dicht voordat ze de kamer uit liep.

Toen ik weer bij Jessie thuis was, zei ik: 'Oké, nu bel ik.' Ik sloeg haar protest in de wind en nam de draadloze telefoon mee naar de keuken. Mijn hartslag was honderdduizend. De telefoon ging vergeefs over bij haar ouders. Ik probeerde het nog een keer en liep toen langzaam terug naar de huiskamer.

'Er is niemand,' zei ik, terwijl ik Jessies blik probeerde te vermijden. 'Heb je haar mobiele nummer?'

'Laat toch zitten, ze is weg.'

'Wat? Wanneer is ze dan weggegaan?'

'Nu, daarnet.'

'Maar waarom heb je dat niet tegen me gezegd?'

'Wat zou je dan doen, naar het station gaan?'

'Maar... en haar eindexamen... dat heeft ze toch wel gehaald?'

'Dat weet ze nog niet, maar ze denkt van wel.'

Dus ze was echt naar het zuiden vertrokken... Niet eens een bericht op mijn antwoordapparaat. Niet eens een berichtje om te zeggen dat het goed was gegaan. En er was niets meer over van de twee gram die ik de vorige dag had gekocht.

## 6

Ik hield het de hele avond vol. Ik vroeg Jessie niet meer om haar mobiele nummer. Ik belde haar ouders niet om het te krijgen. Ik belde niet naar de ouders van Alex, in het zuiden, ik hing weer op, het was alleen om te controleren of het nog steeds hetzelfde nummer was. Toch zou de simpele wetenschap dat ik haar daar kon bereiken als ik wilde, me tot rust hebben gebracht. Ik belde ook niet naar het station om te vragen hoe laat haar trein in Montpellier zou aankomen. Toch zou ik ook rustig zijn geworden als ik alleen al mentaal haar bewegingen had kunnen volgen. Ik haalde ook de ansichtkaart niet uit mijn zak om hem weer te lezen. Ik dwong mezelf om Jessies pasta te eten. En ik dwong mezelf te praten met de twee andere huurders, bruinverbrand teruggekomen van weet ik waarvandaan, die ik nog niet had gezien en die met ons meeaten. Maar toen ze allemaal naar bed gingen (Jessie inbegrepen, die de kamer gebruikte van de derde bewoonster, die het weekend weg was) en ik weer alleen was met een hoofdkussen dat op een opgevouwen dekbed lag, hield ik het niet meer. Deze nacht zou te lang gaan duren. Paniek overviel me bij het idee dat ze in een trein zat die zich van Parijs verwijderde, weg van mij. Ik ging op zoek in Jessies flight-case. Er was nog een halve gram over, ik nam er de helft van en krabbelde met viltstift 'sorry' op het pakje voordat ik het weer teruglegde. Terwijl ik mijn arm boog raakten de dingen meteen op afstand en werden beter te verdragen, minder dramatisch. Ik bleef even zitten om een sigaret te roken, terwijl ik aan Charlie Parker dacht, in *Bird*, als hij tegen Dizzie zegt dat hij niet begrijpt waarom hij naar de ene dokter moet voor zijn lever, naar een andere voor zijn nieren en nog een andere voor zijn hoofd, terwijl hij alleen maar tien zakjes in lijntjes hoeft uit te leggen voor een gezellige dosis die alles in één keer regelt...

Ik liep de nacht in – het was zacht buiten. Het beeld van Inès die op een couchette lag was op mijn netvlies verankerd, maar de paniek was verdwenen. Ik stond in verbinding met haar geest en liet haar zien wat ik zag. Bijna lege straten op een zaterdagavond, straten waar ik alleen liep maar waar ik líep, met regelmatige pas, helemaal niet verloren zonder haar. Ik zei tegen haar dat ik begreep dat ze in de trein zat. Dat alles uiteindelijk slechts een kwestie van tijd was. Ze ging weg om Alex terug te zien die ze bang was geweest kwijt te raken, maar als ze gerustgesteld zou zijn, zou ze zich realiseren dat ze zich had vergist. Wat er pas geleden gebeurd was zou niets veranderen tussen hen. Het zou de dingen een paar dagen verzachten, maar als ook Alex eenmaal gerustgesteld was, zou ze weer snel zichzelf worden; ik kende het patroon omdat ik het honderd keer had mogen ondergaan. En nu Inès even had gezien hoe het met mij kon zijn, zou ze het niet kunnen vergeten. Ze moest gewoon de moed vinden om de sprong te wagen. Wat de voordelen betrof, waarvan ze misschien had gedacht ze kwijt te raken, daarvan was geen sprake meer nu ik mijn voorschot had. Dus ik liep en praatte in gedachten met haar. Ik zei tegen haar: 'Kijk, ik ben sterk, ik ben in staat voor jou te zorgen want ik ben in staat voor mezelf te zorgen. En bovendien ben ik fatsoenlijk, ik geef evenveel als ik krijg. Ik streef er niet naar je te bezitten, ik streef ernaar te delen. Ik zal je mijn hand geven, terwijl die van Alex altijd diep in haar zak blijft. Denk erover na, terwijl je op je couchette ligt te draaien en de slaap maar niet kan vatten. Denk na over wat je met je leven wilt doen. Denk erover na of je een eigen leven wilt leiden.'

Bij République werd alles veel levendiger. De neonreclames, het geroezemoes op de caféterrassen, de rijen voor de geldautomaten, de dubbelgeparkeerde auto's voor McDonald's, en het geteisem. Het geteisem dat overal rondhing. Bij République stonden ze voor de uitgang van de galerij met videospelletjes in een poging genoeg bij elkaar te rollen om spelletjes te kunnen spelen. Bij Strasbourg-Saint-Denis stonden ze bij de uitgang van de andere

McDonald's in een poging wijven op te pikken, en vanaf Bonne-Nouvelle probeerden ze je nep-ecstasy in de maag te splitsen. In de buurt van de Rex en de Pulp werden ze schaarser, ze werden op afstand gehouden door de uitsmijters, maar heel wat klanten van die twee clubs kwamen toch liever met een taxi. Ik had nooit problemen met die types: ze floten, soms maakten ze kloteopmerkingen, dan maakte ik lachend kloteopmerkingen terug, maar als het al gebeurde dat een van hen me een paar meter volgde, ging het nooit verder dan: 'Hé, wacht nou even, nou ja, tabé dan maar.' De enige reden waarom ik nooit stopte om even te praten was dat bij hen een eenvoudige groet altijd drie uur in beslag nam. Maar de meeste voorbijgangers verstijfden als ze hen in de gaten kregen, borgen haastig hun mobiel op of gooiden hun sigaret weg, omdat ze eraan gewend waren dat, als ze stopten om er een af te staan, het halve pakje eraan ging, als die kerels het al niet gewoon uit hun handen gristen. Maar die types waren altijd te stoned om gevaarlijk te zijn. Een trip was nu niet meer een kwestie van geld. Alle marginalen op straat waren ergens aan verslaafd: ecstasy, joints, bier, heroïne soms, of ook wel ether, trichloor of lijm... Het enige rare was dat er op die hele boulevard nooit één smeris stond.

Bij de ingang van de Rex gaf Valéry B., de arts, me een zoen op mijn wang en hield me bij mijn schouder tegen om te vragen of het ging. Was het zo duidelijk te zien dat ik stoned was? Hij was er vorig jaar, toen met die klap... 'Welja, liefdesverdriet, niets ernstigs!' Ik zou dansen tot ik erbij neerviel, tot ik absoluut niet meer wist wat voor en achter was of boven en onder. Jawel, zo ging dat: je uitleven in fun-kleren om je te distantiëren van het belachelijke, naargeestige uiterlijk van anderen, voor degenen die niet het geluk hadden werk te hebben dat ze leuk vonden, betekende het: de week zo snel mogelijk voorbij laten gaan en dan, als het eindelijk weekend was, je laten gaan. Je slikte iets wat je in vervoering bracht – om makkelijker in de omgang te worden, om op de versiertoer te gaan, de mensenmassa te verdragen of gewoon ongegeneerd te dansen – en daar ging je dan. Beforeparty's, disco's, raves, free party's, privé-feestjes, afterparty's, tea-dance, en zo maar door, tot zondagavond. En pech dat het weer maandagochtend wordt. Pech dat je weer op zwart zaad zit. Pech met de kansen op 'stoornissen van het geheugen, van de concentratie, van het gezichtsvermogen, van de geest, uitdroging, hypothermie en aantasting van het zenuwweefsel'. Rot op met jullie zin in oud worden... wie wilde er nou afwachten welke kanker het eerst zou uitbreken? Toen ik in de zaal aankwam werd ik ernstig teleurgesteld. Het was niet vrijdag, maar zaterdag, en dus was het geen techno die uit de boxen stampte, alleen maar hele groovy house. Onmogelijk om uit je dak te gaan met dat soort muziek. Gezien het genre zou er dus geen enkel gezicht zijn dat ik zou kennen, en ik wist niet of dat een opluchting voor me was of dat het me een verlaten gevoel gaf. Om te beginnen ging ik plassen. Een jongen glimlachte naar me toen ik uit de toiletten kwam en hij naar binnen ging. Tamelijk knap, blond, middelmatige lengte, zo'n achtentwintig jaar, donkerblauw T-shirt met niks erop. Leek niet erg op z'n gemak, zo van ik kom hier voor het eerst. Ik glimlachte terug, maar niet erg lang, het laatste waaraan ik behoefte had was een verlegen type. Ik ging naar de bar, waar ik een cola bestelde. De jongen van de wc ging vlak voor mijn neus zitten. Hij bood me een sigaret aan die ik aannam, en stond erop de cola te betalen die net voor me was neergezet. Ik liet hem zijn gang gaan en luisterde naar hem terwijl hij in z'n eentje aan het praten was. Hij zei dat hij normaal gesproken naar de voorsteden ging (naar die grote disco's langs de rijkswegen, die grote eurodance-fabrieken?), en ook wel hier kwam, de muziek was een beetje te vreemd voor hem. Hij was zich dan ook net aan het afvragen of hij niet naar huis zou gaan om te gaan slapen, wat hij een beetje stom vond omdat een vriend hem tijdens het eten coke had gegeven, en aangezien hij het niet gewend was, had hij daar wel van willen profiteren. Een imbeciel, dat had ik weer. Omdat ik hem aanstaarde zonder iets te zeggen, zei hij er meteen bij: 'O nee, ik ben heus niet met je aan het praten om je mee naar huis te krijgen! Ik praat met je omdat je verdrietig lijkt. Je bent helemaal mijn type niet.' Ik trok geamuseerd een wenkbrauw op. 'Ik hou van meegaande meisjes,' voegde hij eraan toe – ja natuurlijk, hij had de kop van een dapper soldaatje dat conventioneel neukt. 'Jij ziet eruit of je van het soort bent dat klapper uitdeelt! Nou ja, misschien vanavond niet omdat je er verdrietig uitziet!' Wat haalde hij zich wel niet in zijn hoofd? Dacht hij soms dat ik hem mijn leven ging vertellen?

Maar goed, dat is precies wat ik een half uur later stond te doen, leunend tegen een geparkeerde auto. Ik heb hem alles uit de doeken gedaan. Vanaf Nikki dertien jaar daarvoor, tot nu. Vannacht. Inès in de trein. Toen hij zei dat we er gewoon naar toe konden gaan, lachte ik me dood: 'Ja hoor, achthonderd kilometer om me te laten afwijzen!'

'Dat meen je niet,' was zijn repliek, bloedserieus. 'Als een meisje dat voor mij doet, val ik op mijn knieën neer!'

Ik lulde op hem in. Ik zei dat ik niet wist welke weg je naar het zuiden moest nemen. Hij antwoordde dat zijn handschoenenvakje vol kaarten lag, hij was vertegenwoordiger. Ik zei dat als ik daar eenmaal was, er weinig kans zou zijn dat ik de plek terug zou vinden. Hij antwoordde dat in kleine steden iedereen altijd weet waar iedereen woont. Ik zei dat ik geen geld voor benzine of wat dan ook had. Hij haalde zijn creditcard te voorschijn. Ik bleef maar lullen: dat ik verslaafd was en niet zonder dope Parijs uit kon. Hij antwoordde dat hij iemand kende die wist waar je wat kon vinden, zelfs op dit tijdstip.

'Waarom zou je het eigenlijk doen?' vroeg ik ten slotte en sloeg mijn armen over elkaar. 'Nou? Waarom zou je dat voor mij doen?'

'Omdat ik het lef niet had om mijn vriendin terug te halen toen ze er met een andere vent vandoor ging.'

'Wanneer was dat?' vroeg ik.

Hij zuchtte terwijl hij zijn ogen afwendde.

'Nou?' gnuifde ik. 'Het was tien jaar geleden en je bent het nog steeds niet te boven?'

'Zes.'

Nu was het mijn beurt om mijn ogen af te wenden. Ik haalde mijn armen weer van elkaar af om mijn handen over de moterkap van de auto achter me te laten glijden. Tja, daar stond ik te praten met een volslagen vreemde, om twee uur 's nachts voor de Rex, hij onder de coke en ik stoned van de heroïne, en die gozer zou een gestoorde kunnen zijn die me zou verkrachten of in stukken snijden. Per slot van rekening zag Ted Bundy er ook volkomen normaal uit... Hij zou er ook gewoon voor kunnen zorgen dat we van de weg af raakten als hij heel slecht reed of als hij te veel coke had genomen. Maar goed... In mijn vorige leven maakte ik een beetje muziek en veel waardeloze dingen, en in mijn huidige leven deed ik helemaal niks meer. Dus achthonderd kilometer rijden om een grietje te halen dat niets meer van me wilde weten, was iets wat net zo goed bij dat nieuwe leven paste als iets anders...

## 7

We stopten bij het grote benzinestation bij Porte d'Orléans om de auto vol te tanken. Geen idee wat voor merk het was, hij was bruin, zo'n auto voor volwassenen, niet mooi maar degelijk. Binnen rook het naar vanille om de tabaksgeur te absorberen. Alles was van nikkel, behalve de paperassen op de achterbank. Niet het meest stijlvolle vervoermiddel om bij Cap d'Agde in aan te komen zetten, maar ook niet iets om je voor te schamen, geen 93 op het nummerbord, of een of andere brik met grote roestplekken op de portieren. In ieder geval was de Cap zo ontzettend lelijk... Hij – hij heette François – was buiten om de tank te vullen. Hij was lijkbleek in het neonlicht en zijn kaak was een beetje verkrampt van de coke, maar over het geheel genomen was hij rustig.

Zo, we zouden het echt doen. We zouden de périphérique nemen, het bord Chartres-Orléans in de gaten houden, en dan zouden we op weg zijn, met meer dan achthonderd kilometer voor de boeg. We zouden 's nachts beginnen te rijden, over een inktzwarte rechte lijn, en we zouden alleen maar kunnen raden naar een landschap dat ik uit mijn hoofd kende omdat ik de reis vaak met Alex had gemaakt. Hij zou rijden met een kalm gezicht, waarschijnlijk zonder al te veel te praten, zoals dat het geval was geweest sinds de Rex. Om te beginnen zouden we naar Radio FG luisteren, en als we die niet meer konden ontvangen zouden we een van zijn cassettebandjes opzetten als hij die had, anders zouden we andere zenders opzoeken. Zoals altijd op Autoroute FM en dat soort zenders zouden we een heel spectrum van oubollige ouwe troep voorgeschoteld krijgen, zoals 'On dirait le sud' of 'L'Eté indien'. Die liedjes waar je compleet de zenuwen van krijgt als je de moeite neemt naar de tekst te luisteren... En als die oude klootzak daarboven me echt op de proef wou stellen, zou het Céline Dion zijn met 'Pour que tu m'aimes encore', of Britney Spears. Lekker in mijn stoel leunend zou ik regelmatig wat gebruiken tot ik definitief in slaap zou vallen. Mijn hoofd zou tegen het trillende raampje rusten en dan zou ik schitterende of angstaanjagende dromen hebben, al naargelang mijn zekerheid in stand zou blijven of zou beginnen af te zwakken... Later zou hij misschien wat moe worden en dan zou ik hem duidelijk maken dat hij mij zijn plaats moest afstaan. Zonder snelheid te minderen zou hij me over zich heen laten kruipen, mijn voet zou zich in het pedaal vergissen, wat ons een beetje zou afremmen, en ik zou niet zeggen dat ik geen rijbewijs had. Ik zou niet zeggen dat behalve die acrobatische toer waarin Alex me had ingewijd, ik nog maar één keer in mijn leven had gereden, in de zomer toen ik negen was, over vlak land en maar een paar seconden voordat ik een bosschage langs de laan in reed. Ik zou niet zeggen dat ik alleen het stuur van een auto kon vasthouden als hij eenmaal reed, en ik nam aan dat ik het leuk zou vinden om achter het zijne te zitten. Het is niet zozeer de bestemming die telt, het feit dat je rijdt is opwindend... We zouden waarschijnlijk in de buurt van Clermont nog een keer moeten tanken, en het benzinestation zou net zo zijn als alle andere benzinestations ter wereld, met fluorescerende neonlichten en een hardnekkige benzinegeur. We zouden uitstappen om de benen te strekken tussen buitenlandse gezinnen die op zoek waren naar de wc's, motorrijders die controleerden hoe hard hun banden waren en verwilderde jonge stelletjes met rugzakken, terwijl iets verderop vijfendertigtonners op een rustplaats geparkeerd stonden met hun gordijntjes dichtgetrokken voor de chauffeurs die hun verplichte uurtje pauze namen. We zouden zeker naar binnen gaan om te plassen, en dan langs de gangpaden met eten lopen, eerst twijfelend tussen chips en koekjes, dan voor de koelvitrines waar de blikjes keurig op een rij stonden, als we tenminste niet liever een munt in de automaat stopten voor nepchocolademelk, nepthee met citroen of neptomatensoep. Hier zou het licht nog witter zijn dan de neonverlichting buiten, in een merkwaardig contrast met het nachtelijke donker. Een lelijk, meedogenloos licht dat de kringen onder onze ogen en onze bleke gelaatskleur zou benadrukken. Misschien zouden we een cassette kopen voor in de auto, iets van Michel Delpech of van Joe Dassin om in de sfeer van de radio te blijven. Misschien zouden we zelfs Mort Shuman vinden, dingen als de originele opname van *L'Hôtel de la plage*. Hoe was dat nummer ook alweer, 'Un été de porcelaine'? Die rotzooi was erop gemaakt om je meteen bij de intro al aan het janken te krijgen... 's Morgens vroeg zouden we nog een keer moeten tanken en misschien zou François even moeten slapen. Dan zouden we ons tussen twee van die verlengde monsters opstellen en ik zou uitstappen om de benen te strekken. Ik zou roken terwijl ik over het gras zou lopen, nat van de dauw, en mijn hart zou beklemd zijn door het gevoel van een ontsnapping, maar geen goed gevoel, gewoon alsof ik verdwaald was in the middle of nowhere. Daarna zou het een soort maanlandschap zijn, met verlaten heuvels zo droog als graniet. Vervolgens zouden we een reeks hoge grasvlakten doorkruisen zonder ook maar één boom, dan zou de snelweg ophouden en zouden we de rijksweg tot aan Lodève nemen, en ten slotte richting Sète. Vanaf Pézenas zou het naar jodium beginnen te ruiken, en ineens zouden we bij de zee uitkomen. Die zou daar voor ons liggen, onbeweeglijk in zijn onmetelijkheid, en misschien zouden we even stoppen, om bij te komen en te kijken hoe de golven zachtjes op het nog verlaten strand uiteenspatten. Overmand door een hevige opwinding zouden we verdergaan, en vanaf dat punt de hele tijd de kust aan onze linkerhand hebben. De kust met het kronkelende lint van zand erlangs, zover het oog reikt. Een halfuurtje later zouden we bij de Cap aankomen, met alweer een bijna lege tank en een grauwe gelaatskleur, en ik zou bij mezelf zeggen: shit, ik weet niet hoe we het hebben geflikt, maar we zijn er – en wat dan?

We zouden de auto langs de weg parkeren en een van die weggetjes nemen die tussen de huizen door liepen om bij het strand te komen. We zouden dan uitkomen op slechts enkele meters van de plek waar Alex haar handdoek neerlegde, en we zouden ons achter een paar rotsen kunnen ophouden zonder gezien te worden. Er waren overal rotsen daar, zo erg dat je het water niet in kon zonder plastic sandalen. Alex was eraan gewend, maar ik stond altijd wat onvast op mijn benen als ik dat ellendige gewicht aan mijn voeten voelde. Ik liep liever naar een stuk met minder rotsen en het draaide er iedere keer op uit dat ik alleen ging zwemmen omdat Alex te lui was om met me mee te gaan. Het huis lag hoog en het had een tuin met aan het eind een stenen trapje dat afdaalde naar het strand. Het was altijd een dilemma waar we zouden gaan zitten. In de tuin waren maar weinig bomen om beschutting te geven, dus de zon brandde er, en beneden stond er altijd een helse wind. Meestal bleven we zo lang mogelijk boven bakken, en gingen dan naar beneden om te zwemmen, en soms bleven we daar zelfs even, als het niet te hard waaide. We zouden dus maar moeten hopen dat ze er waren en dat Inès op een of andere wonderbaarlijke wijze in haar eentje was. Dat zou kunnen, Alex ging voortdurend naar boven om dingen uit het huis te halen. Maar dan nog, wat zou Inès doen? Me triomfantelijk toelachen en uitroepen: wat een goed idee om me te komen kidnappen, wacht even, dan ga ik mijn tas halen? Dat zou ze kunnen zeggen, ja. Per slot van rekening geloof ik dat als iemand net bijna duizend kilometer zou hebben afgelegd om mij te komen halen, ik mee zou gaan, alleen al vanwege de romantiek. Maar de kans was groter dat ze me dom zou aankijken, ze me zou zien zonder me te herkennen, te ver heen om zich te kunnen voorstellen dat ik het echt was die daar voor haar stond. En of ik nu naar voren zou lopen, of dat zij zou opstaan om mij tegemoet te komen, ik liep vooral het risico dat ze me zou zeggen dat het leuk was dat ik helemaal was gekomen, maar dat haar besluit vaststond. Ze zou ook in lachen kunnen uitbarsten, als het echt zo'n kreng was als iedereen me wilde doen geloven...

En wat zou ik dan doen? Zou ik haar gaan smeken, of zou ik zonder een woord te zeggen weggaan? Ik zou in tegenovergestelde richting teruglopen, zonder te stoppen voor François, die nog steeds weggedoken zou zitten achter de rotsen, met een oprecht bedroefd gezicht. Van achteren zou ik er met mijn voeten die in het mulle zand wegzakten uitzien als een dronkelap. Uiteindelijk zou ik misschien mijn schoenen en sokken uittrekken, en het zand zou gloeiend heet zijn, waardoor ik zou afdwalen richting zee, waar het harder en koeler wordt. Om mij heen zou het een en al geraas zijn van golven die op de rotsen stuksloegen en het schuim lieten opspatten, en even later zou er alleen nog maar zand zijn waar rustiger golven langs likten. Met mijn schoenen in één hand en met opgerolde broekspijpen zou ik als een imbeciel rechtdoor lopen, smekend dat ik al buiten het gezichtsveld van Inès was. Ten slotte zou François me inhalen en zwijgend naast me komen lopen. Maar misschien zou hij ook wel ineens beginnen te praten, zou hij zeggen dat ik moest ophouden met meiden, dat het niet goed voor me was, dat ik met hem zou moeten gaan, bijvoorbeeld. We zouden een ander weggetje nemen om weer op de grote weg te komen en hij zou blijven praten. We zouden weer in de auto stappen en hij zou blijven praten. En als ik genoeg had van zijn monoloog, zou ik hem plotseling bij zijn haren grijpen om zijn kop tegen het stuur kapot te rammen. Het zou beginnen te bloeden, maar ik zou doorgaan, en nog eens, en nog eens, tot het bloed uit zijn mond zou gutsen en hem tot zwijgen bracht. Dan zou ik me over hem heen buigen om het portier aan zijn kant te openen, ik zou op het punt staan hem met mijn voeten naar buiten te duwen, maar dan zou ik bedenken dat het zijn auto was waar ik in zat, uitstappen en eenvoudig weglopen. Maar waarheen? Liften naar het station van Montpellier? En hoe dan verder...

Het portier sloeg dicht.

'Ben je er klaar voor?' zei hij terwijl hij zijn gordel aantrok.

'Nee, ik ben er niet klaar voor,' antwoordde ik en wendde mijn blik af. 'We gaan niet.'

# XI

# Word je sterker van iets wat niet dodelijk is?

## I

Toen ik de volgende middag thuiskwam stak ik de sleutel in het slot en draaide hem om. De deur ging maar op een kiertje open. Pallas stond er toch niet tegenaan te leunen om te zorgen dat ik niet binnen kon komen?! Nee, er stond een groepje van vier kerels achter, en eentje daarvan, met bruin haar, zo'n decadent type dat een pa heeft met centen, bracht een kopje naar zijn mond waar ik met mijn schouder tegen aan stootte, zodat hij de inhoud over zijn mocassins gooide. Alleen al aan het kopje kon ik zien dat ik midden in een opening van een tentoonstelling van Alice was beland. Ik bood werktuiglijk mijn excuses aan voor zijn schoenen en schoot mijn kamer in. Het lampje van mijn antwoordapparaat knipperde nog steeds niet. Ik trok mijn spijkerjack uit, haalde mijn sigaretten eruit en smeet hem op bed, toen liep ik naar de ramen met daarachter de gesloten luiken. Er steeg een sterke lucht van hondenpoep op van het trottoir, dat brandde in de zon. Ik stak een sigaret op en zette mijn zonnebril af om mijn bijholten te masseren. Ik vermeed het om mijn blik te laten glijden over de dozen die ik samen met Jessie naar binnen had gebracht. Door de wand tussen mijn kamer en de huiskamer was alleen muziek te horen, 'Beautiful people' uit Zweden, de gebruikelijke obsessie van Alice. Toen ze nog hier woonde, had ze een levensgrote kartonnen Brett Anderson, de zanger. Heel sexy... De bel ging. Dat zou de hele middag zo doorgaan. Ik snapte niet waarom mensen maar naar die openingen bleven komen. Degenen die het eerst kwamen hadden tijd om uitgebreid te bekijken wat er hing, maar zodra de mensen begonnen toe te stromen eiste Alice van hen dat ze op de grond gingen zitten om het werk dat er hing niet aan het oog te onttrekken, en niet zomaar, maar in rijen langs de muren. Zodat degenen die daarna kwamen ineens oog in oog stonden met zwijgende gezichten. In plaats van een blik op de tentoonstelling te werpen – al was die nog zo snel – zochten ze liever schielijk een plekje naast iemand die ze kenden om te ontkomen aan die intimiderende blikken. Ik stelde me graag voor dat een grietje de wc bezet hield, zoals ik deed wanneer Alex me meesleepte naar mensen in wie ik geen trek had. Ja, daarin verdween ik voor lange tijd en dan keek ik naar de flyers waarmee de muren altijd vol hingen, voordat ik me op de etiketten van de schoonmaakspullen stortte, die ik van a tot z las. En dan die fixatie van Alice op thee: Ceylonthee, jasmijnthee, vanillethee, thee uit China, Russische thee, je kon het niet afslaan, anders beledigde je haar. Zij was de enige die stond, ze liep rond met haar twee thermoskannen en ging heen en weer van de kamer naar de keuken om water op te zetten. Ze schonk de thee in alles wat maar voor het grijpen was – kopjes die niet bij elkaar hoorden, kommetjes, glazen, ik zag zelfs types die het opslurpten uit kaasbakjes van Pallas – en wie zou na afloop opdraaien voor de hele afwas? Dit keer niet, dacht ik en maakte het touwtje van het luik los om mijn peuk naar buiten te gooien.

Ik moest me omkleden, maar ik zag mezelf niet de huiskamer binnengaan. Ik zette mijn deur op een kier. Het decadente type zat op zijn hurken met een spons over het tapijt te boenen. Brave jongen. Dat kwam toch niet veel meer voor.

'Hé, kan je Pallas even halen? Je weet wie Pallas is? Oké, ga even naar haar toe, alsjeblieft.'

Ik duwde de deur weer dicht om mijn T-shirt uit te trekken. Hij ging weer open en daar stond Pallas, met een gesloten gezicht en in een nieuwe zwarte jurk.

'Hoi,' zei ik in een poging tot een glimlach, 'alles goed? Hoor eens, zou je wat dingen voor me uit de huiskamer willen halen? Kom, alsjeblieft. Mijn paarse bloes, mijn zwarte jasje en mijn laarzen. En ook een onderbroek.'

Ze keek me aan alsof ik echt te ver ging.

'Oké, laat die onderbroek maar zitten.'

Ik stak nog een sigaret op totdat ze terugkwam.

'Ik ga naar Nikki,' zei ik en pakte de kleren en laarzen aan die ze me met haar vingertoppen aanreikte. 'Ik weet wel dat het je geen reet kan schelen, maar voor het geval dat.'

Dit keer staarde ze me totaal onverschillig aan, of minachtend, maar voordat ik dat doorhad was ze alweer weg. Ik trok mijn spijkerbroek uit en mijn onderbroek, die ik onder een hoofdkussen propte, en kleedde me snel aan. Voordat ik de deur weer opendeed controleerde ik of ik mijn sigaretten, mijn creditcard en mijn zonnebril wel bij me had en liep de gang in terwijl ik mijn bloes in mijn spijkerbroek stopte.

In de huiskamer was inmiddels iedereen gaan zitten, zo'n dertig mensen keurig op een rij langs de muren. De muziek kon hun zwijgen niet verlichten. Terwijl ik even naar de post op het plankje keek en een envelop met het briefhoofd van Virgin in mijn zak stak, bleef mijn blik rusten op Jessie, Eva en Julia die tussen de anderen zaten. Zij wendden hun ogen af. Alice ook. Eigenlijk had ik het gevoel dat al die mensen een andere kant op keken. Dat alles verstard was en dat ik de enige was die nog ademde. Maar ik raakte er niet door van de wijs, ik zag er heel gaaf uit met mijn seventies-kleren en voor mijn part konden ze allemaal in de stront zakken. Toen ik op de overloop stond dacht ik aan de platen van Nikki en ging terug om de stapel uit mijn kamer te halen.

Door de kier van de deur van Pallas' kamer kon ik net de winkeltassen op haar bed zien liggen. Het leek wel of ze begonnen was om nooit meer op te houden. Idioot, zoals je adviezen niet meer opgevolgd worden zodra je er niet meer bent. Ik maakte de brief van Virgin open terwijl ik de trap afliep. Als het rampzalig nieuws was, bedacht ik, zou het me waarschijnlijk weinig kunnen verrotten. Ik las hem vluchtig door op het moment dat ik de deur opendeed. De straat baadde in het zonlicht. Er stond alleen maar in dat het geld was overgemaakt. Je meent het, mompelde ik terwijl ik mijn zonnebril te voorschijn haalde, en smeet de brief in de eerste de beste prullenbak.

## 2

Ik bracht de hele week bij Nikki door. De zondag dat ik aankwam hebben we lang gepraat. Niet echt over Inès – daarover kon hij niet meer zeggen dan: wat een rotstreek, het gaat wel over –, we hadden het vooral over muziek. Nou ja, laten we zeggen dat hij het over zijn muziek had opdat ik zin zou krijgen om me weer met de mijne bezig te houden. De volgende dag ging hij naar de studio, en ik moet zeggen dat het stimulerend was te zien hoe hij zijn Vox, zijn Junior en zijn twaalfsnarige gitaar in gereedheid bracht. Ik kreeg zin om naar huis te gaan, naar mijn apparatuur en mijn nieuwe schatten. Dat wat je voelt in banen leiden, zei Nikki, er iets mee doen. Ja, dat sprak me wel aan, geloof ik. Ik moest alleen van tevoren even uitblazen.

Ik bleef dus de hele week. Overdag zat ik op de bank, voor de tv, en 's avonds, als Nikki thuiskwam, ging ik in zijn kamer bij hem slapen. We lagen tegen elkaar aan, maar hebben niet één keer gevreeën. Alleen af en toe gezoend, en dan nog: iedere keer stopten we omdat ik ervan moest janken! Nikki kwam tegen twee of drie uur 's nachts thuis, bleef nog wat in zijn muziekkamer hangen en ging 's morgens weg zodra hij zijn koffie naar binnen had gewerkt. Ik was nog niet bij hem binnen of hij had al door dat ik aan de dope was. Maar ook al had hij besloten dat het voor hem niet meer hoefde, hij was er het type niet naar om anderen aan hun kop te zeiken. Hij vond het geen enkel punt om zijn oude dealer voor mij te bellen. Oké, hij gebruikte een paar keer samen met mij, en daar voelde ik me schuldig over, ook al vermoedde ik dat hem dat wel vaker gebeurde. Op maandag ging ik meteen naar de dealer, en dat was de enige dag dat ik buiten kwam. Het adres overtrof al mijn verwachtingen – wit voor vierhonderd franc per gram – en ik sloeg er schandalig veel van in. Ik maakte van de gelegenheid gebruik door ook een voorraad sigaretten, cola en allerlei diepvriesmaaltijden in huis te halen, maar natuurlijk heb ik alleen de cola aangeraakt. Het was een week waarin ik door en door junk was, een week van spuiten en trippen, maar ik had één regel waaraan ik me hield: geen spuit in een glas laten slingeren. Het was niet uit respect voor Nikki dat ik iedere keer de moeite nam om naar de badkamer te gaan. Het was voor mezelf, om niet echt de pijp uit te gaan.

Nikki was aangesloten op de kabel, maar zijn tv was zo oud dat er maar zes knoppen op zaten voor de eerste zes zenders, de andere kanalen moest je met de hand opzoeken, *vintage oblige*. Ik bleef dus voornamelijk naar de eerste zes kijken, met de afstandsbediening waarvan de batterijen waarschijnlijk op hun eind liepen, zo hard moest je op de toetsen drukken, maar er was niet veel waar ik naar kon kijken. Ik kon het niet eens meer aanzien als twee mensen elkaar zoenden. Ik werd zelfs depressief van stellen die elkaar feliciteerden bij tv-spelletjes. Dus was ik voortdurend aan het zappen. Op een gegeven moment viel ik in een belachelijk interview. De presentator ontving het meisje dat Lara Croft in de fysieke wereld moest voorstellen. Hij vroeg of ze een erg druk leven had, en dat meisje, net als in *Tomb Raider* met een kort rokje en een paardenstaart, antwoordde zonder met haar ogen te knipperen: 'Weet je, ik reis veel, ik ben altijd onderweg voor een opdracht, en het is inderdaad heel boeiend. Als ik ergens aankom, weet ik nooit van tevoren waar de vijand zich zal bevinden, of over hoeveel munitie ik zal beschikken.' Virtueel interview over schizofrenie... Ik zag ook een televisiefilm waarin een blinde een woning had met muren die onder de foto's hingen... En een reclame voor Lactel waarin een jongetje aan zijn grootmoeder vraagt: 'Zeg, oma, wat drink je daar?' En de grootmoeder antwoordt dan: 'Ik drink niet, ik spuit.'

Ik zag weer wat flarden van *Cocksucker Blues*, waarvan ik thuis ook een band had liggen. Die documentaire over de Stones waarin je echt ziet hoe roadies in het vliegtuig met meisjes neuken, groupies in hotelkamers zitten te spuiten en Keith Richards voortdurend aan het snuiven is. En dan vooral die passage waarin hij doet alsof hij zichzelf door zijn zilverkleurige heupbroek heen betast, voordat hij eenvoudigweg zijn hand naar binnen laat glijden. Dat deed me vreemd genoeg niet aan Inès denken, maar aan Nikki, die ik me weer voor de geest haalde terwijl hij de eerste ochtend bezig was zich voor te bereiden voor de studio, met zijn fluwelen Levi's, zijn zwarte hemd en zijn laarzen. Ik had ook weer dat soort kleren aan, toen ik daar onderuit zat met mijn paarse bloes, mijn jasje over de leuning en mijn laarzen op de grond. Net als de Stones, kortom. Het kwam allemaal weer terug in mijn hoofd. Ik wist echt niet meer waar ik aan toe was.

Een man... ja, eigenlijk moest ik daar mijn hoop maar op vestigen... Op M6 waren de broertjes Hanson te zien. De middelste was fantastisch. De zanger, Taylor. Zestien jaar? Zulke perfecte gelaatstrekken dat het bijna obsceen was. Ik stelde me voor dat Nikki hem hiernaartoe bracht om hem een gitaar te lenen, en terwijl hij weer naar beneden ging om wat te drinken te kopen, stond die knul tegen de muur geleund de tijd op dezelfde manier te verdrijven als Keith Richards... Ik masturbeerde op de bank, zonder haast, terwijl ik witte wolkenflarden langzaam in het bleke blauw van de lucht zag drijven. Na een tijdje zag ik niet meer de kleine Hanson, maar een gozer die iets ouder en steviger was – ik kon alleen zijn gezicht niet onderscheiden. Wat wilde het zeggen als je masturbeerde zonder aan iemand in het bijzonder te denken? Zouden die wezens doden zijn, of geesten die de kans niet hadden gekregen om te incarneren? Dingen, die, omdat ze er net zo'n behoefte aan hadden klaar te komen als iedereen, onze lichamen in bezit namen om dat te bereiken? Een bende ectoplastische wezens die voortdurend op jacht zijn naar mensen die aan zichzelf zitten te frunniken om hun sensaties uit hen te zuigen? Zoals in *Liquid Sky*, die New Yorkse film uit het begin van de jaren tachtig waarin een vliegende schotel op het dak van het huis van een vrouwelijke dealer landt om zich te voeden met de substantie die wordt afgescheiden door de hersenen van de kerels die bij haar komen trippen. Even serieus: wat gebeurt er met de energie die vrijkomt op het moment van een orgasme?

## 3

Toen ik weer enigszins met mijn voeten op de grond kwam, vroeg ik me een hoop dingen af. Vragen die niet echt diepzinnig waren maar me wel bezighielden, zoals: waarom blijft as recht zolang het aan de sigaret vastzit terwijl het uit elkaar lazert zodra het ervan af valt? Of hoe kan het dat de riolering binnenkomt in iedere wc van iedere woning, van iedere verdieping, van ieder gebouw, van iedere straat, van iedere wijk, van iedere stad, van ieder land? Of waarom kon ik, in tegenstelling tot heel veel mensen, niet fluiten of met mijn vingers knippen of bellen blazen met kauwgum? Of als ik ergens zou kunnen zijn en iets anders zou doen, waar zou ik dan zijn en wat zou ik dan doen? Op die vraag vond ik nog minder antwoorden. Ik had graag gewild dat mijn hersens volledig in de pauzestand konden blijven. Iedere gedachte die verder reikte dan het eerstvolgende kwartier leek me bespottelijk.

Op woensdag, de Dag van de Muziek, ging ik de deur niet uit. Toch wist ik dat Alex waarschijnlijk terug was gekomen, ze moest ergens mixen in de Hallen. Ik probeerde ook Inès niet te bellen bij haar ouders of op haar mobiel. Ik had geen zin meer om die nauwelijks hoorbare kutstem van haar te horen... 's Avonds bleef ik nog steeds binnen, terwijl de halve stad waarschijnlijk in de Dépôt was voor Alex en Jessie en de andere helft voor de Rex zou staan te drommen voor Plastikman en Laurent Hô. Om vijf uur 's nachts – ik zat nog steeds te wachten tot Nikki thuiskwam – had ik ook geen zin om even naar de Gibus te gaan, waar iedereen waarschijnlijk zijn toevlucht had genomen voor de after hardcore. Geen enkele aandrang om me te mengen onder de zombies die verslaafd waren aan de XTC of de MDMA en mechanisch stonden te dansen.

Ik moest de hele tijd maar denken aan het begin van de avond, toen Nikki langs was geweest om zich om te kleden. Een geschenk uit de hemel wat hij voor me meebracht. Er was geen ander woord om het te betitelen, en ik was niet te beroerd om het als zodanig op te vatten... Het was niet de kleine Hanson die een gitaar van hem kwam lenen, het was honderd keer beter. Het leek Nikki wel dertien jaar eerder, toen hij na mijn *Driestuiversopera* naar buiten was gekomen. Ongeveer dertig jaar, engelensmoeltje, donker type met lang haar uiteraard, een zwart pak over een donkerrood hemd en Annelio-laarzen. Een eenvoudig knikje met zijn hoofd voordat hij achter Nikki aan de andere kamer in liep, maar hij had genoeg tijd gehad om mijn houding en de stand van mijn benen op de bank op te merken. Ik kon ze in de kamer ernaast over gitaren horen praten. Toen ik besloot op te staan waren ze alweer terug. Die jongen hield met beide handen een flight-case vast en taxeerde me weer duidelijk terwijl ik een sigaret opstak. Na een kort moment van verwarring kreeg hij in no time zijn spontaniteit weer te pakken: 'Kom op man, even speeden, ik moet zo spelen.' Klotegitarist! Maar in plaats van dat ik hun vroeg op me te wachten, bleef ik domweg staan en wenste ze een leuke avond. Nikki ging vlak daarna weer naar boven om iets te halen wat hij was vergeten, en terwijl hij de muziekkamer ondersteboven haalde had ik even tijd om hem te ondervragen. De jongen – Julian heette hij, want zo ging dat bij rock-'n-roll: Nicolas veranderde in Nikki en Julien in Julian – was op het vliegveld van zijn gitaar beroofd. Een Gibson TV uit 1959, uiteraard. Hij woonde in Londen, maar hij was Fransman en hij kwam spelen met David Hallyday. Nou oké, zijn laatste stuk was niet zo slecht, het klonk als 'Knockin' on heaven's door' van Dylan en de beelden van de clip waren leuk. Zijn gezicht kwam me eigenlijk toch wel een beetje bekend voor en ik kreeg ineens zin om uit mijn slof te schieten, om aan Nikki te vragen waarom hij al die tijd had gewacht met hem aan me voor te stellen. Maar ik wist het antwoord al, Nikki dacht altijd alleen maar aan wat hij voor ogen had, en die gozer woonde aan de andere kant van het water... Voordat hij de deur uit liep, vroeg hij nog een laatste keer of ik niet mee wilde, en omdat het te lang duurde voordat ik een besluit nam, ging hij de trap af en riep dat het concert op place de la République was, voor het geval dat.

Maar ja, ik ging nergens heen. Die Julian mocht dan precies datgene zijn waarvoor ik twee weken eerder alles over zou hebben gehad, het kwijnende stemmetje van dat slettenbakje klonk overal in mijn hoofd.

## 4

Op vrijdagavond ging ik voor de bijl, ik ging naar het feest van de Dépôt op de avond voor de Gay Pride.

Binnen was alles veranderd: de cabine bevond zich nu op een kleine verhoging boven de trap naar de dark room, je kon door alle donkere draperingen het loopbruggetje niet meer zien en het was er stamp- en stampvol. Alex was aan het mixen en Inès was met haar verblindend witte T-shirt de eerste die ik ontdekte. Ze zat in haar eentje op een trappetje dat naar de cabine leidde, en toen ze me zag stond ze meteen op om me tegemoet te komen. Ze ging met haar hele lichaam tegen me aan staan, met haar armen om mijn hals, precies zoals de eerste keer bij mij thuis in de hal, en ik dacht echt dat ze me zou zoenen in het bijzijn van alle anderen die ik net verderop had gezien en die maar naar ons bleven kijken. Maar op het laatste moment boog haar mond af naar mijn wang. Daarna pakte ze mijn hand en trok me rustig mee. We baanden ons een weg door de mensenmassa. De lucht was verzadigd met CK One, CK Be en andere homogeuren. We liepen naar de bar waar de muziek iets minder hard leek en we leunden tegen een muur om op onze hurken te gaan zitten. We haalden onze sigaretten te voorschijn en ik stak die van haar aan. In het licht van de aansteker, dat de onderkant van haar gezicht in een gloed zette, kon ik een paar blaartjes bij haar mond zien. Koortsblaartjes die tegelijk met haar menstruatie kwamen, drie keer achter elkaar in één maand... Ze zei verlegen dat ze blij was me te zien, dat ik wel de enige zou zijn die nog tegen haar praatte. Alle anderen hadden de pest in over wat er was gebeurd... Maar ze lette er niet eens meer op. Ze had al dagen niet geslapen. Dagenlang liep ze alleen maar achter de anderen aan. Dan zetten die haar ergens neer en bleef ze daar zitten, te ver heen om zich ergens toe te zetten. En Alex? Hoe ging het met haar en Alex? Ze antwoordde dat het cool was zolang ze met z'n tweeën waren, het liep fout zodra ze de anderen weer zagen. Ik merkte onmiddellijk op dat het haar moeite zou kosten zich van Alex' omgeving te ontdoen, terwijl ze met mij dat probleem niet zou hebben. Ze glimlachte toen ze antwoordde dat ze daaraan had gedacht. Shit, twijfelde ze...? 'Hoor eens,' begon ik. 'Ik kan het nog vergeten. Je kan terugkomen en we hebben het er niet meer over.' 'Ik weet het niet,' zei ze, 'ik weet niets meer.' Ik zei dat ze om te beginnen in ieder geval moest komen slapen, uitrusten. We konden meteen gaan: waar ze maar wilde, een plek waar niemand haar lastig zou komen vallen. Ze keek voor zich uit terwijl ze in haar handen kneep. De bas van DJ Rush begon te klinken. In haar blik en aan haar lichaam was geen spoor van mij meer te bekennen. Ze zat met haar kop op een totaal andere plek en was nog vreemder dan toen ik haar nog maar net kende. Ze vroeg of ik al met mijn plaat was begonnen. Ik gaf geen antwoord. Waarschijnlijk was ze stoned. Maar al had ik het gewild, dan nog zou ik niets hebben kunnen zien in haar donkere ogen, en hoe dan ook, ik wilde het niet eens weten. Ik keek naar de mensen die langs liepen en eindelijk snapte ik het: flikkers houden te veel van elkaar en potten helemaal niet. Het groepje was dichterbij gekomen om onder aan het trappetje van de cabine te dansen. Eva met een wit T-shirt waarop in het zwart 'Sharon Stone full-blown' stond, Gayle, die weer in Parijs was, had 'Sharon Stoned' roze op blauw, Julia 'Tintin Tattoos' wit op zwart en Jessie 'Enjoy Me' wit op rood, zoals 'Enjoy Coca-Cola'. Pallas droeg een jurk en stond te praten met een griet die ik niet kende. Ik dacht dat ik Bruce Willis langs zag komen, maar toen realiseerde ik me dat het Tintin was. Het was me nooit opgevallen hoe sterk hij op hem leek. Dat deed me denken aan een beeld van Brad Pitt in de psychiatrische inrichting in *Twelve Monkeys*. DJ Rush zette zijn 'I wanna fuck you all night' weer op en ik zag het ogenblik al voor me dat ik door het lint zou gaan en net als Brad Pitt tegen iedereen zou beginnen uit te varen... 'Kom met mij mee,' zei ik weer tegen Inès. 'Dan blijf je een paar dagen om uit te rusten, je kijkt hoe het gaat en als het niet oké is, ga je weer.' 'Vanavond in ieder geval niet. Morgen moet ik dingen doen met Alex. Maar misschien kan ik je bellen?' Ik stond op. Zij ook. 'Ik ga,' zei ik. 'Kom mee.' 'Ik bel je,' zei ze weer en zette haar handen achter op haar heupen. Een vreemde. Ik trapte mijn sigaret uit en liep naar de anderen om ze gedag te zeggen. Ik gaf Eva, Gayle, Jessie en Julia een zoen. Ze lieten het allemaal gebeuren met een droevige en tegelijkertijd gegeneerde glimlach. Ik negeerde Pallas en keek een andere kant op toen ik merkte dat Alex me van boven in haar cabine aanstaarde. Ik had net tijd genoeg om te zien dat op haar T-shirt 'Heroin Kills Only Rock Stars' stond en het duurde nog geen seconde of ik kreeg de neiging om haar een dreun in haar smoel te verkopen omdat ze Inès in de heroïne had ingewijd. In het gedrang pakte Inès' hand de mijne weer: 'Ik loop met je mee tot de deur.' Ondanks de drukte gingen we te snel op de uitgang af. Ik probeerde zo langzaam mogelijk vooruit te komen, en ik wist zeker dat als ik stil was blijven staan om haar tegen me aan te drukken, ze me niet weg zou hebben geduwd. Ze dacht dat ik iets uit de garderobe moest ophalen en daar bleef ze naast me wachten. Ten slotte vroeg ik of ze echt zou bellen. Toen ze me volslagen wanhopig aanstaarde leek het of ze er met haar hoofd weer bij was. Nú, ik moest mijn laatste troef nú uitspelen. 'Luister,' zei ik terwijl ik haar bij haar schouder pakte om iets verder af te gaan staan van de mensen die zich bij de garderobe verdrongen. 'Wat er tussen jou en mij gebeurt is echt. Het komt door die klerezooi eromheen dat je het niet meer weet. Je moet dat allemaal laten schieten, je moet ons een kans geven, we verdienen het verdomme. Je kan me niet zo laten zitten,' voegde ik eraan toe, 'ik kan niet zonder jou.' Toen dook Pallas op en pakte haar bij haar elleboog. Ze zei dat ze overdreef door zich zo te gedragen waar iedereen bij was. 'We praten alleen maar!' riep ik uit. 'Dat zal wel,' antwoordde Pallas en troonde Inès mee die gebaarde dat ze er ook niks aan kon doen.

Zo kon ik niet weggaan. Tenminste niet meteen. Dus ging ik ook terug naar de zaal. Ik voelde hoe mijn onvaste benen dienst weigerden en probeerde de indruk te wekken ergens naar op weg te zijn. Het groepje had zich verplaatst en Inès was natuurlijk niet weer aan de bar gaan zitten. Ik maakte nog een rondje en kwam Eva tegen. 'Heb je nog een nieuwe mop?' schreeuwde ik naar haar terwijl ik mijn best deed euforisch te lijken. Ze schudde van nee, kwam toen dichter bij mijn oor om niet terug te hoeven schreeuwen: 'Ik denk dat ik even tijd nodig heb om het een en ander te vergeten,' en liep weg. Ik had haar kunnen vragen in hoeverre het haar aanging, maar ik wist het: van de buitenkant gezien leek het een echte pottentoestand en ze was teleurgesteld dat ik daartoe in staat was. Uiteindelijk ging ik de trap op en de cabine in, waar ik tegen de muur ging leunen bij een tafel waarop de twee flight-cases van Alex lagen. Ik moet daarboven ruim een halfuur tegen haar rug aan zijn blijven kijken terwijl ze aan het mixen was. Regelmatig draaide ze zich om om een plaat op te bergen en een andere te voorschijn te halen, en gebaarde ze me een van haar sigaretten voor haar aan te steken. Maar ze probeerde niet één keer mijn blik te kruisen. Ik wist dat zij het me niet kwalijk nam. Ze had het zelf anderen te vaak aangedaan om niet de tact te hebben te incasseren. Maar het was duidelijk te zien dat ze door de hele toestand was aangedaan. Daardoor waren haar bewegingen vertraagd en leek het of ze gewoon snel klaar wilde zijn met haar werk om naar huis te gaan, naar bed. Iemand raakte mijn arm aan. Het was Inès, die vlak beneden mij op het trappetje stond. Ze gebaarde dat ik mijn hoofd naar buiten moest steken, wat ik met tegenzin deed, en vroeg of ik niet met haar naar de dark room wilde. Ze zei erbij dat het die avond voor meiden was. Ik zou met haar naar het einde van de wereld zijn gegaan, maar niet daarheen, achter de rug van Alex om die aan het werk was en met het risico dat iemand van het groepje er zou opduiken. Dus ik antwoordde nee. Bij mij oké, maar niet hier. Ze sloeg haar ogen neer en ging weer weg. Ik bleef nog even kijken naar het gedrang voor de cabine. Eén op de twee was waarschijnlijk aan het trippen – XTC, MDMA, acids, poppers, cokelijntjes... Er waren er waarschijnlijk veel met een flesje Sterimar onder in hun tas, die wonderbaarlijke zeewaterspray om je neusgaten te reinigen. Wat zei Alex ook alweer: 'Te veel gesnoven? Neem Sterimar en je bent weer klaar'? Waar zat haar Inès-tatoeage? Ik wachtte tot ze zich omdraaide om met een hoofdbeweging dag te zeggen, maar dat deed ze niet, dus ging ik ten slotte weer naar beneden.

Ik had me nog nooit in de kelder gewaagd, ik wist alleen maar dat het een gigantische ruimte was. Onder aan de trap was er een gang naar beide kanten. Ik nam die naar links. Langs de muren stonden meiden in groepjes te praten, met glazen in hun hand. Als ze soms dachten dat ze van alles te zien zouden krijgen, droomden ze. Als zij erin mochten zou er geen kerel te vinden zijn. Ik liep langs een rij hokjes zonder deuren, zwak verlicht met gele lampjes en leeg op het laatste na, waarin twee meiden elkaar zaten te zoenen. Daarna was er niets meer in de gang, die een bocht naar rechts maakte en toen weer een, en pas toen ik nog een keer de bocht omging kwam ik bij twee donkere openingen. Ik ging de eerste binnen en stond toen in een groot cirkelvormig vertrek. In het midden een rijtje deuren. Ik liep erheen om voorzichtig een knop om te draaien en zag een hokje met spiegelglas waardoor je kon kijken naar een nog nauwere, ronde ruimte – net groot genoeg voor één man om zich te laten begluren terwijl hij God weet wat aan het doen was. Ik ging weer naar buiten om de volgende opening te proberen, een bar gedompeld in rood schemerlicht. Er dwaalden een stuk of tien meiden rond, alsof ze een museum bezochten. Achterin was nog een opening, maar die was afgesloten met een ketting. Als Inès beneden een rondje was gaan maken had ik haar gemist. Ik ging er weer uit en liep naar de trap toen ik een laatste opening ontdekte. Het enige licht kwam uit de gang – de dark room. Ik kon alleen een paar meter voor me drie silhouetten onderscheiden, de rest was helemaal donker. Ik kwam dichterbij om te zien waar ze naar keken, maar deed in een reflex meteen mijn ogen dicht terwijl er in mij iets brak. Het was mijn schatje. Mijn schatje van zeventien die naakt zo'n beetje gevierendeeld werd opgevreten.

Met ontbloot bovenlijf en haar broek op haar enkels werd ze door twee meiden vastgehouden terwijl een kaalgeschoren kerel op zijn knieën voor haar zat. Die meiden hielden haar naar achteren terwijl hun handen over haar borsten, haar keel en mond gleden en die gozer haar bij haar heupen beet had. Zij had haar hoofd opzij gegooid zodat de pees van haar hals zowat knapte, en zoog gulzig aan de tong van een van de twee meiden. Haar handen gebruikte ze om ze allebei te strelen. Regelrecht in hun open broek. Er was geen muziek, alleen die uit de gang, en je kon haar duidelijk horen kreunen. Een van die twee grieten moest ook een vinger in haar kont hebben, als je zag hoe ze haar benen boog. Ze kronkelde, alsof het tegen haar zin gebeurde, maar het was duidelijk te zien dat ze het niet langer kon uitstellen. Ik verstijfde helemaal bij het idee dat ze recht vooruit zou kijken en mij daar zou zien staan, maar ik leek wel verlamd. Ze slaakte een indrukwekkende kreet toen ze klaarkwam en slikte zowat de kaak in van het meisje dat ze zoende. De jongen ging staan en haalde zijn lul te voorschijn. De meiden bleven haar vasthouden en een van hen schoof haar hand tussen haar dijen en veegde die af aan haar gezicht. Inès begon haar hand meteen te likken en haalde een van haar eigen handen uit een van de broeken om de lul van die gozer te pakken. Ze hoefde alleen maar op te kijken om mij een meter achter hem te zien staan, maar ze keek naar beneden. Ze keek naar de lul die ze zachtjes begon af te trekken. Het was duidelijk dat hij hetero was en nu waren er verschillende mogelijkheden: hij kon haar van voren nemen of van achteren, of hij kon zich laten pijpen en over haar borsten of over haar gezicht spuiten. Maar dat wachtte ik niet af.

Toen ik naar boven ging kwam ik Pallas en het meisje tegen die op de trap zaten. Pallas huilde, haar mascara was helemaal uitgelopen.

'Wat is er met haar?' vroeg ik vol afkeer.

'Ze heeft haar tong laten piercen,' antwoordde het meisje, 'en nu heeft ze pijn.'

Zo zo...

Door de uitgelopen mascara zag ze er niet uit, ze leek Frank-N-Further wel uit de *Rocky Horror Picture Show*, als Riff Raff op het punt staat hem te vermoorden. Pallas keek op en deinsde terug toen ze me daar zo zag staan. Hoe was het ook alweer, die scène als Doctor Scott binnen komt vallen op het moment dat ze net met z'n allen Susan Sarandon hebben betrapt die die apollo pakte?

'Janet! Doctor Scott! Janet! Brad! Rocky!'

Ik herhaalde het drie keer, net als in de film. Dat deed ik op een volslagen krankzinnige manier terwijl zich op Pallas' gezicht langzaam afschuw begon af te tekenen. Ontmaskerd, trut! wilde ik erbij zeggen. We hebben begrepen dat jij ook verliefd op haar bent! Maar ik nam niet de moeite er nog een woord aan vuil te maken. Ik bereikte het einde van de trap, bleef rustig terwijl ik me in de mensenstroom naar de uitgang liet voeren, ging de deur door, sloeg de hoek van de boulevard Sébastopol om, liep naar een goot, bukte en gaf over.

# XII
# Gay Pride, Sinead O'Connor & andere complicaties

## I

'Dus Cubase, oké, Cubase ken je, maar met de 24 kan je veel meer, dat zal je zien.'

Ja hoor, het was weer zover, net als met Jessie. Dachten de mensen nou echt dat ik spullen verzamelde waarvan ik niet eens wist hoe ik ze moest gebruiken? Ik schudde alleen maar mijn hoofd. Als je het 'Hallo' toen hij had aangebeld en het 'Schiet op' tegen Pallas die de wc bezet hield toen ik wakker werd meetelde, had ik sinds ik uit de dark room was gekomen maar drie woorden gezegd, en het was wel goed zo.

De jongen die achter mijn computer zat – mijn fantastische doorschijnende zilverkleurige G4 met bijpassend scherm – had ik nog nooit gezien. Het was een vriend van een vriend van een vriend, een jongen die deel uitmaakte van een collectief uit Lille en een weekend in Parijs was en zo aardig was geweest vier uur op te offeren om voor nop mijn vijftigduizend franc aan plug-ins te installeren. Ik had geen flauw idee waarom hij het deed, hij probeerde me niet eens te versieren. Maar ik was inmiddels gewend aan de padvinderskant van techno: het danste op muziek waardoor je zin kreeg in neuken en propte zich daarbij vol met ecstasy die het effect waanzinnig vergrootte, maar het versierde niet. Hij leek op alle anderen, met kort haar dat alle kanten op stond en vormeloze kleren à la Daft Punk. Zo ging dat voortaan met homestudio's: je stond op en het kon je geen reet schelen hoe je haar zat of wat je aan had, je nam alleen even tijd om koffie te zetten en hup, dan ging je weer aan het werk.

Ik zat naast hem en keek af en toe naar de tv die nog steeds op de actualiteitenzender stond. Ieder kwartier hadden ze het er in het journaal over hoe ver de Gay Pride was, maar nu waren er nog steeds iedere keer beelden van de start uren eerder. Bij het nieuws van één uur hadden alle zenders beeldmontages van het vorige jaar te voorschijn gehaald, in het bijzonder de praalwagens van de Pulp en de Dépôt met een hoop bekende gezichten. Ik ging nooit naar de Gay Pride. Dat gedoe kon me geen zak schelen. Nooit verliefd geweest op de bakkersvrouw in een of ander dorpje die ik alleen maar stiekem kon zien. Nooit bij een bedrijf gewerkt waar je een kerel bij elkaar moet fantaseren om de lompe dikzakken van je lijf te houden bij de koffie-automaat. En nooit last gehad van lichamelijke of verbale agressie omdat ik op straat een andere meid zoende. Ik loog er niet over tegen mijn ouders en ik was ze niet kwijtgeraakt toen ze het te weten kwamen. Het kon me dus geen zak schelen.

Alleen zou ik er deze keer wel heen gaan. Ik had om zes uur een afspraak met de dealer van Nikki, maar daarna zou ik erheen gaan, tegen het eind, op République. Alex moest daar mixen en ik wilde Inès zien. Het zou de laatste keer zijn, normaal gesproken zouden ze de volgende dag vertrekken. Wat het uitmaakte? Ik moest haar zien, dat was alles.

2

Op République wemelde het van de politieagenten en ME-busjes. Ik knalde bijna frontaal op een ervan, al slalommend in een volledige mist, en ineens bedacht ik dat ik er dan misschien niet helemaal doorgetript bij liep, maar dat ik best eens gefouilleerd zou kunnen worden. Ik veranderde van richting en sloeg een straat vlakbij in waar ik mijn spuit en mijn lepel kon weggooien, maar mijn dope, no way. Ook al was je omringd door duizend smerissen, niemand zou het in zijn hoofd halen om een gram uitstekende coke van vierhonderd franc weg te flikkeren. Ik deed dus een van mijn laarzen uit om de pakketjes erin te stoppen.

Ik wilde nog steeds graag Inès zien, maar door de dope en de hitte was het al iets minder dringend. Ik besloot dus drie rondjes om het plein te lopen. Als ik haar niet tegenkwam, zou het een teken zijn dat ik haar vandaag niet moest zien. De stoet was nog niet gearriveerd, maar de deejays waren al begonnen te mixen in de tent die was opgezet aan het begin van de boulevard du Temple. Volgens het programma dat Radio FG had gegeven zou het niet lang duren voordat Alex aan de beurt was. Ik zou het begin van haar mix onmiddellijk herkennen, en aangezien Inès niet iemand was om de hele tijd bij de draaitafels te staan, zou ze ongetwijfeld aan het rondlopen zijn.

Het plein was al onbegaanbaar. Mensen schreeuwden naar elkaar en renden op elkaar af. De lucht stond stijf van de merguez- en patatluchtjes die opstegen uit wagentjes die in dikke rookwolken verdwenen. Kerels van Techno Plus deelden folders over veilig vrijen uit, anderen verkochten de lelijke homovlaggetjes. De luidsprekers braakten nog even slechte house uit, maar doordat het geluid zo hard stond en er zoveel mensen waren ging je hart toch sneller slaan. Telkens als mijn blik op een uniform viel brak het koude zweet me uit. Bij het derde rondje gaf ik het bijna op toen ik ineens de eerste plaat van Alex herkende, en bijna tegelijkertijd ontdekte ik het knallend witte T-shirt achter het hek.

Ik nam de tijd om naar haar toe te gaan. In haar gebruikelijke vogelhouding stond ze glimlachend naar mijn jasje en mijn laarzen te kijken. Vervolgens kreeg haar glimlach iets verlegens, alsof ze wilde zeggen: 'Kijk, we zijn nog gescheiden.' Haar zonnebril was omhooggeschoven in haar haar, maar ik zette de mijne niet af. Ik tilde een been op om over het hek te klimmen, maar een dikke neger met een walkietalkie kwam meteen op me af om te vragen waar ik heen dacht te gaan. Het was heel vreemd om zoiets te horen terwijl ik drie jaar lang overal kon gaan en staan waar ik wilde met Alex.

'Mag ik weer naar binnen als ik eruit ga?' vroeg Inès hem, en ik gaf haar een hand om haar over het hek te helpen.

Ze liep voor me uit en begon zich een weg door de menigte te banen. Uiteindelijk pakte ze mijn hand. Die van haar was erg vochtig, maar voor niets ter wereld had ik haar losgelaten. Haar armen waren niet bruin, ze hadden waarschijnlijk al hun tijd gebruikt om weer tot elkaar te komen... In de buurt van de straat van de Gibus lieten we elkaar los en we sloegen de eerste straat rechtsaf. Achter ons werd de muziek zwakker terwijl wij langzaam gingen lopen, onze handen in onze kontzakken. We keken naar de grond. Af en toe hield ik mijn pas zover in dat ik bijna mijn evenwicht verloor. Ik had graag willen stoppen om haar vast te houden. Ik had gewild dat we de hal van een of ander gebouw in zouden gaan om te zoenen. Maar ik was niet in staat tot de geringste actie over te gaan. Aan het eind van de straat hadden we de keuze om linksaf te slaan en nog verder weg te lopen, rechtsaf te slaan en weer op het plein terecht te komen, of om te draaien en terug te lopen. We draaiden om en liepen terug. Het was idioot om zo te blijven zwijgen, dus uiteindelijk begon ik te praten. Ik zei dat ik van plan was geweest om maar drie keer het plein rond te gaan en 'm te smeren als ik haar niet zou zien. Ik zei dat ik naar beneden was gegaan naar de dark room en dat ik het niet leuk vond wat ik daar had gezien. Maar ik durfde mijn hoofd niet opzij te draaien om de uitdrukking op haar gezicht te zien. Ik zei dat ik bijna naar het zuiden was gekomen. Dat ik echt op het punt had gestaan dat te doen en dat ik het plan had laten varen toen we aan het tanken waren. Ook toen durfde ik haar niet aan te kijken. Ten slotte vroeg ik haar of ze wist waar we waren en toen draaide ik mijn hoofd naar haar toe. Ze stopte, begreep de vraag niet. Ik legde uit dat als we rechtdoor bleven lopen we binnen vijf minuten bij mijn huis zouden zijn. Ik wendde mijn blik niet af toen ik vroeg of ze erheen wilde. Zij liet mijn ogen ook niet los toen ze zachtjes vroeg wat we dan zouden doen. Rustig in elkaars armen liggen, zoenen, praten, het maakte niet uit. Zij was het weer, het was weer haar lichaam dat ik had vastgehouden, haar ogen weer die in de mijne wegzonken. Ze glimlachte om duidelijk te maken dat het geen goed idee zou zijn. Ik begon weer te lopen, en toen ik merkte dat ze me niet volgde ging ik terug naar waar zij stond te wachten met haar hand uitgestoken, die ik in de mijne nam. We gingen zwijgend weer verder, de ogen op de grond gericht. Haar hand was nog steeds vochtig. Af en toe gleden haar vingers weg en probeerden dan meteen beter greep om de mijne te krijgen. Toen we weer op het plein uitkwamen werd de muziek opnieuw oorverdovend. Ik liet haar los om naar een hek te lopen en vroeg me af hoe lang ze mij zou hebben vastgehouden als ik dat niet had gedaan. Ik ging tegen het hek staan. Ze hield stil op niet meer dan een paar millimeter afstand van mij. Het deed me goed om ergens tegenaan te leunen, ik had te veel gebruikt. Zij was ook stoned. Inmiddels kon ik dat aan haar donkere ogen zien. Ik was stoned als iemand die het nodig heeft om iets te voelen, maar zij stond nog maar aan het begin, wanneer een eenvoudig lijntje een hele dag houdt. Daar was ik jaloers op, maar tegelijkertijd voelde ik echte angst bij het idee dat ze die toestand kende.

'Je bent mooi,' fluisterde ze.

Was ík mooi? Zij was ronduit magnifiek. Ze was weer gewoon een jong grietje, in weerwil van datgene waarvan ik de vorige avond getuige was geweest. Maar nu straalde ze toch ook iets anders uit, iets weerzinwekkends, dat tegelijkertijd te sexy was om te verdragen.

'Kom naar mijn huis,' zei ik zachtjes. 'Daarna ga je weer terug, ik beloof dat ik je weer laat gaan.'

'Wat hebben we daaraan?' verzuchtte ze. 'Je weet heel goed dat als ik kom, ik niet van je af kan blijven en dat zou niet goed zijn.'

'Maar waarom zou je het niet doen als je er zin in hebt? Gisteren wilde je wel, hè?'

'Je bent mooi,' zei ze weer.

Haar gezicht was zo dicht bij het mijne dat ik haar adem tegen mijn mond kon voelen. Haar lippen waren nog even zacht. Met die lippen voor me leek ik wel een baby in de buurt van zijn fucking zuigfles. Zonder de warmte van haar armen en de geur van haar huid was ik verloren. De tranen stonden in mijn ogen en verdomd, haar ogen staarden naar mijn mond, smekend, net als de eerste keer. Waarom deed ze dat allemaal als ze toch iets voelde? Het was belachelijk. We hielden ons in met zoenen terwijl iedereen die ons uit de verte zag ervan overtuigd zou zijn dat we dat aan het doen waren. Ik had willen vragen hoe lang ze al aan de heroïne was. En ook wat dat was met die kerel de avond daarvoor, maar alleen de gedachte al...

'Hoe zien we eruit?' bracht ik eindelijk uit. 'Allebei stoned om zes uur 's middags.'

Ze fronste haar wenkbrauwen alsof ze het wilde ontkennen,

maar toen leken haar lippen in beweging te komen en ik wist dat ze gedurende een fractie van een seconde in de verleiding was om te vragen of ik nog wat had. Haar blik verdween achter mij in de verte. Er werd net andere muziek gedraaid en ze zei vast bij zichzelf dat Alex haar gauw zou gaan zoeken. Ik zag mezelf al tegen haar zeggen dat als ze met me meeging ik haar alles zou geven wat ik in mijn schoen had. Maar ik stelde me voor hoe Jessie tegen me zou schreeuwen – 'Verdomme, je bent ziek!' – en ik kromde mijn tenen stevig om de pakketjes om de kracht op te brengen mijn bek te houden.

'Ik moet weer terug,' zei ze.

'Ga je vanavond nog uit?' vroeg ik banaal.

'Nou, Alex mixt in de Dépôt, in de Bataclan, in de Pulp en nog ergens anders, maar ik ben vergeten waar. Kom je?'

Ik haalde mijn schouders op.

'Ik geloof dat Pallas overal op de lijst staat,' zei ze nog, 'probeer met haar mee te gaan.'

Ach ja, niets zou eenvoudiger zijn.

'Ik moet gaan,' zei ze terwijl ze langzaam haar wang naar mijn lippen bracht.

'Was het leuk in het zuiden?' vroeg ik en ik dwong mezelf geen aandacht te schenken aan haar zachte lippen.

'Ja, fantastisch!' liet ze zich ontvallen, en toen ze merkte dat ze iets te enthousiast was geweest, voegde ze eraan toe: 'Ik had er behoefte aan om uit te rusten, het heeft me goed gedaan.'

Toen moest ik er weer aan denken. Ik greep haar pols terwijl zij zich al omdraaide.

'Gaan jullie nog steeds morgen weg?'

'Ja,' fluisterde ze bedroefd.

Ik liep als eerste weg en herhaalde telkens dat zinnetje dat ik duizend keer had gehoord – 'Draai je vooral niet om' – maar toen ik bij het trottoir was moest ik wel. Ze liep rustig weg, met haar handen achter op haar heupen en haar ellebogen die uitstaken. Ze begaf zich in de mensenmassa en ik had het wit van haar T-shirt nog lange tijd kunnen volgen. Tot aan het hek van de tent in de verte, tot aan Alex. Maar ik dwong mezelf weg te gaan en langs de bushokjes te lopen zodat Alex me niet kon zien voor het geval dat ze deze kant op zou kijken. Soms hebben de gevolgen van je handelingen tijd nodig om op hun plek te vallen, en soms zijn ze meteen duidelijk. Ik had mezelf zojuist pijn gedaan. Ik had haar niet apart moeten nemen om er vervolgens niets mee te doen. Ik had niet zo lang bij het hek moeten blijven. En bovendien had ik alleen maar dingen gezegd die ik niet wilde zeggen en niets van wat ik wel wilde zeggen. Nu liep ik weg van dit plein waar zij achterbleef. Precies zoals ik had moeten doen als ik naar het zuiden was afgezakt... Ik had mezelf net hartstikke pijn gedaan en dat had ik niet moeten doen.

## 3

Uiteindelijk belde ik Pallas op haar mobiel en alsof er niets aan de hand was vroeg ik wat zij van plan was. 'Is dit een grap?' lispelde ze. Haar tong, dat was waar ook, ik was het vergeten... Ik negeerde haar rottoontje en gaf kalm te kennen dat ik honger had en gewoon wilde dat ze me zei waar ze ging eten. Ze antwoordde dat ze echt niet snapte dat dat me ene moer kon schelen. Ik herhaalde dat ik honger had en dat we niet per se hoefden te praten, een wapenstilstand, oké? Ze liet zich ontvallen dat ze bij de Japanner was waar we altijd heen gingen, in de Marais, met Alice, maar als ik aan zou komen zetten zouden zij 'm meteen smeren. 'Nou, des te beter dan,' verzuchtte ik, 'dan komt er in ieder geval een tafel vrij.'

Toen ik zo'n twintig minuten later daar aankwam, waren ze aan het besluiten waar ze heen zouden gaan. Alice wilde naar de Bataclan om naar Alex te luisteren die het voorprogramma deed voor Green Velvet, en Pallas zei dat ze onder geen beding Jessie wilde missen, die in de Rex mixte met Jeff Mills. De Rex of Jeff Mills konden haar nooit een reet schelen – wat een trut, wat dacht ze wel niet? Ze had alwéér een nieuwe jurk aan, zwart met een open rug tot aan haar bilspleet. Maar het krankzinnigste was dat Guillaume er was. Míjn Guillaume. Alice had misschien niet door dat ik hem niet meer zag, maar Pallas... Ik wachtte dus tot ik haar blik ving om haar duidelijk te maken hoe overstuur ik was, maar natuurlijk gunde ze me die genoegdoening niet. Alice probeerde ook mijn blik te ontwijken, evenals Guillaume trouwens. Hij keek af en toe alleen maar vluchtig naar mijn T-shirt onder mijn fluwelen jasje. Dat had ik gemaakt toen ik thuiskwam. Het was een eenvoudig wit T-shirt waarop in witte letters geschreven stond:

Life's a bitch
And then you die
And you know it

En dan te bedenken dat nog geen jaar geleden... het leken wel eeuwen. Ik voelde dat ik binnenkort, heel binnenkort, een krant zou kopen en de eerste de beste etage zou nemen. Ik zou Pallas laten barsten, en dat zou haar rauw op haar dak vallen. Het was de enige manier waarop het kon eindigen, dat wist ik en ik kon er niks aan doen.

Ondertussen was iedereen met zijn vork in zijn bord aan het prikken, behalve ik, die uiteindelijk niets had besteld. Dat kwam me te staan op een blik van Pallas – vol afkeer – die wel moest denken dat ik weer dope had genomen, en verdomd, ze had gelijk, dat voordeel had ik tenminste! Guillaume stelde Pallas vragen over haar zangstijl. Blijkbaar had ze het met hem gehad over dat triphopstuk dat ze vorig jaar had gedaan, en het leek of ze besloten had zich daar nu aan te wijden. Kijk eens aan. Ik had zin om tegen Guillaume te zeggen dat ik het leuk vond om hem te zien, maar uiteindelijk stelde ik verbijsterd vast dat Pallas hem aan het versieren was. Ze was die gozer aan het versieren op wie ze de hele tijd van alles had aan te merken toen ik met hem was: een boerenpummel uit de voorsteden, een achterlijke buldogkop en ga zo maar door... Hij liet het zich aanleunen, voelde zich alleen een beetje ongemakkelijk omdat ik erbij was. Ik had iets kunnen zeggen, maar het geluid van mijn eigen stem horen ging mijn krachten te boven. Ik klampte me liever vast aan die duizelingwekkende afstand die ik voelde sinds de vorige avond, sinds de Dépôt. Toch zou ik heel goed tegen Pallas kunnen zeggen dat ze echt een probleem had. Een serieus probleem zelfs. Ze was een echt rotwijf geworden en ze stond zeventienduizend franc rood. Dat wist ik omdat ik haar bankafschrift in de hal had zien liggen. Alice had ook een probleem. Ze joeg iedereen de stuipen op het lijf, omdat ze levend werd opgevreten door gebrek aan liefde. Bovendien zwol ze zo op door haar boulimie dat ze echt een mongolenkop kreeg met die pony die ze nog korter had laten knippen dan Pallas. Allebei even pathetisch. Ik voelde hoe mijn bloed in mijn aderen stolde toen ik me afvroeg of ik dat hardop had gezegd of het alleen maar had gedacht. Maar Pallas bleef doorpraten met Guillaume en Alice keek naar me zonder me te zien. Ik stond op om naar de wc te gaan. Ik dacht aan die scène in *Pandora*, wanneer James Mason Ava Gardner aan de piano hoort zingen: hij heeft zojuist vergif gedronken, hij weet dat hij nog maar een paar seconden heeft, hij draait zich om naar de andere gasten en vlak voordat hij in elkaar zakt roept hij: 'Ben ik eindelijk verlost van jullie kletspraatjes!'

Terwijl ik de trap afliep naar de toiletten zag ik eerst de onderkant van de benen en toen de rug van een meisje dat over de wasbak hing om te drinken. Er ging een steek door mijn hart. Het was niet precies dezelfde haarcoupe en niet hetzelfde gezicht toen ze rechtop ging staan en met de rug van haar hand haar mond afveegde, maar ze had dezelfde soort kleren, dezelfde tienerachtige onverschilligheid. Met een verlegen glimlach ging ze opzij om me erlangs te laten naar de wc. Ik deed de deur zachtjes achter me dicht en besefte dat er een heleboel Inèssen waren, echt schattig, leuk en jong. Een heleboel ja. Bij de uitgang van alle scholen. En deze zomer zouden ze ook overal zijn, bij alle raves, op alle stranden, van Biarritz tot Montpellier. Ik zou een ander moeten vinden, of anders afzien van die leeftijdsgroep, want haar was ik echt kwijtgeraakt. Ik hurkte neer om de inhoud van mijn jaszakken op de tegelvloer te leggen, op zoek naar een stukje papier waarvan ik een rietje kon maken. Misschien zeiden Pallas en Alice net tegen elkaar dat het niet goed met me ging. Maar het ging heel goed met me. Alleen wilde ik heel graag dat het de volgende dag was. Ik was alleen een beetje van slag door het idee dat Inès vannacht op vier verschillende plekken zou zijn en ik naar niet één daarvan zou gaan. Ik zou er niks aan hebben, het zou niets meer opleveren dan 's middags en misschien wist ik dat al toen ik wegliep van République. Het was ontzettend stom van me geweest om die spullen weg te gooien, natuurlijk waren de apotheken nu dicht. Het was verspilling en bovendien moest ik ervan kotsen. Ik had een smerige nasmaak in mijn keel van de dope, maar ik ging eroverheen met een tweede lijntje coke en toen nog een dikke streep. Vervolgens stopte ik alles weer in mijn zakken en ging met mijn rug tegen de muur op mijn hurken een sigaret zitten roken, zonder me te bekommeren om degene die aan de andere kant van de deur haar geduld leek te verliezen. Ik bleef naast de wc-pot wachten tot alles wat niet binnen wilde blijven omhoogkwam. Daarna voelde ik me beter, nou ja, iets beter.

## 4

Bij de achteruitgang van de Rex stond ik tegen de muur geleund om niet op m'n bek te gaan, zo stoned was ik. Met openlijke verveling stond ik naar Pallas te kijken die net was flauwgevallen aan de voeten van een gast van de bewaking, helemaal misplaatst in haar nieuwe jurk die niet veel meer te raden overliet.

We hadden eerst best lang voor de hoofdingang gewacht, en net als de tweehonderd anderen die stonden te wachten vonden we het moeilijk om te accepteren dat ze niet zomaar iedereen meer binnen zouden laten omdat de zaal al vol was. Guillaume liet ons door de grond zakken door te schreeuwen dat we op de lijst stonden, dus die tweehonderd gasten achter ons antwoordden in koor: 'WIJ OOK!' Toen deed hij het nog eens dunnetjes over bij de achteruitgang, een stukje verder: 'Weet je wel wie we zijn?'

Alice zei steeds maar tegen de gozer die de deur bewaakte dat hij Jessie moest halen, maar daar wilde hij niets van weten. En ineens ging Pallas door het lint. Met haar lispelende stem begon ze te tieren dat hij een ongelofelijke imbeciel was, dat hij gewoon moest kijken of we werden verwacht, dat het niet moeilijker was dan dat. Op het trottoir aan de overkant ontstond een knokpartij. Twee kerels sloegen een derde van z'n sokken. Niet één van de uitsmijters van de andere ingang stak de straat over om tussenbeide te komen. Je kon het gekraak van botten horen. Pallas bleef maar schreeuwen en toen gebeurde er iets wat tegelijkertijd komisch en angstaanjagend was. Iets soortgelijks was Sinead O'Connor overkomen tijdens een concert dat bedoeld was als eerbetoon aan Dylan: nadat het publiek haar gesommeerd had het podium te verlaten was ze begonnen een krankzinnige monoloog af te steken, maar ze was zo geschrokken van haar eigen heftigheid dat ze zichzelf had onder gekotst. Dat overkwam Pallas ook. Haar sushi's kwamen horizontaal weer naar buiten. Daarna zagen we hoe haar knieën doorbogen en haar lichaam in elkaar zakte als een marionet waarvan je de touwtjes plotseling loslaat.

Nu gaf die gast van de bewaking haar klappen in haar gezicht om haar bij te brengen en ik kreeg onderhand mijn buik vol van al die onzin. Alices mobieltje ging. Ze begon haastig in haar tas te woelen en ik kreeg zin om te vragen wat het in godsnaam uitmaakte of dat ding gewoon eens een keer afging zonder dat ze opnam. Toen ik begreep dat het haar broer was maakte ik me los van mijn muur om de telefoon uit haar handen te grissen. Nikki was bij een voorstelling. Ik zei dat hij daar moest blijven, dat hij vooral daar moest blijven, gaf het mobieltje terug aan Alice en raapte al mijn energie bij elkaar om me naar de taxistandplaats een eindje verderop te slepen. Ik draaide me om om naar Pallas te roepen dat Sinead O'Connor tenminste kon zingen! Alice kwam naast me zitten toen ik me op de bank liet vallen.

Alice bleef opzij kijken naar de trottoirs die voorbijtrokken, maar ik zag dat haar ogen glansden. Ik had iets moeten zeggen, maar wat? Dat ze me beter niet die avond bij de Entracte had kunnen oppikken? Hoe laat het was? Waar Inès op dit moment was? Wist ze dat ik me niet zou laten zien? Wist ze het ook al toen ze wegging bij de Gay Pride? Op de radio was 'Everybody hurts' van REM. Dat lied deed me aan niets of niemand denken. En toch kreeg ik ontzettend de blues.

5

De zaal was in duisternis gehuld. Op een kleine, nauwelijks verlichte verhoging lag een kaalgeschoren gozer naakt in een tandartsstoel. Het achtergrondgeluid leek op het geronk van een machinekamer. Ik stikte zowat in mijn fluwelen jasje dat ik niet wou uittrekken omdat ik bang was het kwijt te raken. Alice was verdwenen en Nikki stond achter me, met zijn armen om mijn middel en zijn kin op mijn schouder om uitleg te geven in mijn oor. Het verhaal ging over een kerel die door een trein was aangereden en in het paradijs belandde. Hij kwam een meisje tegen dat hem een appel aanbood. Natuurlijk nam hij een hap, maar dat veroorzaakte een ijselijke kiespijn, en het meisje (een groene hanenkam), die toevallig tandartsassistente was, bood aan de pijn te verlichten – daar waren we.

De groene hanenkam was bezig de jongen een soort slabbetje om te hangen. Hij kronkelde van de pijn terwijl hij allemaal stukjes appel uitspuugde. Er kwam steeds maar een zinnetje bij me op dat ik ooit ergens had gehoord: 'Alles gaat zo snel dat het enige wat je kunt doen is van de reis profiteren.' Het ging er bij mij niet in dat Inès mij echt voor de gek had gehouden, niemand had zoveel tijd te verliezen... Op het podium kwam een ander kaalgeschoren type in groene kleren uit de schaduw te voorschijn. Hij was gewapend met een spuit zo groot als een onderarm. Toen die andere dat zag ging hij meteen rechtop zitten, maar in een mum van tijd bond de hanenkam zijn enkels, polsen en hoofd vast. Hij zette het op een brullen toen de buitensporig grote naald in zijn buik drong, waarbij het bloed recht omhoogspoot. De hanenkam kneep zijn neus dicht en dwong hem zo zijn mond te houden om te kunnen ademen. Ik wendde mijn hoofd naar Nikki om hem te vragen of ik nog bij hem kon slapen. Hij fluisterde van ja. Een simpel ja, zonder aarzelen of wat dan ook, dat me goed deed. De tandarts wroette met een tang in de jongen zijn mond, maar smeet die toen weg en pakte een boor. Boorgeluid op de band. Voorzichtig maakte ik me los uit Nikki's omarming en ging op zoek naar de wc.

Terwijl ik op de pot een lijntje zat te leggen op mijn sigarettenpakje, vormde zich in de verte een beeld van Inès. Ze trapte deuren in en huilde. Ze snikte dat Alex haar gezondheid naar de kloten kon helpen als ze wilde, maar ik niet. Ze kamde de hele stad uit, rijen wc-deuren intrappend en 'jij niet' herhalend, maar bij iedere deur die zacht tegen de dunne wand terugstuitte zweefde de echo van haar gesmoorde stem helemaal alleen boven de tegelvloer die ze telkens verlaten aantrof... Er kwam een waas van tranen voor mijn ogen, in feite was ik degene die die deuren intrapte... Ik ging snel terug naar de zaal.

Op de stoel was de jongen flauwgevallen. Zijn dijen waren maximaal gespreid en de tandarts had een van zijn armen tot aan de elleboog gestoken in de diepten van wat waarschijnlijk een gat in de stoel was, maar je werd geacht te denken dat het die jongen zijn anus was. Het bloed bleef maar recht omhoogspuiten, in regelmatige stralen die een ontiegelijke plas begonnen te vormen. Ten slotte trok de tandarts een reusachtige rotte kies. Een groot smerig ding dat zeker het formaat van een voetbal had. Het publiek slaakte een luid 'AAAAHH'. Nikki lachte hard in mijn oor. Zijn armen hielden me te stevig vast. De hanenkam maakte de jongen los, die langzaam bijkwam. Zij en de tandarts hielpen hem opstaan, maar ineens gooiden ze hem op de grond en begonnen hem in elkaar te trappen. De jongen probeerde weg te kruipen, waarbij hij brede bloedsporen achter zich liet. Ik zag Jessies T-shirt met 'Reservoir Dogs' weer voor me en vroeg me af of ze nog steeds in de Rex was of dat ze al naar de Loco was gegaan. Ik dacht dat ze daar een after-party zou doen. Geen idee hoe laat het was. Ik draaide mijn hoofd naar Nikki om te zeggen dat ik naar huis wou. We werden meegesleurd doordat het publiek in beweging kwam; Nikki kon me nog net vastpakken. De jongen had zich tussen de toeschouwers gestort. Hij greep zich vast aan mouwen en aan kragen, smeekte om hulp en besmeurde alles wat hij aanraakte met bloed. De geluidsband liet even het gefluit van een trein horen en het licht ging weer aan. Op het toneel was de hanenkam aan het dweilen. Alice kwam pal voor ons staan: 'Een kleine schoonmaak voordat de volgende komt?'

Ik begreep het niet. Ik zei nog een keer tegen Nikki dat ik weg wou. Met haar handen op haar heupen antwoordde Alice dat we er nog maar net waren en dat er nog andere voorstellingen te zien waren. Toen ze voelde dat ze wat mij betrof misschien de pot op kon, draaide ze zich om naar haar broer en vroeg hem of hij met haar mee wilde om Sylvain, de jongen van de voorstelling, gedag te zeggen. Nikki sloeg zijn armen om mijn hals: 'Kom, we zijn zo klaar.' Ik was in het stadium dat ik niet eens de fut meer had om te protesteren en ik liet me meevoeren naar een gordijn dat ze achterin gespannen hadden.

De Sylvain in kwestie zat – nog steeds naakt en onder het bloed – op zijn knieën met zijn handen om zijn keel. De hanenkam deelde mee dat hij per ongeluk bleekwater had gedronken. Ze wees naar een plastic beker op de grimetafel.

'En hóé kan je per ongeluk bleekwater drinken?' mompelde ik voor me uit.

'Dat was bedoeld voor de voorstelling hiervóór,' zei de hanenkam koeltjes. 'Om de piercingspullen te desinfecteren.'

Iemand kwam waarschuwen dat de ambulance onderweg was. Nikki hield de nieuwsgierigen die het gordijn wilden optillen tegen. Alice was verdwenen. Ik zei tegen Nikki dat ik naar huis ging, maar ik bleef daar staan. Mijn blik gleed over het lichaam van die Sylvain die op een stoel zat en probeerde te ademen. Zijn huid was ongelofelijk wit onder al dat bloed. Ik stapte naar achteren om tegen de muur te leunen. Die gozer had overal piercings. In zijn wenkbrauwen, tussen zijn ogen, over de hele lengte van zijn oren, in zijn kin en in beide tepels, maar gek genoeg niet in zijn geslacht. Alex had achtereenvolgens piercings laten aanbrengen in haar neusvleugel, haar tong, haar kin, haar geslacht, en nu was alleen haar navel nog over. Inès had er een in haar tong en haar navel. Pallas een in haar navel en nu ook een in haar tong. Ik zag weer voor me hoe Julia het begin van haar draak liet tatoeëren. Eva die haar 'Gayle' showde. Mijn voornaam op Alex' buik. Die van haar op de mijne. De hare in de lies van Inès. Die van Inès ergens op haar... De ruimte begon te draaien en ik liet me langs de muur glijden om op mijn hurken te gaan zitten. Nikki pakte mijn arm om me overeind te helpen. Hij zei dat het te lang duurde voordat de ambulance er was, we zouden met zijn auto gaan. Ik wilde protesteren, zeggen dat ik er geen zak mee te maken had en niet met ze mee wilde, maar er kwam niks uit. Ik kwam wat verderop te staan in de drukte. Nikki en de tandarts hielden die Sylvain onder zijn oksels vast. Voor hen schreeuwde de hanenkam tegen de mensen dat ze ruimte moesten maken. Bij de ingang wilde Nikki dat de ambulance weer gebeld werd om in ieder geval te weten naar welk ziekenhuis hij moest. Een meisje haalde van onder de toonbank een telefoon te voorschijn, een toestel met een kiesschijf, vandaar dat de ambulance... De tandarts zei dat hij naar ons toe zou komen als hij zijn geld had gekregen. Buiten kon Nikki zich niet meer herinneren waar hij zijn auto had geparkeerd en dat vond hij niet grappig. Ik moest wel lachen, want als we een taxi zouden nemen kon ik van hier af zien dat alle taxi's die ter hoogte van ons vaart zouden beginnen te minderen weer gas zouden geven bij het zien van Sylvain die droop van het bloed!

## 6

We kwamen terecht bij Bichat, dat zag ik tenminste staan toen de auto met gierende remmen stopte voor de ingang van de eerste hulp. De hal was afgeladen. Er waren zo'n tien stoelen bezet en evenzoveel figuren stonden tegen de muren. Voor het merendeel allochtonen, wenkbrauwen of handen onder het bloed. Niemand bood zijn stoel aan. Allemaal vermeden ze het angstvallig naar Sylvain te kijken, alsof door de aanblik van al dat bloed hun eigen toestand ernstiger dreigde te worden, maar toen een verpleegster een deur opendeed, vonden ze het allemaal oké dat hij als eerste naar binnen ging. Ik had wel eens willen weten hoe hij al dat nepbloed zou verklaren. Nikki ging op zoek naar een automaat met iets te eten en liet mij alleen met de hanenkam. Ik ging een paar stappen verderop staan, haalde mijn pakketje coke en mijn rietje te voorschijn en zonder ook maar te kijken of het cool was om het daar te doen, snoof ik het hoopje direct op.

'Heb je coke?' fluisterde de hanenkam toen ik naar haar terugliep.

'Het is op,' antwoordde ik, zonder een poging te doen overtuigend over te komen.

Ik overzag de wachtkamer en vroeg me af of in ziekenhuizen die meer in het centrum lagen de wachtkamers stampvol zaten met homo's die te grazen waren genomen. Hier was niets wat erop wees dat het de avond van Gay Pride was. Ik zag weer voor me hoe Pallas op de vorige Gay Pride 's avonds ernstig verbrand door de zon thuis was gekomen en drie dagen in bed had moeten blijven. Waar was ze nu? Nog steeds in de Rex, of alweer thuis om al mijn kleren met een grote schaar aan flarden te knippen zoals in die film waar ik niet op kan komen?! Nikki kwam mokkend terug. Hij had de pest in omdat de Crunch-nieuwe-formule in stukken was verdeeld die je niet recht kon afbreken. De verpleegster kwam terug om te zeggen dat het niet nodig was om te blijven, ze zouden hem daar houden. We wachtten tot haar passen zich verwijderden in de gang en glipten de kamer binnen. Sylvain lag aan het infuus, en aan een apparaat dat de binnenkant van zijn slokdarm kon bekijken. Hij zag er uitgeput uit. Mijn ogen gleden over het laken van de brancard dat al helemaal rood was, en ik vroeg me weer af wat voor uitleg hij eraan had gegeven.

'Ze willen dat ik naar de psych ga,' zei hij ten slotte. 'Ze denken dat het een zelfmoordpoging is.'

Door de manier waarop hij zijn blik van de mijne afwendde dacht ik dat het er misschien inderdaad een was geweest. Zijn stem klonk heel zacht, wat in een merkwaardig contrast stond met wat we hem tijdens de voorstelling hadden zien doen.

'Wat een flutzooi,' zei de hanenkam, en ik miste Jessies hond die zich altijd oprichtte bij het horen van zijn naam.

De deur ging achter ons weer open, maar het was de tandarts maar, met een ander kaalgeschoren type. 'Shit! On-ge-lo-fe-lijk!' zei de tandarts terwijl hij naar het apparaat liep waar Sylvain aan vastzat. Hij haalde een videocamera te voorschijn en de ander begon de observatielamp aan en uit te doen bij wijze van stroboscoop. Ik fluisterde tegen Nikki dat we 'm maar beter konden smeren.

'Hoor eens,' antwoordde hij toen hij me apart nam, 'je moet even geduld hebben. Hij is verdomme wel een van ons.'

Ik wilde mijn mond opendoen om hem voor van alles en nog wat uit te maken, maar mijn ogen bleven weer hangen op het laken van de brancard, dat onder het bloed zat. Ik zag mijn eigen laken weer voor me met het bloed van Inès, en dat was genoeg om me los te rukken.

In het laantje dat ik volgde in het schijnsel van de straatlantaarns verschool ik me tussen twee geparkeerde auto's met het idee wat coke te nemen, zodat ik net wakker genoeg zou worden om de weg naar huis weer te vinden. Maar ik nam nog een lijntje heroïne, dat ik op mijn hurken opsnoof, en toen nog een, totdat ik een dun straaltje gal liet lopen.

Mijn hart ging als een idioot tekeer, het leek wel alsof het slagen oversloeg. Ik greep me vast aan een parkeermeter, mijn mond was droog. Ik staarde naar schalen met nepsushi's in de etalage van een Japanner. We waren niet eens samen uit eten geweest... Ik hoorde mensen lachen, werd aangesproken door een stelletje onverlaten. Toen ik wankelend wegliep stootte ik mijn knie tegen de bumper van een geparkeerde auto. De pijnscheut straalde uit naar mijn hele dij en benam me de adem. Onmiddellijk schoten mijn ogen vol tranen. Ik bukte om mijn hand om mijn knie te leggen, een achterlijke, maar geruststellende reflex, alsof de aanraking verlichting kon brengen. Het werd licht, in een blauwachtige mist. Ik wist dat het een bepaald tijdstip moest zijn, maar ik wist niet meer welk. Ik was net uit een taxi gestapt, wat vreemd was omdat ik me niet herinnerde dat ik erin was gestapt. Ik dacht dat ik vlak bij de Loco was, maar misschien was Jessie er nog niet, of anders was het allang afgelopen.

'Godverdegodver!' zei een stem.

Ik kende die stem. Er kwam een groepje aanzetten. Eva maakte zich eruit los. Ik ging rechtop staan en mijn gezicht vertrok van de pijn.

'Godverdegodver!' Ze nam haar rugzak af, woelde erin en haalde een zaklamp te voorschijn. Die knipte ze aan en ze zocht opnieuw. Ze bood me een sigaret aan die ik afsloeg omdat ik me realiseerde dat ik er al een had. 'Verdomme, Jessie was retegoed bezig en dan komen die klootzakken zeggen dat ze gaan sluiten! Ze zouden pas om tien uur sluiten!'

De rest van het groepje kwam er ook aan. Alleen maar jongens. Ik herkende wat gezichten die ik vaak was tegengekomen, maar niemand kende ik echt goed. Eva schroefde de dop los van een waterflesje. 'Een blondje wordt...' De rest van de zin bleef in de lucht hangen terwijl ze aan het drinken was. De zon brak door de lucht die inmiddels helder was. Ik liet mijn peuk vallen omdat ik mijn vingers brandde.

'...wordt ontslagen op kerstavond. Ze komt thuis en daar...' Eva stopte weer, maar dit keer omdat ze ineens bedacht dat ze had gezegd dat ze me een tijdje niet wou spreken... Ik haalde mijn schouders op, ik was het zo zat dat ik geen commentaar kon geven. Ze glimlachte droevig.

'Ze komt thuis en daar maakt haar vriend het uit. Dan gaat ze een eindje rijden met haar auto, maar ze krijgt een verschrikkelijk ongeluk. Die auto ligt gewoon helemaal in de kreukels. Dan besluit ze naar de Tour Montparnasse te lopen en naar de bovenste verdieping te gaan om zich naar beneden te storten, want haar leven is nu toch een beetje naar de kloten, zegt ze. Op het moment dat ze zich wil laten vallen hoort ze een stem achter zich die zegt dat ze het niet moet doen. Ze draait zich om en tot haar verbijstering is het de kerstman. Dan legt ze het hem uit: moet u nagaan, ik ben mijn baan, mijn verloofde en mijn auto kwijtgeraakt, en dat allemaal op één dag. Dan zegt de kerstman: goed, aangezien het Kerstmis is, geef ik u een geschenk. Beneden staat er een splinternieuwe auto voor u klaar, thuis valt uw verloofde u weer in de armen en morgen op kantoor is het net alsof er nooit iets is gebeurd. Het blondje is met stomheid geslagen. Maar dat is fantastisch, wat kan ik doen om u te bedanken? Nou weet u, daarboven voel ik me een beetje alleen met mijn rendieren, dus als u me eventjes zou kunnen verwennen. Goed, het blondje heeft er niet al te veel zin in, maar gezien alles wat hij voor haar gedaan heeft en aangezien er verder niemand boven op de toren is, zegt ze bij zichzelf dat ze toch wel... Dus ze gaat op haar knieën zitten en schuift onder de tabberd van de kerstman. Die begint haar haar te strelen en vraagt: hoe heet je eigenlijk? Dan zegt het blondje met volle mond: ik heet Pamela. De kerstman blijft haar haar strelen en vraagt: en hoe oud ben je, Pamela? Het blondje antwoordt nog steeds met volle mond: ik ben tweeëndertig. En dan zegt de kerstman: en Pamela, geloof jij op je tweeëndertigste nog steeds in de kerstman?'

Eva lachte zo hard dat je op straat alleen maar haar kon horen. Ineens werd ze lijkbleek, omdat ze eindelijk besefte dat die mop van haar een beetje te veel op mij sloeg... Ze kwam naar me toe om me even vast te houden, 'Probeer een leuke vakantie te hebben', en liep weg om de anderen in te halen, die alvast verder waren gelopen.

Ik zag Inès weer aan zee met Alex... Ik zag het regenboogkleurige wateroppervlak, badend in het zonlicht, en Inès die er tot haar schouders in stond en Alex vasthield, die haar benen om haar middel had geslagen, allebei schaterend van het lachen en elkaar vrolijk nat spattend. We hadden nergens tijd voor, WE HADDEN NERGENS TIJD VOOR, VERDOMME.

Ik haalde de ansichtkaart uit mijn kontzak, scheurde hem in tweeën en liet hem op de grond vallen.

Ineens had een meisje haar arm onder de mijne geschoven. Eerst dacht ik dat het Jessie was die op haar beurt uit de Loco kwam, maar nee, toch niet, deze had haar haren nog en was heel mager.

'Shit, Inès,' smeekte ik.

'Laat toch zitten,' zei het meisje, 'Inès is er niet.'

Toch probeerde mijn bovenlichaam zich om te draaien naar de grote gevel van de Loco die we achter ons lieten. Ik wist zeker dat ze daar binnen was, dat ik haar zo naar buiten zou zien komen. Maar het meisje duwde me voorzichtig op de bank. Mijn gezicht vertrok van de pijn toen ik mijn knie boog. Het meisje plofte naast mij neer en de taxi reed met een lichte schok weg.

# XIII
# Special K

## I

Het is misschien alleen maar een kwestie van geur. Geen flauw idee waar het over ging, maar dat was de zin waarmee ik wakker werd. Ik lag nog steeds in dezelfde houding waarin ik volgens mij in elkaar was gezakt, op mijn rug, op het niet zo dikke matras van een soort bedbank die op de vloer wordt opengeklapt. Ik had al m'n kleren nog aan en werd gedeeltelijk bedekt door een blauwe nylon slaapzak. Onder mijn hoofd had ik niets wat als kussen dienende en mijn rechterbeen hing uit bed. Toen ik hem een beetje bewoog voelde ik meteen weer de pijn. Het vertrek baadde in het zonlicht. Door een open raam klonk verwarrend mooie pianomuziek. Het rook ook ergens heerlijk naar gebakken aardappelen. Maar niet hier. Hier rook het gewoon vaag naar koffie. Ik staarde lange tijd schuin naar de display van de videorecorder, tot ik 15.09 kon ontcijferen. Toen leunde ik op mijn ellebogen om het silhouet iets verderop te bekijken. Achter een bar ongeveer zoals bij Jessie stond een meisje met kort bruin haar met haar rug naar me toe in een hoge kast te zoeken. De onderkant van haar kaki T-shirt was omhooggekropen tot boven haar heupen, zodat een bruine huid zichtbaar was. Ze draaide zich om met twee kopjes die ze op de bar zette. Haar gezicht zei me helemaal niets. De huiskamer van deze etage kwam me al even onbekend voor, behalve dat het leek op waar Jessie woonde, maar dan veel kleiner, met een gang rechts in plaats van links. Ik kwam helemaal overeind om te gaan zitten en mijn knie deed mijn gezicht meteen vertrekken van de pijn.

'Heb je goed geslapen?' vroeg het meisje terwijl ze dichterbij kwam met de dampende kopjes.

Ik knikte ja en keek hoe ze de kopjes op de salontafel zette. Of tafel, het was gewoon een pallet die niet eens geschilderd was, hij was in zijn oorspronkelijke pisgele kleur gelaten, met houtvezels die wel splinters zouden achterlaten. Afgezien van de bank was het het enige meubelstuk in de kamer. De rest – van de tv tot de videorecorder via de gettoblaster, een paar cd's en een paar video's – was op goed geluk op het beigeachtige tapijt gelegd. Aan de muur hing een klein affiche van een Duits hardcorefestival aan één punaise. Er stond een sombere kleurenfoto op van een leeg, modderig veld. Maar het deprimerendst waren de koffiekoppen. Op allebei stond een afbeelding van Lady Di, en haar glimlach sloeg als een tang op een varken in een dergelijk decor. Mijn blik rustte weer op het meisje, dat op een stapel kussens was gaan zitten en de veters van haar zwarte gympen strikte. Ze was van Turkse afkomst of zoiets, ze had een wasachtige, bleke huidskleur. Ze was niet lelijk en niet knap, alleen maar heel mannelijk met een te uitgemergeld gezicht, helemaal geen borsten onder haar te nauwsluitende kaki T-shirt waarop in zwarte letters 'Clit Control' stond, en dijen als lucifers in een strakke, verschoten spijkerbroek. Ze moest ongeveer tweeëntwintig zijn, en behalve dat ze er echt lesbisch uitzag, of eerder volkomen aseksueel, leek ze op die grietjes die je vaak tegenkomt bij technofestivals, die er smerig uitzien omdat ze achter elkaar nachten doorhalen en daarbij onophoudelijk slikken. Hoe ik in haar huis – of kraakpand, aangezien we op de bank hadden geslapen – was terechtgekomen, daar had ik werkelijk geen flauw idee van.

Ze nam een van de koppen en gebaarde met haar kin naar de andere.

'Bedankt, maar ik drink geen koffie,' zei ik en rekte me voorzichtig uit.

'Nou, ook best, je zou het anders wel kunnen gebruiken,' antwoordde ze met een stem die ook al niet mooi was.

Waar deed die griet me aan denken, een remake van Jessie? Ik had niet alleen pijn in mijn knie, maar werd ook duizelig toen ik gewoon opzij boog om mijn laarzen te pakken. Ik besloot even te wachten voordat ik het weer ging proberen. Alleen al overeind komen om te gaan zitten was zo pijnlijk geweest dat het al mijn energie had gekost. Het meisje staarde naar mijn T-shirt. Dat moest ze topklasse vinden, en terecht, alles zat erin, in dat T-shirt. Maar het begon me al zwaar te vallen dat ze tegen me praatte. Ik keek naar het pakje Craven A op tafel en vroeg me af of er nog sigaretten in mijn jasje zaten – waar was dat trouwens? Waarschijnlijk zat ik erg lang naar het pakje sigaretten te staren, want ten slotte strekte het meisje haar arm uit om er een uit te halen die ze in mijn mondhoek klemde en toen aanstak. Verbeeldde ze zich soms dat ze me met een lepeltje kon voeren omdat ze me van de straat had geraapt?

'Sorry,' zei ik geamuseerd, 'maar wie ben jij?'

'Ariane,' antwoordde ze, zichtbaar beledigd. 'Ik ben de beste vriendin van Inès. Heb je nog wat over?'

'Hoezo?' vroeg ik. Ik begreep niet waar ze het over had.

'Nou, je zag er vanochtend uit of je je portie wel had gehad...'

Ik hoefde niet in mijn zakken te voelen om te weten dat zowel de coke als de heroïne gepikt waren, maar ook al was er nog wat over geweest, dan had ik dat zeker niet tegen haar gezegd.

'Er moet nog wel ergens wat liggen,' zei ze terwijl ze opstond. 'Je kan een douche nemen als je wil,' voegde ze eraan toe en liep toen weg.

Ze verdween in de gang en ik probeerde me te herinneren of dit hetzelfde meisje was dat ik Inès had zien groeten in de Pulp. Haar beste vriendin... maar wat... ik besloot niet eens te proberen het te begrijpen. Ik bukte weer om mijn laarzen te pakken, schoot ze aan terwijl ik mijn knie zo weinig mogelijk boog, en de muur als steun gebruikend stond ik op. Toen ik voelde dat ik los kon laten liep ik langzaam door de kamer naar mijn jasje dat ik op een stoel zag liggen.

'Je bent hartstikke mooi,' zei ze.

Tenminste, ik dacht dat ik dat achter me hoorde. Maar toen ik me omdraaide terwijl ik mijn jasje aantrok, keek ze niet mijn kant op. Ze ging weer op de kussens zitten, pakte het kopje en dronk verder.

'Nou, ik moet ervandoor,' zei ik terwijl ik de kraag van mijn jasje goed deed in mijn nek. 'Bedankt voor vanochtend.'

Ze zette haar kopje weer neer, maar keek me nog steeds niet

aan. Ze stak een sigaret op, met dat afschuwelijke mannelijke gebaar dat zo lelijk staat bij meiden, hoofd tussen de schouders en een hand om de vlam. Daarna liet ze zich achterover vallen op haar ellebogen en dit is wat ze zei: 'Heb je misschien zin om eens echt goed te trippen? We huren een zootje films, bestellen een superpizza en pleuren de tv aan.'

Ze zei het zelfverzekerd, alsof ze het heel vaak deed, en misschien was dat ook wel zo, ze zag er godvergeten ongezond uit. Ik had kunnen antwoorden dat ik er absoluut niet op zat te wachten mijn tijd met haar door te brengen. Ik had ook kunnen zeggen dat ik niet echt in staat was om nog iets te gebruiken, wat dan ook. Maar ik geloof dat een soort koortsachtige energie me tegenhield. En bovendien wist ik waar ze aan dacht. Ze dacht aan Special K. Ketamine, niets meer en niets minder. Nu kwam het weer boven: Inès had gezegd dat haar beste vriendin wist hoe ze daaraan kon komen. Het enige probleem: ik had mijn creditcard niet bij me.

'Nou, dan ga je die toch halen,' zei Ariane. 'Ik schiet de poen wel even voor en dan zien we elkaar weer over twee uur.'

Voordat ik de deur uit ging, haalde ik een telefoon van de haak en draaide het mobiele nummer van Pallas. Als ze bleef weigeren een telefoonaansluiting te nemen als ieder ander, zou binnenkort niemand haar meer bellen, zo duur was het. Maar diep van binnen wist ik dat het eerder omgekeerd zou zijn: iedereen zou uiteindelijk alleen nog een mobiel nemen, pech gehad voor die stommelingen die er geen zouden hebben en voor wie het een retedure grap zou worden.

'Hoi. Ben je thuis?'

'Waarom?'

'Omdat ik even naar huis moet en geen zin heb om jou te zien.'

'Nou, dat is dan lullig voor je.'

De ironie in mijn stem was plagerig bedoeld, maar die van Pallas was ijzig.

Toen ik naar buiten ging stond ik weer in het hoge gedeelte van Belleville, naast die smerige, sinistere place des Fêtes. Ik zag mezelf daar later niet terugkomen, rot op met die ketamine. Nou ja, laten we zeggen dat ik alleen terug zou komen als het thuis echt niet te harden was.

## 2

Thuis was het Sfeerfol Wonen 2000 zoals Jessie zou zeggen. Deuren die dichtgeknald werden en zuchten van verontwaardiging, dit alles met Guillaume die in de keuken zijn handen stond te wringen, hartstikke slecht op zijn gemak dat ik hem daar aantrof. De houding van Pallas kwetste me niet zo, ik vond alleen dat het leek of ze zich forceerde. Weliswaar had ze de hele avond daarvoor geen stom woord tegen me gezegd, maar ze was hem ook niet gesmeerd toen ik eraan kwam.

Toen ik bij Ariane aanbelde, had ze zich verkleed, ze droeg een wit overhemd dat ze in haar spijkerbroek zonder ceintuur had gestopt. Ze had geprobeerd zich mooi voor me te maken, maar dat was jammerlijk mislukt, en ik kon het niet eens aandoenlijk vinden. Ze keek tevreden naar de tas met colablikjes die ik op de salontafel legde en ik kreeg de neiging haar te vragen waardoor ze dacht dat ze er een te drinken zou krijgen. Ze had vier films gehuurd waarvan ik de titels op hun kop niet kon ontcijferen, behalve *The Silence of the Lambs*, die ik uit mijn hoofd kende – weer een griet die voorbijging aan Anthony Hopkins omdat ze geobsedeerd was door Jodie Foster die geacht werd met meisjes te gaan – en ze had de folder van Pizza Hut klaargelegd met de telefoon binnen handbereik. Ze had ook de bedbank weer dichtgeklapt en de troep een beetje opgeruimd, maar het bleef allemaal lelijk. Mijn blik bleef rusten op een tijdschrift waarop in stukjes gesneden rietjes van McDonald's lagen en twee kleine pakjes. Het eerste, transparant, met een hermetische 'ritssluiting' en wit poeder, moest de ketamine zijn (wie had me ook alweer gezegd dat het in poedervorm werd verkocht?), maar het andere, in wit papier, was dat coke of heroïne? Ze zei dat het vijfhonderd per persoon was en ik haalde mijn biljetten te voorschijn. Ouders die na het eindexamen de huur voor hun kinderen betalen zouden toch door het lint gaan als ze wisten dat het geld voor eten en drinken meestal werd gebruikt om stoned te worden.

Ik haalde de Steribox te voorschijn die ik net had gekocht, trok mijn jasje uit, dat ik over de rugleuning van de bank legde, en ging zitten. Ik zorgde ervoor dat ik mijn knie voorzichtig boog. Toen ik de inhoud van het witte pakje zag dat ze net had opengevouwen, wist ik niet of het een grote opluchting of een onvermijdelijke teleurstelling was: het was wel heroïne, maar bruin, en smeriger kon het er niet uitzien. Ze stelde voor dat we voordat we de eerste film erin zouden stoppen eerst even naar een aflevering van *Party Zone* zouden kijken die ze op MTV had opgenomen. Dat deed me denken aan Jessie en haar mix voor MCM. Ik kende haar veel korter dan de anderen, maar ik zou haar minstens zo erg missen. Ik stond op om een glas water en een echte lepel te halen. De gootsteen stond vol vuile vaat en terwijl ik een glas afwaste verwachtte ik dat er een kakkerlak voor mijn neus zou wegrennen. Wat ze had opgenomen was niets anders dan psychedelische rotzooi met goedkope animatiebeelden, een soort gekleurde kronkelende ingewanden, moleculen die ronddraaiden in geometrische woestijnen in twaalfduizend dimensies die ketens van poeplelijke heuvels en vlakten uitbraakt. Maar goed, we waren ons algauw alleen nog maar bewust van ons gekokkerel. Ariane leek er moeite mee te hebben de juiste verhoudingen te vinden, ze was steeds opnieuw met een telefoonkaart lijntjes aan het trekken. Ik snoof, bond af en spoot. Daarna liet ik de spuit in het glas weken en boog mijn arm terwijl ik me achterover liet vallen op de bank. Het lukte Ariane nog steeds niet haar lijntje te trekken zoals ze het wilde. Ten slotte stond ze op en liep naar de keuken. Ze kwam terug met een stukje aluminiumfolie. Jezus, werd er tegenwoordig nog steeds gechineesd? Ik had niet moeten spuiten waar zij bij was, daardoor wilde ze er nog harder tegenaan. Ze hevelde het poeder over naar boven, maar ze wist ook al niet hoe ze dat moest doen, haar hand die de aansteker vasthield onder het stukje folie was er veel te ver vandaan. Waarom had ik trouwens gespoten waar zij bij was? Om haar een ongemakkelijk gevoel te geven? Uiteindelijk kreeg ze het toch voor elkaar en meteen begonnen haar ogen te tranen terwijl ze haar kaken op elkaar klemde vanwege de kots die in volle vaart kwam aanzetten. Ja, beste meid, die methode geeft een stevige trip, maar die moet je wel kunnen verdragen.

'Hoe lang wachten we?' vroeg ze alsof ze de situatie volkomen meester was.

'Weet ik niet,' zei ik geamuseerd. 'Een kwartiertje?'

Zo bleven we zitten roken en over onze gezichten wrijven terwijl we zo'n beetje tv keken, wachtend tot het kwartier voorbij was. Ariane zat iets te rechtop op de kussens, nog steeds met verkrampte kaken, en net toen ik me afvroeg hoe lang ze het nog vol zou houden stond ze plotseling op en verdween naar de gang. Waarom gebeurden dit soort dingen? Waarom was ik geen leuke meid tegengekomen met wie het niet zo naargeestig was? Ik had naar huis moeten gaan in plaats van daar te blijven. Maar goed, een partijtje Special K, daar zei je geen nee tegen. Ik wachtte gewoon tot de dope begon te werken, ik wist niet in hoeverre de ketamine het effect daarvan zou beïnvloeden. Ariane kwam groen terug. Toen begon ik te trippen... Ik belandde op een strand van wit zand. Een tropisch land, maar zonder begroeiing of moordende zon. Ik zat op een stuk rots met mijn armen om mijn knieën tegen mijn borst naar een bal te kijken die zachtjes op de golven dobberde. Een grote opblaasbal met gekleurde banen. Ik hoefde ze niet te tellen om te weten dat er twaalf van waren, net als de twaalf huizen in de astrologie. Iedere baan had een kleur die niet bestaat, tenminste niet van zichzelf (topaasgeel, zeegroen, robijnrood), en op elke baan werd een woord gevormd dat uit de kristalachtige weerspiegeling van die kleuren naar de oppervlakte kwam. Ik kon er niet één onderscheiden, maar ik begreep dat ze ieder betrekking hadden op de titel van een nummer dat ik op de plaat moest zetten. Zodra ik me dat bewust werd beschreef de bal ineens een boog en koos het ruime sop...

Ik deed mijn ogen weer open en zag Ariane op de kussens liggen. Ik kwam weer overeind om precies recht aan tafel te kunnen zitten. Ik trok een lichte grimas toen ik mijn knie voelde, en haalde vervolgens het tijdschrift naar me toe om het pakje ketamine erop leeg te strooien. Ariane trok een vies gezicht. Ik verdeelde het hoopje zorgvuldig in tweeën en begon mijn portie te verwarmen. Het werd melkwit, maar het leek goed op te lossen. Ten slotte richtte Ariane zich op en begon een lijntje te trekken. Waarom moest ze dat de hele tijd zo nodig pal voor mijn ogen doen, de trut!

'Weet je zeker dat je het zo wil doen?' vroeg ze verlegen.

'Ja, ja,' mompelde ik.

Als je eenmaal hoestsiroop hebt gespoten, kan je alles spuiten. Ik liet het wattenbolletje vallen, het absorbeerde meteen. Tenminste, naar alle waarschijnlijkheid. Ik rolde de sjaal weer op, balde mijn vuist, de ader zwol op, ik zei bij mezelf dat ik toch niemand kende die dat spul al eerder had gespoten, maar ik stak de naald erin, liet wat bloed opkomen en begon voorzichtig met injecteren. Ik had de naald er nog maar net uit gehaald of het spul had zich al overal in mij verspreid. Mijn hart kreeg een enorme optater.

Ik hield mijn arm gebogen, amechtig. Ik probeerde op te staan, ik trilde.

'Gaat het?' zei Ariane in de verte.

'Ja ja, ik... geef... geef me... de tas,' borrelde er uit me op.

De tas, goeie God, de tas met blikjes die ik had meegenomen. Ik werd kotsmisselijk. Shit. Op handen en voeten kroop ik weg. Naar waar het het minst kwaad kon.

Toen ik bijkwam zat ik in de auto van Alex, in een opstopping. Inès zat achterin, voorovergebogen tussen de twee voorste stoelen met haar armen om de hoofdsteunen. Alex was zo stoned dat ze voortdurend moest remmen om te voorkomen dat ze tegen de auto voor ons opknalde. Inès was ook stoned. Ze hadden inderdaad allebei gespoten. Ze bleven met blote armen om regelmatig het druppeltje bloed te kunnen bewonderen dat in de vouw was opgedroogd. Toen ik er echt niet meer tegen kon schreeuwde ik tegen Alex dat ze naar de kant moest. De motor afzetten. Uitstappen. Jij ook, Inès, uitstappen. Ik deed de kofferbak open, haalde er twee flight-cases uit en liep toen om de auto heen om de sleutels in te pikken. Alex kon nauwelijks op haar benen staan. Wabenjaandoen, fedomme, ikmoemixenu. Wat ik aan het doen ben? braakte ik uit. Ik moet verdomme een plaat maken, dus no way dat ik vanavond doodga. En Inès is pas zeventien dus ook no way dat zij vanavond doodgaat, nemen jullie maar een taxi! Nou ja zeg, ben je helemaal van de pot gerukt, geef m'n sleutels terug. Op de stoep stikte Inès van het lachen. Het is niet grappig, Inès. Godverdegodver, geef onmiddellijk m'n sleutels terug. Inès, je stapt niet meer in deze auto. Laat 'r verdomme met rust, dat is toch jouw probleem niet. Wel waar, dat is juist WEL MIJN PROBLEEM – toen ik het geluid van mijn eigen stem hoorde deed ik mijn ogen weer open.

De tranen stroomden tot in mijn oren. Ik voelde een snerpende pijn in mijn hart. Ik probeerde lucht in te ademen, maar er kwam slechts een minieme hoeveelheid naar binnen. De kamer was schemerig verlicht door de tv waarvan het geluid zacht stond. Vochtig, geen zuchtje wind. Ariane op de kussens, op haar rug. Haar profiel badend in het blauwe licht. Open ogen, zo leek het.

'Hé,' kon ik net uitbrengen.

Ze slikte met moeite, haalde haar tong langs haar lippen.

'Hé, hoor je me?'

Ik tilde een loodzware arm naar haar op. Op mijn borstkas drukte een gewicht van duizend kilo. De bank was zo zacht dat ik er helemaal in wegzakte – ik zag de rand boven mijzelf uitsteken. Ik tilde mijn arm weer op, naar de tafel, naar een blikje. Ik maakte het open en probeerde het naar mijn lippen te brengen zonder m'n hoofd te hoeven optillen. De slok die ik nam was lauw. Ik dronk nog een beetje en toen kreeg ik een ontzettende kramp in mijn maag, zodat ik dubbelsloeg. Ik hield met één hand mijn buik vast en tastte met de andere rond om het blikje weer op de vloer te zetten. Er stroomde een golf cola terug in mijn keel. Ik klemde mijn lippen op elkaar en hield mijn tong tegen mijn gehemelte om dat wat er misschien naar boven zou komen tegen te houden. Ik probeerde zachtjes door mijn neus te ademen. Toen het gevoel minder werd slikte ik het door. Met mijn ogen neergeslagen naar mijn borst kon ik omgekeerd het opschrift op mijn T-shirt zien – geen tijd gehad om thuis een andere aan te trekken: 'life's a bitch...' Ik had zin om het uit te trekken. Maar was het eigenlijk niet gewoon de waarheid? Was het leven godverdomme niet een hoer, dat het me naar deze kutetage had gebracht, met dit kutwijf, voor een nog kuttiger trip? Was het leven niet de grootste hoer die er bestond om me hier op te sluiten terwijl ik alleen maar zin had om Inès' hand vast te houden op een strand, zonder trip of wat dan ook? Op het scherm stonden de Stones helemaal voorovergebogen boven miniatuurstratenblokken. Ik begon te lachen, omdat ik eraan moest denken dat Keith Richards het helemaal gesnapt had door naar Zwitserland te gaan om zijn bloed te laten vervangen. Iedereen dacht dat het was om jong te blijven, maar in feite ging het daar helemaal niet om: het was om het gemis niet te voelen als hij zou besluiten af te kicken! Ik wist verdomme niet eens of de tranen die maar in mijn oren bleven stromen van het lachen kwamen of van het huilen. Ik hoorde haar de woorden van Marilyn Manson neuriën, wanneer ze zingt dat kleine beauty's je heel hoog laten vliegen om daarna beter te kunnen zien hoe je op je bek gaat... Ze had het waarschijnlijk niet eens in de gaten, niet slim genoeg om dat bewust te zingen! Ze was het niet waard een schorpioen te zijn, ze kon alleen maar idioot zijn. Geen greintje subtiliteit in het spel, niet meer dan een ellendige puber. En ik wilde haar naam laten tatoeëren? Ik lachte weer toen ik bedacht dat het waar moest zijn wat ik over ketamine had gehoord: een tranquillizer voor paarden!

## 3

Zo nu en dan werd de binnenplaats verlicht vanuit het trappenhuis. In de verte ging de hele tijd een wekkerradio af. Ik had het gevoel dat ik bij Jessie was met die bar achter in de kamer en dat we in een soort coma voor de tv hadden gehangen. Alleen had ik me daar lekker gevoeld... Ik wilde dat ik kon opstaan om de afstandsbediening te vinden en de clip van Britney Spears die op stond af te zetten. Maar ik kon nog niet eens op een elleboog leunen of het gewicht van mijn hoofd trok me weer naar achteren. Ik zag Guillaume weer in huis, heel trots dat hij de afwas had weggewerkt. Pallas zou altijd wel iemand vinden om het vuile werk op te knappen. Versierde ze de gozer die ze zo waardeloos vond toen ik nog met hem ging? Moest ze vooral doen. Ze mocht zelfs Inès versieren als ze het voor elkaar kreeg. Maar zover was het nog lang niet, beste meid, nog lang niet! En die trut moest zich vooral door heel Parijs laten neuken als ze daar zin in had. M'n gezicht in haar handen nemen: hoe zou ik kunnen liegen als je zo naar me kijkt? Ik hou van je ik hou van je ik maak het morgen uit met haar. Ik kreeg weer een steek in mijn borst. Ik zag Ariane op handen en voeten voor de tv. Ze probeerde een band in de videorecorder te schuiven. Dan had ze toch eerst de band die er nog in zat eruit moeten halen. Ten slotte kroop ze terug naar de kussens en rolde zich daar weer in op. Inès die haar ogen neersloeg om haar woorden gewicht te geven: er is vanbinnen iets op zijn plaats gevallen, ik voel het. Ik weet dat ik pas zeventien ben maar ik wil bij jou blijven. Lang. Jaren. Mijn hele leven zelfs misschien. Ik hou van je, ik hou van je, ik maak het morgen uit met haar... Ze moesten nu al onderweg zijn. Wat was dat voor iemand, die gast in de Dépôt? Waar gingen ze nu naartoe? Hun affaire was naar de klote. Ik wendde mijn hoofd naar Ariane.

'Er was een gozer bij Inès in de Dépôt...'

'Een gozer met een kale kop? David? Dat is gewoon een jongen van wie Alex wou dat-ie Inès versierde. Weet je, als Alex zin heeft dat Inès iets speciaals doet geeft ze haar een lijntje en hup, Inès doet het. David heeft ze honderd ballen gegeven. Ik heb het heel vaak met ze gedaan, maar goed, om Inès te versieren hoef ik niet betaald te worden!'

Na een geweldige inspanning lukte het me te gaan zitten. Ik negeerde de pijnscheut in mijn knie. Nog een inspanning en ik trok de tafel naar me toe. Ik voelde me alsof ik in lood was gevat, en tegelijkertijd had ik het gevoel dat ik los was uit mijn lichamelijk omhulsel. Ik voelde het metaal van de lepel tussen mijn duim en wijsvinger, maar de rest van mijn lichaam leek afwezig. Het duurde even voordat ik Arianes blik kon inschatten. Ze glimlachte vaag: 'Luister,' begon ze. 'Inès heeft me verteld over de dingen die ze met jou gedaan heeft, dus als je geïnteresseerd bent, ik ben op het moment vrij en...'

'Inderdaad, luister,' kapte ik haar af. 'Je hebt een lelijke rotsmoel en ik geloof dat je niet eens probeert om er iets aan te doen, dus hou je bek als je wil.'

Ik goot alle heroïne die nog over was in de lepel en zorgde ervoor dat ik niets omstootte. Ja ik weet het, ik was een beetje bot, maar die trut verdiende het niet dat ik beleefd bleef. Was zij trouwens misschien een van die twee meiden die Inès in de dark room vasthielden? Het was zo warm dat mijn aders uit zichzelf al opkwamen. Ik dacht aan Inès. Niet aan iets in het bijzonder. Gewoon aan haar gezicht als ze lol had met anderen. Op een dag zou ik haar tegenkomen en dan zou ik zo onverschillig zijn dat ik er zelf versteld van zou staan. Ik hou van je. Ik hou van je. Ik maak het morgen uit met haar. 'Je kan de pot op,' mompelde ik, en voelde hoe de wereld van mij weggleed.

'Je kan de pot op,' herhaalde ik iets harder, deze keer voor Ariane, en toen werd de kamer zwart.

XIV

# Tot ziens en bedankt

1

Toen ik wakker werd was het in de kamer zo koud als het grijs van de hemel buiten. In de woning was niets te horen. Alleen het geluid van de regen die op de daken kletterde. Ariane lag niet meer in haar kussens. Ik huiverde, ineengedoken in de foetushouding. De videorecorder gaf 6.35 uur aan. Ik had geen enkele haast, maar ik wist dat hoe langer ik wachtte, hoe meer moeite het zou kosten om op te staan. Zoals wanneer het badwater lauw is geworden en je maar suf zit te wachten en te wachten voordat je er eindelijk uit stapt. Ik ging voorzichtig zitten om de schade op te nemen, maar het leek of die er niet was. Mijn knie herinnerde me almaar aan de bumper, maar ik was helemaal niet misselijk, had geen ongelofelijke koppijn, en ook geen greintje spierpijn. Alleen een flauwe bloedsmaak in mijn mond, en een sterke nicotinegeur aan mijn geel geworden vingers. Ik stond op om mijn jasje aan te schieten dat iets verderop op de vloer was beland. Toen ik erheen liep zag ik het hoekje waar ik had gekotst, niks dramatisch, gewoon wat vocht dat het beige tapijt nog niet helemaal had opgenomen. Ik ging weer zitten om mijn laarzen aan te doen. Ik kon me ook niet herinneren dat ik ze had uitgetrokken. Afgezien van de gelukkig reukloze vlek was de rotzooi op de salontafel niet dramatischer dan op een willekeurige andere aftertripochtend. Uitpuilende asbakken, een stuk of zes blikjes waarvan er twee omgegooid waren op het tapijt, stukken van rietjes, overal as en de spuit die met de lepel in een glas met bleekrood water stond. Dat was iets wat ik al een tijd niet had gezien... Er was nog een beetje coke over. Ik aarzelde of ik het in mijn zak zou stoppen, ik had er geen zin in, ze kon het in d'r reet steken, die trut. Ze moest de kracht hebben gevonden om naar een van de slaapkamers te gaan, maar een stemmetje in mijn hoofd fluisterde dat ze net zo goed op de vloer in de badkamer kon liggen, of halverwege de gang. Ze had met haar hoofd ergens tegen aan kunnen vallen, of gewoon een hartstilstand kunnen krijgen. Ik glimlachte om mijn vage angstgevoelens te verdrijven, en bedacht dat als er een nieuw leven was begonnen, het toch erg klote zou zijn als het vorige zo eindigde. Zou ik erdoor van slag raken? Natuurlijk zou ik het triest vinden gezien haar leeftijd, maar ik had zoveel ongelukken met drugs meegemaakt dat ik bij dit soort voorvallen nu diep vanbinnen wist: ieder zijn eigen sores. Het leek koud buiten. Ik zag een grijs trainingsjack liggen en deed mijn jasje uit om het aan te trekken. Ik stopte de sjaal in een van de zakken en ook de spuit, alleen omdat ik die trut de lol niet gunde. Ik keek of mijn creditcard nog steeds in de kontzak van mijn spijkerbroek zat, zette mijn zonnebril op, raapte m'n sigaretten op en schoof de gordijnen dicht.

Buiten zeikte het van de regen. Ik smeet de spuit in een prullenbak, de sjaal ook, en trok de capuchon van het trainingsjack over mijn hoofd. Ik voelde me idioot met dat ding onder m'n jasje. Het was een gigantische capuchon en ik had dat achterlijke deuntje in m'n kop uit de reclamespot voor die kaas van die monniken. Het ding rook ook naar een of ander luchtje van Calvin Klein, dat me deed denken aan een gestoorde griet in een disco die een keer had geprobeerd me op m'n bek te slaan omdat ik niet met haar mee naar huis wou. Ik had zogenaamd de hele avond naar haar staan loeren, dus was het hondsbrutaal van me dat ik haar voor niets had laten wachten. Ik kon er niks aan doen dat zij urenlang precies op de as had gestaan waarlangs ik keek om Alex te zien mixen. Achterlijke trut. Dat soort dingen gebeurden de hele tijd.

Ik ging de winkel van de eerste de beste krantenverkoper binnen, wachtte tot hij de touwtjes van de stapels had losgeknipt, nam de *Figaro* en de *France Soir* en ging in een café zitten. Ik begon kruisjes te zetten terwijl ik een cola dronk en toen nog een. Daarna ging ik op zoek naar een sigarenwinkel om een telefoonkaart te kopen en ik duwde de deur open van de eerste de beste telefooncel die op mijn route lag. De eerste twee nummers waren in gesprek, de derde nam op. Het was een jongen die zei dat ik meteen langs kon komen.

Ik nam de tijd om op République te komen. Ik kreeg kramp in mijn schouders en mijn neus liep, maar ik negeerde de apotheken die ik tegenkwam. Na een ellendige week vol dope ging ik me niet op de codeïne storten. Mijn knie deed weer net zo zeer als de vorige avond, hij was waarschijnlijk twee keer zo groot geworden. Het eerste getoeter klonk al op uit de verkeersopstoppingen. Mensen die bij de bushalten stonden te wachten deden een stap naar achteren telkens als er een auto langsreed en enorme hoeveelheden water deed opspuiten. Ik bedacht dat er vanaf de maand september weer overal pubers zouden zijn. Ze zouden op de bankjes in de parken zitten of in groepjes midden op de stoep staan, sigaretten rokend terwijl ze luidruchtig tegen elkaar tekeergingen. Overal ja, bij de uitgangen van alle middelbare scholen, particuliere opleidingen en faculteiten die deze stad rijk was. Er zou niet één plek zijn waar ik zou kunnen komen zonder het risico te lopen er een tegen te komen, en zelfs de onbeduidendste puber met een bril op zou me aan Inès doen denken. Inès die ergens in een café in de buurt van de Sorbonne zou zitten, over syllabi of boeken gebogen, verdergaand in een leven zonder mij. Hoewel, zoals ze was weggegaan... Het ging twee keer zo hard regenen, maar het kon me geen zak schelen. Ik gooide de capuchon af en zei tegen de regen: kom maar op, was al die rotzooi maar van me af. En en passant zei ik hem dat-ie ook de vakantie van die twee moest verpesten.

Het was vreemd om het plein over te steken waar het twee dagen eerder nog zwart had gezien van de mensen vanwege Gay Pride. Maar ik werd niet wanhopig toen ik pal langs de plek kwam waar ik met Inès had gestaan, ik had alleen maar de pest in en als ik een jongen was geweest had ik op de grond gespuugd. Toen ik op het adres aankwam plakte mijn broek aan mijn dijen. De jongen moest lachen om mijn zonnebril waar het water van af droop, en ik wist dat als ik het een leuke plek vond, het voor hem oké zou zijn. Het zag er perfect uit, helemaal als nieuw opgeknapt met witte muren en donkergrijze vloerbedekking. De huiskamer kwam uit op de binnenplaats, in de slaapkamer paste net een bed, maar er was een hele kastwand, de badkuip was groot genoeg en de keuken was goed ingericht. De binnenplaats gaf de doorslag. Een grote geplaveide binnenplaats uit de achttiende eeuw waar zes huizen op uitkwamen, met een fontein, drie bomen van minstens honderd jaar midden in een bloemperk en slierten klimop die er aan alle kanten uit hingen. De jongen legde uit dat het perfect geluiddicht was gemaakt, zijn ouders hadden het voor zijn achttiende verjaardag gekocht en in die tijd speelde hij gitaar. Terwijl hij een telefoontje beantwoordde op zijn mobiel, stelde ik me al voor dat we samen op de grond gingen zitten op het tapijt van de lege kamer om over muziek te kletsen. Ik zou het met hem hebben gehad over Nikki, mezelf, Alex, wat we deden en het dilemma waar ik op dat moment mee zat. Maar ik wist ook dat ik in het vuur van de strijd mijn hart te veel zou uitstorten, de dope en zo, en ook al had hij een aardige kop, dat soort dingen word je niet geacht je toekomstige huisbaas in het gezicht te slingeren.

Hij had een auto, dus ik vroeg hem of hij tijd had om even snel naar mijn huis te gaan zodat hij meteen de papieren kon zien. Hij bleef in de auto wachten. Boven lag Pallas te slapen en ik vroeg me af hoe het eraan toe zou gaan als ik weer terugkwam. We gingen naar een café om wat rustiger te zitten en ik reikte hem de paar spullen aan die ik had: het contract, de brief die erbij had gezeten en mijn laatste bankafschrift waarop het overgemaakte bedrag al vermeld stond. Hij vroeg of het me schikte hem in de woning te ontmoeten aan het eind van de middag. Ik liet het hem nog twee keer zeggen. Hij zei dat het niet alleen maar was omdat hij me knap vond, hij had een goed gevoel over me, dat was alles. Ik kreeg zin om zijn gezicht te pakken en hem te zoenen, ik kreeg zin om hem voor te stellen dat we ons zouden bezatten om het te vieren, maar nogmaals, ik was bang dat het een puinhoop zou worden.

Toen we teruggingen zette hij me op République af en ik maakte een verkenningsrondje. Het was in een straat die begint bij de boulevard Magenta, minder dan tweehonderd meter van het plein. Een paar sigarenwinkels, bakkers, een supermarkt, een paar Noord-Afrikaanse kruideniers en ook een geldautomaat van mijn bank. En op het plein de McMorningfabriek... Ik werd nog steeds gekweld door kramp in mijn rug en ik moest onophoudelijk mijn neus afvegen, maar ik probeerde nog steeds niet een apotheek binnen te gaan. De rest van de ochtend bracht ik door bij Darty en Habitat. Bij de eerste kocht ik een broodrooster, een citruspers en een voorraad DAT-bandjes. Bij de tweede twee asbakken, twee borden, twee glazen, twee kopjes, een theepot, een braadpan, een koekenpan en een dienblad. Ik wist dat ik het veel goedkoper ergens anders had kunnen krijgen, maar ik had godverdomme nog bijna dertigduizend ballen. Vervolgens ging ik naar het adres terug. Ik had de code niet en ik moest even wachten tot er iemand naar buiten kwam. Ik belde aan bij de conciërge die me met die jongen had gezien, ik vroeg haar of ze tot 's avonds op de tassen kon passen en dat vond ze best. Toen ik weer naar buiten kwam was het opgehouden met regenen, dus ik deed het trainingsjack uit en smeet het in een prullenbak.

Onderweg naar huis maakte ik een omweg langs de Galeries Lafayette. Ik koos twee paar witte lakens, twee dekbedovertrekken, twee kussenslopen, twee handdoeken, het goedkoopste matras dat ze hadden en ik vroeg of ze alles de volgende dag konden bezorgen. Ik moest nog naar de supermarkt om dozen mee te nemen en ook naar de winkel aan het begin van de straat voor een brede rol plakband.

## 2

Thuis was Pallas bezig zich voor de kast in de huiskamer aan te kleden. Afstandelijke blik – ik nam dus niet de moeite haar te groeten toen ik de deur weer dichtschopte. Ik ging meteen naar mijn kamer, waar ik een diepe zucht slaakte toen ik eindelijk de tien dozen liet vallen die ik onder beide armen had geklemd en die de hele weg vanaf de supermarkt voortdurend waren weggegleden. Ik trok mijn jasje uit, smeet het op het bed en liep meteen op de apparatuur af die ik begon uit te zetten. Pallas bleef op de drempel van mijn kamer naar de stapel dozen staan kijken.

'Dat kan je niet maken,' zei ze op ijzige toon.

Ik gaf geen antwoord en begon de stekkers van de apparaten eruit te trekken. Als ze het niet snapte – ik ging het 'r niet uitleggen. Ik werd bij voorbaat al gek als ik eraan dacht hoeveel tijd het me zou kosten om alles weer aan te sluiten. Meer dan honderd kabels, en een paar waren identiek maar je kon ze onderling weer niet verwisselen. Een miskleun kon allerlei rampzalige gevolgen hebben. En het afstellen – alleen al door het feit dat ik alles uitzette liep ik het risico dat ik alle instellingen kwijt zou raken. Ik hoorde de voordeur slaan.

Ik had geen verpakkingsmateriaal met luchtbellen, maar mijn ogen vielen op het bed en dat leek me een uitstekend idee. Er was geen sprake van dat ik het bebloede laken zou gebruiken, maar omdat er op het overtrek geen vlekken zaten rukte ik het dekbed eruit en begon er vrolijk stroken van af te scheuren. Ik haalde de opgevouwen originele verpakkingen van de apparatuur achter de schragen vandaan, zette ze weer in elkaar, versterkte de onderkant met plakband en deed vervolgens hetzelfde bij alle dozen die ik had meegenomen. Daarna begon ik aan de apparaten. Eerst zette ik ze allemaal op de vloer om de zware plank en de schragen leeg te halen, toen deed ik hetzelfde met de draaitafels en de stereoinstallatie op de andere plank. Ik had een vooruitziende blik gehad door de doos van de G4 te bewaren. Ach ja, die behoefte om alles altijd meteen weer te kunnen inpakken verdween niet zomaar.

Ik stond voor de kast in de huiskamer en wist niet wat ik mee moest nemen. Iets zei me dat ik het risico liep er spijt van te krijgen, maar tegelijkertijd zag ik de dingen zo: alleen het strikt noodzakelijke. Ik pakte mijn stapel T-shirts en haalde er een stuk of zes uit. Ik griste maar twee truien mee. Ik viste mijn paarse hemd en dat van Nikki uit de vuile was. Van de kleren die op haakjes hingen pakte ik alleen mijn tweede 505, mijn enige zwarte jurk, die ik sinds de Entracte een jaar eerder niet meer had aangehad, en mijn spijkerjack. Van mijn gympen pakte ik alleen de rood-witte Gazelles en de blauw-gele Puma's, en ik nam ook het paar schoenen met hoge hakken mee, die bij de jurk hoorden. Vervolgens zocht ik tussen de reistassen bovenin en pakte de drie die van mij waren van de plank. Een ontzettend duffe grote zwarte nylontas, een kleine witleren Adidas en een middelgrote Puma van donkerblauw leer. Ik koos de laatste, met het dier dat boven het opschrift opsprong. Net als op de vloerbedekking van Alex' auto. Tassen zus,

T-shirts zo, zelfs op onze huid hadden we opschriften... Alles paste in de tas. Ik ging naar de keuken om vuilniszakken te halen en kwam terug om er alles in te proppen wat ik achterliet. Pallas kwam eraan toen ik net de tweede vuilniszak naast de eerste tegen een van de muren had gezet. Ze was duidelijk naar buiten gegaan om sigaretten te kopen. Ik had niet meer en zou er zelf ook wel graag een hebben gerookt, maar ik zou nog eerder creperen dan haar ook maar iets te vragen.

'Wat is dat?' vroeg ze terwijl ze naar de tassen wees.

'Dat zijn de dingen die ik achterlaat,' antwoordde ik zo kalm mogelijk. 'Ik weet niet of er iets bij zit wat jij zou willen hebben, maar anders kan je er misschien iemand anders blij mee maken; geef het maar weg of verkoop het, wat je wilt.'

'Alsof ik niks beters te doen heb,' bitste Pallas verontwaardigd terug.

En ik maar denken dat ik haar een plezier deed...

'Oké,' antwoordde ik en ik schoof een reistas onder iedere arm en pakte de vuilniszakken.

In mijn kamer legde ik alles apart, om niet in de war te raken met wat ik meenam, en ging de rest te lijf. De tv en de videorecorder inpakken, de laatste cd's in dozen stoppen. De hoofdkussens in een vuilniszak, het dekbed in een andere. Het matras was van Pallas en Inès' bloed was er niet in doorgedrongen. Het laken zou waarschijnlijk ook brandschoon zijn geworden als ik de moeite had genomen om het te wassen. Misschien was zelfs haar kaart die nu in een goot lag in onzichtbare inkt geschreven. Er was niets over. Alleen haar laatste bericht dat nog steeds op het antwoordapparaat moest staan... Ik liep naar de dozen die opgestapeld waren bij het raam. De drie dozen waar boeken en mijn verzameling *Keyboards* in zaten raakte ik niet aan. Ik maakte maar één van de vier dozen met video's open en haalde er *Cocksucker Blues* uit. Toen keerde ik de laatste doos om, die met diversen, om een doos te pakken die onderin lag: een cassette met tafelzilver die ik van mijn oma had geërfd en die ik nog nooit had gebruikt maar waaraan ik gehecht was. De rest propte ik in het wilde weg in een vuilniszak. Een spaarpot in de vorm van ET, cadeautje van Alex, een paar lege fotolijstjes, kapotte walkmans, zonnebrillen die ik niet meer droeg, en een hele zooi foto's en brieven, maar zelfs dat – vooral dat – wilde ik niet meer. Toch pikte ik er een foto van Alex uit, en een envelop met alle foto's van Nikki. Ik liet de alien met één oog leeglopen en vouwde hem op – was toch een souvenir uit New York... Pallas kwam weer op de drempel staan. Nu staarde ze naar het bebloede laken dat zonder het dekbed open en bloot lag.

'Ik geef je wel een maand huur,' zei ik zonder te proberen haar blik te kruisen. 'En de borg, totdat iemand anders die overmaakt.'

Geen bedankje, niets. Ik wilde net het antwoordapparaat en de telefoon inpakken toen die begon te rinkelen. Ik bleef op mijn hurken boven het apparaat luisteren naar de verveelde stem van Jessie.

'Hoi, ik hoop dat het goed met je gaat. Hé, ik wou je zeggen dat ik denk dat het beter is als we elkaar even niet zien. Het wordt anders te ingewikkeld met Alex... Dus nou ja, ik hoop dat je het niet erg vindt, ik bel je nog.'

Ik haalde de stekker van het antwoordapparaat en de telefoon eruit, stopte ze in een doos, veegde met de rug van mijn hand mijn neus af en begon weer opnieuw orde te scheppen. Aan een kant van de kamer zette ik alles wat ik meenam, aan de andere kant wat ik achterliet. Inclusief de clubfauteuil... Als ik zo naar de stapels keek, nam ik meer mee dan ik achterliet. Maar als de apparatuur eenmaal geïnstalleerd was, zou ik toch niets anders hebben dan een bed en een tas met kleren. Dat was wat ik wilde. Net als in een hotel. Toen ik de dozen begon te tellen, ook die van de apparaten, realiseerde ik me hoe onmogelijk de hele onderneming was. Er waren al een stuk of twaalf dozen, en dan nog de drie synthesizers en het grote mengpaneel waarvoor geen verpakking was, de twee planken, de vier schragen, de stoel van de computer, de poten van de synthesizers, en de elpees, die nog niet eens waren ingepakt. Zelfs als ik een Espace zou vinden, zou er nog geen taxichauffeur zijn die meerdere ritten wilde maken. Ik kreeg de neiging op de grond te gaan zitten janken, maar ik vermande me. In het ergste geval zou het me een of twee dagen kosten om een busje te vinden en moest ik ondertussen bij Nikki slapen, maar in ieder geval zou alles al klaar zijn. Ik raapte het plakband op en begon de dozen dicht te plakken. Pallas, die weer was weggegaan, kwam terug met een nieuwe sigaret die ze net had opgestoken en waaronder ze een asbak hield. Achter haar onverschillige masker moest het toch zo'n beetje het einde van de wereld betekenen voor haar afwas en het huishouden... Ik had haar willen kunnen zeggen dat het goed zou komen, dat ze een cool iemand zou vinden met wie het allemaal absoluut veel beter zou lopen dan met mij. Maar niets in haar houding was een aanmoediging om ook maar iets aardigs tegen haar te zeggen.

'Dat laat ik allemaal hier,' zei ik en wees naar een kant van de kamer, 'wil je er nog naar kijken, of moet ik het meteen weggooien?'

'Nee nee,' zuchtte ze, 'laat maar, ik kijk er nog wel naar.'

Had ze een deur opengezet voor een gesprek? Misschien wel. Maar alles welbeschouwd voelde ik me daar niet toe in staat. Ik zag niet in wat we elkaar nog te zeggen hadden. Het was allemaal veel te ver gegaan. Ze had me bewust pijn willen doen en al die tijd had ze geen excuses aangeboden. Bij de rancune en de teleurstelling kwam nu ook nog een grenzeloos wantrouwen dat misschien nooit meer zou verdwijnen. Ik was net als katten: als je ze eenmaal een streek hebt geleverd, vergeten ze dat nooit meer.

'Heel goed,' antwoordde ik ten slotte dus om het gesprek te beëindigen, en ging verder met het dichtplakken van mijn dozen. Ondertussen probeerde ik na te gaan of er genoeg dozen over waren voor de elpees of dat ik naar buiten moest om er nog een paar te halen.

'Je bent echt een kutwijf,' liet Pallas zich ineens ontvallen. 'Je laat me expres in de stront zakken.'

Ik haalde diep adem.

'Had je dat niet eerder kunnen bedenken?' vroeg ik voorzichtig.

'Ík heb toch niks gedaan.'

Ze bleef daar maar staan, haar wangen hol van minachting. Ik liep langzaam op haar af.

'Jij hebt niks gedaan?' vroeg ik terwijl ik mijn handen in mijn zij zette. Ik barstte bijna in lachen uit. 'Neem je me in de maling of zo? Alles bij elkaar werk je me nu al drie weken op m'n zenuwen. De laatste tien dagen ben je zo walgelijk bezig dat ik wel ergens anders moest gaan slapen. En laatst was je... ik kan niet eens op het woord komen... En waarvoor allemaal? Ik zal het je zeggen: omdat je niet het lef had me de waarheid te zeggen. Ja, absoluut de waarheid: dat jij ook verliefd op haar was.'

'Je bent aan het ijlen, trut!'

'O ja? Nou, wat is dan je probleem, ben je soms verliefd op mij?'

'Zeker weten van niet!'

'Nou, waarom heb je je er dan mee bemoeid? Waarom probeerde je meteen de eerste dag al de boel te verzieken? Het ging je niks aan, het was jouw vriendinnetje niet, ze was helemaal niks van jou! Wat kon het je in jezusnaam verrotten? Nou???'

Met mijn handen nog steeds in mijn zij liep ik weg om een beetje tot rust te komen.

'Je werd geacht mijn beste vriendin te zijn,' ging ik verder. 'Je had het er met me over moeten hebben. Dat had misschien niks uitgemaakt, maar dan had ik het tenminste gesnapt en dan hadden we oplossingen kunnen bedenken. Denk je soms dat ik niks beters te doen heb dan verhuizen? Ik moet verdomme wel een plaat maken!'

'Niemand dwingt je om te vertrekken,' zei ze.

'O ja? En hoe zie je dat precies voor je?'

'Ik heb niks gedaan,' zei ze weer.

Pathologische stijfkop, niets meer of minder.

'Moet je horen,' zei ik kil, 'voor mij ben je iemand anders geworden die ik niet eens wil kennen, dus kras maar op want ik heb nog een hele hoop dingen te doen.' Omdat ze zich niet verroerde en me bleef aanstaren met een vage glimlach waar het sarcasme van afdroop, pakte ik haar bij haar elleboog en duwde haar de gang in.

3

Toen ik thuiskwam na het ondertekenen van het huurcontract was Pallas er niet meer. Ik vond geen briefje waarop stond 'succes' of 'shit' of wat dan ook, dus ik schreef er ook geen. Ik wierp een blik op alles wat ik achterliet. Ik werd er niet goed van, maar er waren al zoveel dingen om mee te nemen. Mijn video's waar ik jaren over had gedaan om ze te verzamelen... Ik maakte de vier dozen weer open, keerde ze stuk voor stuk om en stopte er snel weer een vol met mijn lievelingsbanden.

De gozer die twee uur te laat kwam opdagen was werkelijk niet te genieten. Een geluidstechnicus – vriend van Nikki – met een busje. Ik zei dat ik bereid was te betalen wat hij wilde om me te helpen, maar hij bleek problemen met zijn rug te hebben. Dat neemt niet weg dat het werkelijk absurd was, die gozer die nog geen stoel wilde dragen. En de hele weg geen woord. Alleen: 'Wat is de code?' toen we bij de deur kwamen, die hij in ieder geval wel bleef openhouden. Maar eigenlijk hoefde dat ook niet zo nodig, zodra ik een doos had neergezet ging ik alweer terug. Mijn knie deed zeer, maar ik probeerde alleen te voorkomen dat ik hem te veel boog. Eerst zette ik alles in het portiek, om die gozer te laten ophouden met naar de auto's te schreeuwen die achter hem stonden te toeteren, toen gaf ik hem een flap van vijfhonderd franc en zei niets terug op zijn 'doei'. De laatste keer dat ik langsliep kwam de conciërge uit haar hokje om me mijn tassen terug te geven en me welkom te heten. Op de binnenplaats hingen een heleboel verschillende geuren, allemaal even heerlijk. Uit de open ramen kwamen zachtjes verschillende soorten muziek, allemaal even aangenaam. Ik dronk wat bij de fontein, volledig uitgeput, maar zei bij mezelf dat ik het hier prettig zou vinden.

Toen alles eindelijk binnen stond ging ik in de huiskamer op de grond liggen. De vloer was hard en om me heen was het kaal. Maar het was mijn huis. Ik had toch een gigantisch risico genomen: als ik niemand had gevonden, zouden mijn spullen van de Galeries Lafayette misschien de volgende ochtend spoorloos zijn verdwenen. In de haast had ik al mijn toiletspullen vergeten. Ik stond op om in de keuken water uit de kraan te drinken, en maakte toen een rondje door het huis. Het leek allemaal iets minder perfect dan de eerste keer. De Velux-dakramen van de ruimtes aan de linkerkant – keuken, badkamer en slaapkamer – keken uit op een stenen muur waarvan je de bovenkant niet kon zien. Het zou dus altijd donker zijn en de schuin oplopende muur achterin zou waarschijnlijk heel wat bulten veroorzaken. De schuifdeuren van de kasten in de slaapkamer hingen uit hun verband, de kranen van de badkamer en de keuken hadden echt een bespottelijk straaltje en door het raam in de huiskamer keek je niet echt op de binnenplaats uit. Je moest je in allerlei zijwaartse bochten wringen om iets van groen te zien. Maar die details zonken in het niet vergeleken bij de hel waar ik doorheen had moeten gaan als ik minder snel iets had gevonden.

Toen ik weer op de grond lag viel mijn blik op de aankopen van die ochtend, de Habitat-tassen met alles wat ik in tweevoud had gekocht. Ik dacht aan Inès die hier waarschijnlijk nooit een voet over de drempel zou zetten. Ik dacht aan haar verscheurde kaart die ergens in een goot moest drijven, en toen deed ik wat ik niet moest doen. Ik maakte de doos open waar het antwoordapparaat in zat, zocht mijn walkman, stopte het bandje met berichten erin, hoorde weer hoe ze het uitmaakte en huilde.

## 4

Later was het donker en ik kon er zonder elektriciteit op geen enkele manier achterkomen hoe laat het was. De vlam van de kaars die ik was gaan kopen bij de Noord-Afrikaanse winkel golfde rustig over de muur. Ik zat op een doos te eten uit een nieuw bord dat ik op schoot had gezet. Ik at van de harde fabriekscake die ik had gesneden met het bestek van mijn oma en die ik wegspoelde met lauwe cola. Ik was min of meer aan de schijterij en moest de hele tijd mijn neus afvegen, maar mezelf versuffen met Néocodion maakte geen deel uit van mijn plannen. Ergens gaf het feit dat ik me gammel voelde me de kracht om daar in mijn eentje te zitten. Het was alsof ik iets moest bestrijden. Toen ik naar de wc was gegaan en mijn broek naar beneden had gedaan had ik even moeten fluiten van ontzag bij het zien van mijn knie. Hij was helemaal bedekt door een bloeduitstorting, erg paars en met gele randen. Maar ondanks de pijn die maar niet minder werd moest ik lachen: als dat het enige was wat ik aan het hele gedoe zou overhouden... binnen een week zou het zijn verdwenen.

Toch had ik spijt dat ik de clubfauteuil niet had meegenomen.

Ik had erin kunnen zitten zonder dat het me eeuwig aan Inès zou hebben herinnerd. Maar ik wilde het allernoodzakelijkste minimum hebben en dat had ik.

Wie zou mijn plaats innemen aan de rue du Chemin-Vert? Het zou iemand moeten zijn die voor Pallas het huishouden deed... Misschien zou ik over een tijdje te horen krijgen dat ze was getrouwd met een kerel die haar onderhield en haar volstrekt met rust liet. Ik gunde het haar, als dat echt was wat ze wilde, ook al zou ik liever horen dat ze overdag werkte als serveerster en 's avonds een tentoonstelling voorbereidde, of een plaat als ze dat wilde, op weg naar het succes. Alice wenste ik toe dat ze haar problemen zou oplossen. Eva wenste ik een lang leven toe met Gayle, die in Parijs zou komen wonen. En dat ze zo zou blijven als ze was: de meest complete persoon die ik ooit had gekend. Jessie en Alex wenste ik toe dat ze een wereldplaat zouden produceren die het helemaal zou maken. Ik wenste Alex ook toe dat ze niet meer verslaafd zou raken. Wat de andere kant van haar leven betrof, daar hoefde ik me geen zorgen over te maken in haar plaats... Maar twee dingen waren duidelijk: het had geen enkele zin de Notre-Dame te blijven vereren, en ik moest nooit meer vertrouwen op oasen in de woestijn. Noch op ansichtkaarten die niet ondertekend waren.

Ik wist niet wat ze zich van mij zouden herinneren als er wat tijd overheen gegaan was en ze er zonder wrok aan terug konden denken. Er zou absoluut een moment aanbreken dat sommigen graag iets van me zouden horen. Uiteindelijk zou niemand, behalve Pallas, het me echt kwalijk nemen. Het was gewoon een kwestie van tijd. Weliswaar zou ik zonder hen in een godsonmogelijk groot gat vallen, zoals ik dat nog nooit had meegemaakt, maar het zou kunnen dat ik eraan gewend raakte. Het zou kunnen dat op de dag dat zij eraan toe zouden zijn mij weer te zien, ik daar helemaal geen zin in zou hebben. Als je iemand eenmaal bent kwijtgeraakt, heb je dan per se zin om die persoon weer terug te zien? Als de wonden eenmaal dicht zijn, neem je dan het risico dat ze weer opengaan? Misschien zouden we elkaar weer zien, maar dat zou niet meer op dezelfde manier kunnen. Ik zou nooit meer bij een vriendinnenclub kunnen horen.

Ik stelde me Inès voor op haar eerste dag aan de universiteit, anoniem in de menigte studenten van haar leeftijd. Of misschien niet anoniem. Misschien zou ze weer de meest onweerstaanbare en meest mysterieuze zijn. Maar was ze dat echt? Of was het de manier waarop ik naar haar keek die haar zo bijzonder had gemaakt...? Dat was mijn probleem niet meer.

Mijn probleem zou zijn hoe ik die Julian van Nikki terug moest vinden. De jongen die was gekomen om een concert te geven op het plein, nog geen tweehonderd meter hiervandaan... En mijn meest urgente probleem was waar ik de energie vandaan moest halen om alle apparatuur weer te installeren. Alles op elkaar aan te sluiten. Ik zou alles in de slaapkamer zetten en van de huiskamer de slaapkamer maken.

Ondertussen zou ik deze nacht op de vloer blijven liggen, met mijn spijkerjack opgevouwen als hoofdkussen en als enige gezelschap de kaarsvlam. Die vlam die maar rustig heen en weer bleef zwaaien en op de muur een uitermate rustgevende schaduw wierp vergeleken bij de schaduwen die ik had zien flakkeren op de muur in de rue du Chemin-Vert, de allereerste nacht dat ik daar had geslapen... Die schaduwen die 'maak dat je hier wegkomt' hadden gezegd en waar ik niet naar had geluisterd...

Ik zat daar goed, in mijn nieuwe huis, met wat geld van mijn voorschot, en niemand meer om verantwoording aan af te leggen. Ik had alleen spijt dat ik geen bandje had om in mijn walkman te stoppen. Ik had wel wat naar muziek willen luisteren. Kon me niet schelen wat.

EPILOOG

# Superstars

Achtenveertig uur later stond alle apparatuur op zijn plek in de slaapkamer die werkkamer was geworden. Alles was aangesloten. Het had me de hele middag daarvóór gekost, maar iedere kabel had uiteindelijk zijn bestemming gevonden en als door een wonder was geen enkele instelling veranderd. Aan de linkerkant van de kamer vormde het geheel weer een omgekeerde 'L' onder de dakramen, met de hoofdsynthesizer binnen handbereik vanaf de computer. De andere twee, die achter mijn stoel op elkaar waren gestapeld, maakten er een soort driezijdig vierkant van. De rest – mijn DAT-rotzooi, de handboeken, de computertijdschriften en de stuk of dertig video's die ik had gered – was allemaal net als vroeger onder de tafels gestouwd. De platen en cd's stonden rechts. Wat de huiskamer betrof, die zag er precies uit als de slaapkamer waarvan ik altijd had gedroomd: ik had een tweede tv gekocht, even groot als die ik al had – om beelden te kunnen vermenigvuldigen of om tegelijkertijd naar MTV en MCM te kunnen kijken. Er stond niets anders dan die twee tv's op elkaar, de videorecorder, een roze Lava-lamp die ik ergens had opgeduikeld, een grote glazen Habitat-asbak en het bed, wit.

Achtenveertig uur later had ik niet alleen de stroom laten aansluiten en een adreswijziging gestuurd voor mijn uitkering en de huursubsidie maar had ik ook telefoon. Toen die ging kon het alleen Nikki maar zijn, ik had mijn nummer nog aan niemand anders gegeven. Ik ging op mijn hurken boven het antwoordapparaat hangen en hoorde hoe hij zich excuseerde dat het zo lang duurde voordat hij langskwam. Hij was nog in de studio en zou niet eerder dan het weekend kunnen komen. Ondertussen hoopte hij dat ik me lekker had geïnstalleerd en dat ik weer aan het werk was gegaan. Hij zei nog, zoals altijd, dat dat per slot van rekening het enige was wat telde. Een paar minuten later ging de telefoon weer. Ik dacht dat hij iets vergeten was en deze keer nam ik op. Het was Inès. Ze zei dat ze in een telefooncel in de buurt stond. Ik wilde vragen hoe ze me had gevonden, maar in plaats daarvan zei ik kil: 'Nou en?'

'Nou, kan ik langskomen?'

Waarschijnlijk had ze Pallas overgehaald om Nikki te bellen en had die het nummer gegeven met het idee dat het was om nog iets af te handelen in verband met het andere huis. Dat verklaarde niet waarom hij ook het adres had gegeven. Ik vermoed dat het van Pallas' kant aardig bedoeld was, een poging om een en ander goed te maken...

'Nee, kom maar niet langs,' antwoordde ik uiteindelijk.

'Waarom niet?' vroeg ze smekend.

'Bel me alsjeblieft niet meer.'

'Wacht even, niet ophangen. Het spijt me verschrikkelijk. Ik wil graag dat je dat weet.'

'Oké, ik weet het.'

'Wacht even. Ik weet dat je waarschijnlijk heel wat smerige praatjes over je heen hebt gekregen, en ik heb vast ook gemene dingen gezegd, maar dat was uit paniek, snap je? Laat me vijf minuten boven komen. Ik ben weg bij Alex.'

Ik bleef even stil, terwijl ik naar een scheur in de muur zat te kijken. Ik had me urenlang van alles kunnen blijven afvragen. Maar het was net als met al het andere. Het moest gebeuren, zo simpel was het. Dus ik gaf de code, legde uit waar ze moest zijn op de binnenplaats en hing weer op.

Terwijl ik tegen de muur naast de intercom stond te wachten, begon ik me ongemakkelijk te voelen, net als de eerste keer. Bang dat ik een rooie kop zou krijgen, dat ik niet zou weten wat ik moest zeggen, en bovendien zag ik er niet uit, in een vormeloos oud wit T-shirt dat onder de zwarte strepen zat doordat ik er bij het uitpakken van de apparatuur de hele tijd mijn handen aan had afgeveegd. De intercom braakte een snerpende zoemtoon uit die me deed opschrikken. Net toen ik de hoorn van de haak wilde halen realiseerde ik me dat ik helemaal geen rooie kop had. En ook geen snellere hartslag. Alleen een plotselinge vermoeidheid bij het idee dat ik weer alles zou moeten aanhoren wat ze op haar lever had. De intercom klonk weer. Ik besloot niet open te doen. Zo simpel was het. Hij ging weer en deze keer haalde ik de hoorn eraf en liet hem bungelen.

Terwijl ik op bed lag kon ik haar door het open raam horen roepen, maar met mijn handen in mijn nek keek ik alleen maar opzij naar de bladeren van de bomen die zachtjes werden opgetild in de wind. Vanuit de hoek waarin ik lag kon je toch wat groen zien en een groot deel van de lucht. Een schitterende lucht verdomme, felblauw, net als de vuilniszakken. Behalve mijn voornaam die met regelmatige tussenpozen weerklonk, kwam er geen enkel geluid vanaf de binnenplaats. Net als in een hotel. Mijn droom sinds jaar en dag. Ik wist niet hoe lang ik hier zou blijven wonen. Ik wist alleen dat ik hier een plaat zou maken.

Ik wist ook dat ik in de gaten zou houden wanneer Nikki's vriend weer langskwam. Julian. Het was afgelopen met de meisjes. Geen ergernis meer omdat je nooit meiden ontmoette die zo mooi waren als hetero's. Geen schimmel meer (dat krijg je steeds weer opnieuw van meiden)! En geen 'dingetje zei dat' meer. Nu wist ik wat goed voor me was, of liever gezegd, wat niet goed voor me was. Zo was het precies: meisjes waren niet meer goed voor me. Het was eigenlijk net als met dope: iets wat ik eindeloos lekker had gevonden maar waaraan ik onderdoor ging. Dus als ik op een dag weer op een meisje zou vallen, hoefde ik alleen maar te doen wat ik bij dope deed: als je je best deed de verleiding te weerstaan, ging die uiteindelijk terug naar waar ze vandaan gekomen was. Met de tijd raakte je eraan gewend en dat hield je op het rechte pad.

Het belangrijkste nu was dat ik me op die plaat ging storten en er alles in zou leggen wat ik in me had. Daarna moest er maar gebeuren wat er te gebeuren stond. Met een beetje mazzel zouden er genoeg van verkocht worden om er goed van te leven. Met nog wat meer mazzel zouden er genoeg van verkocht worden om me aan een nieuwe te wagen. En met verdomd veel mazzel zouden er zo waanzinnig veel van worden verkocht dat ik 'm zou kunnen smeren uit dit kloteland waar je zestig procent belasting moet betalen zodra je iets kan. Met een ander soort mazzel zou ik binnenkort Julian weer zien. En als hij het niet kon zijn, dan zou er absoluut een ander zijn. Een genie op de Gibson TV, maar die ook van een mix hield. Want dat was natuurlijk wat ik eruit zou persen: een elektronische plaat met een hoop rockklanken.

Oké, ik zou – zoals Jessie zou zeggen – een waanzinnig album op de wereld zetten, en het zou goed zijn als Alex en zij ook een megaklapper zouden maken. Dat was het enige wat telde: doen wat je leuk vindt en zorgen dat je geld hebt om rust te hebben. En dan zouden we eindelijk daar zijn waar Alex wilde dat we samen heen zouden gaan: we zouden bij de superstars horen! Het maakte niet uit als we niet bij elkaar zouden zijn... We zouden waanzinnige huizen hebben en retegoeie auto's en zoveel geld dat we niet meer zouden weten wat we ermee moesten doen! Maar we zouden vooral trots op onszelf zijn, trots dat we bezig waren met dingen die ertoe deden. Het leven zou eindelijk beginnen ergens op te lijken.

Ik stond op om uit het raam te gaan hangen. Drie verdiepingen lager stond Inès zich nog steeds schor te schreeuwen in haar roodsuède jas.

'Wat ben je in godsnaam aan het doen?' vroeg ze toen ze me zag.

'Rot toch op!' antwoordde ik lachend en deed het raam weer dicht.

# DANKBETUIGING

Met dank aan iedereen die als inspiratie voor dit verhaal heeft gediend.

Met dank aan alle genoemde deejays, musici, merken en plekken; aan Marion Mazauric, Christian Giraud, Lucy Givrey, Holy Flesh, Corinne Cuciz & Sophie Anquez; aan Astrid Fontaine en Caroline Fontana. En Mané & Muriel Sibéril, Vincent Valas, Emma Nowak & Patrick Eudeline, Mela Scott & Denis Bortek, Nico Trautmann, Delfine, Zouzou, Marie Lomax, mijn vader, mijn moeder, mijn familie, Simonetta Greggio en Juliette Joste: bedankt voor jullie trouwe steun.

Cécile Helleu, Anne & Thomas Gizolme en Guillaume Robert: bedankt dat jullie er zijn.